三浦悦子の世界〈18〉

［兵士の盾］

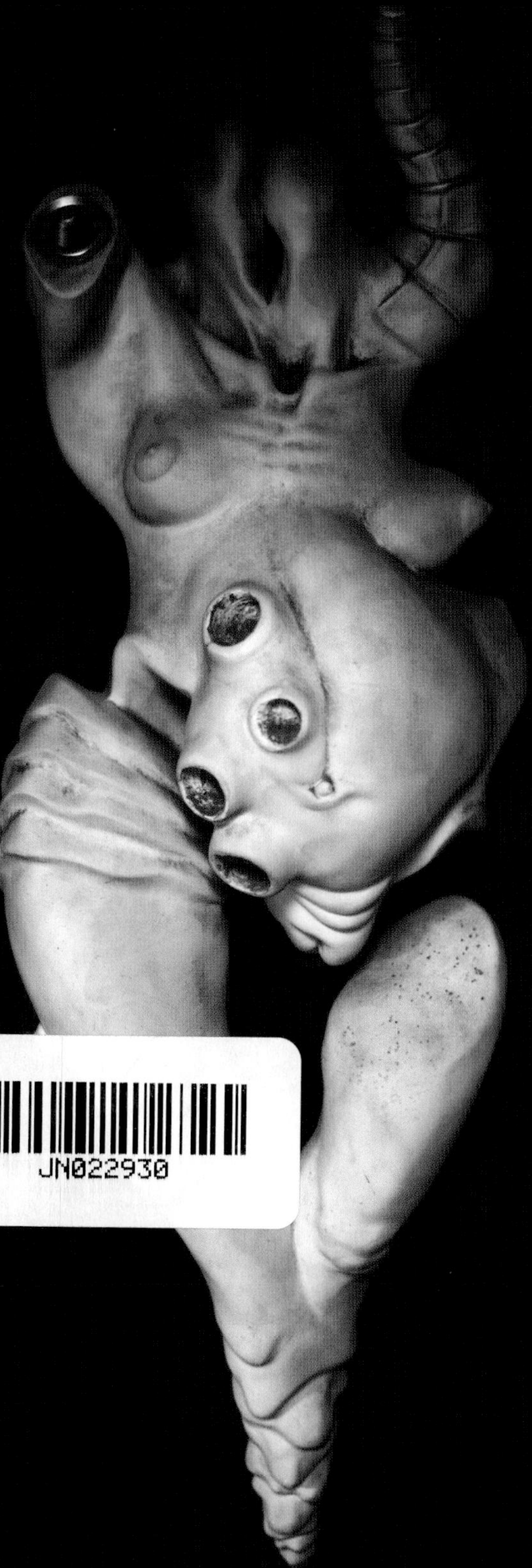

15年ほど前、彼女はいわゆる身体的にハンディキャップがある人を中心に見せるSMショーをしていました。
案の定、ネットを中心にたくさんの人になじられました。
彼女は、パフォーマンス会場で、ここの段差、車イスの人通れるかしら？などと、誰も気がつかないところで心配している人でした。

そして自ら……ました。
その時から正義という言葉がわからなくなりました。

子供の頃、ヤクザ映画が流行っていて、
なんであんな悪い奴らの所業を喜んで観たりするんだろう……とか
思わないでもなかった遠い昔。
考えてみれば、そこには「悪」なりの美学があった、のかな。

その美学がある意味、組織の美学であるところも興味深く、
ナチスといいショッカーといい、または暴走族といい、
組織としてより強力な恐怖を醸し、
一方で組織としての魅惑を併せ持っているというところに
「悪」の両面の顔を見ることができるかもしれない。

もちろん、「悪」は組織に限らない。
アルセーヌ・ルパンみたいな怪盗とかもいるしね。
それも、悪いのに魅力的という愛すべき存在だ。

「悪」のイメージは実にさまざまで、哲学者もいろいろあれやこれやと言っている。

小難しいカントによると、
暴力を奮ったり悪徳に染まったりという犯罪行為は「悪」のうちに入らなくて、
表向きは道徳的に善いことをおこなっていたとしても
心の内に自己愛が渦巻いていれば、それは「悪」であるらしい。

まぁ確かに、そうしたものは一見「悪」と見えず、
道徳的に間違っていないのだから非常にやっかいであることは確かだ。
不倫だ何だという問題に対して良識を振りかざして炎上させる困った人たちも、
そのような「悪」に染まっている存在なのだろうか。

しかしそれにとどまらず、
道徳的に善く適法的な行為によって文化を発展させようとすることも
「悪」につながるというのだから、
カントによればつまりはみんな「悪」なのだ。
究極的には、「悪」を知り、それを遂行することこそが
「善」の追求なのだ、と言ってもよいのかな？

とはいえだ、道徳的善行とか、適法的な行為とかいうものを
絶対的なもののように考えていることが、そもそもどうかと思うんだよ、
とニーチェはカントを批判した（のだと思う）。

当然のことながら、善行は時代によって、文化や環境によって、違ってくる。
（西洋文明にとって）未開の地を征服することは善行だったろうし、
魔女狩りも善行だったろうし、ホロコーストも文化大革命も
やってる当人からすれば善行だったのだろう。
（アイヒマンはカント倫理学に従ってユダヤ人をガス室送りにしたそうだ）
それにン十年前まではマンガも悪とみなされ、
手塚治虫も批判にさらされていたではないか。

「善」がうつろえば「悪」も変わる。
同性愛は？中絶は？薬物は？原子力は？
革命と呼ばれるものも本当は虐殺とかテロではないのか？
「悪」を安易に定義づけすることはできない。

だがこれだけは言えるかもしれない。
「悪」に恐怖するのは、
信じている「善」が
破壊されるかもしれないからだ。
一方「悪」を意識することは、
この世の「善」に対して疑いを差し挟むことだ。

ボードリヤールは、
「善」が、進歩と繁栄をもたらすとしてもてはやされ、過剰になっている状況を憂いた。
そして、三島由紀夫の「金閣寺」のことを、
その「善」を打破する「悪の知性」の実践例として高く評価した。

「善」はもはや「よいこと」とは限らない。
「悪」も同様に「わるいこと」ではない。
「善」がますます過剰になってきている昨今、
「悪」についてもう一度見つめ直すことが必要かもしれない。
単なる暴力や犯罪行為とは異なる「悪」のあり方について、考えてみる。(沙)

★写真:堀江ケニー、モデル:Rott

悪と善のゲーム

こやまけんいち絵本館 no.42

ちょっと
今のは
ズルだった
じゃない
ルールだって
いつも勝手に
変えすぎ
じゃない
2020
こやま
けんいち

イカサマでも何でも良いのよ
勝てば勝ちなの正義なの
毎回負けるアンタが悪いの
ハサミなんか
振り回さないでよ
警察呼ぶ
わよ

四方山幻影話 45

◉写真・文:堀江ケニー
モデル:Rott
車提供:Instagram @thekalifornia

悪の美学。なんだか知らないが子供の頃から自分はひねくれていたのか、悪いヤツらが好きだった。カッコイイと思った。

と言ってもそれは、ヒーローものの敵役の怪人だったり悪い怪獣だったりした。例えば怪獣映画ならゴジラより敵のキングギドラのカッコ良さにシビレたり、仮面ライダーなら敵の怪人にシビレた。特にライダー怪人は初期のが実にカッコ良かった。漫画でも、悪なんだかヒーローなんだか曖昧なダークヒーローもの、ワイルド7なんてのにも胸をトキメかしたもんだ。

何故悪いヤツに憧れみたいなものを感じたかと言うと、それはやはり悪いヤツはモテた。はい、本当に中学、高校の時は悪いヤツはやたらと良い女を連れてたんだな、これが。

実際のところそれは大人になってもあるわけで、ロクデナシでも、なんか知らんがやたらとモテるヤツがおるんですねー。それはお金を持ってるからって場合もあるが、それだけとも限らない。なんだかの魅力があるんでしょうね～。

まぁ～モテる話は置いといて、悪いヤツでカッコイイってなると自分の場合はプロレスラーだったりする。具体的には、グレート・ムタ、The Great Mutaですよ。グレート・ムタ、武藤敬司は80年代に単身アメリカへ渡り、アメリカのプロレス団体NWAで悪役としてデビュー。その当時、プロレス界での日本人の扱いはヒール、つまり悪役で、今でもそうだが、アメリカのプロレスは基本的に分かりやすく善と悪、ベビーフェスとヒールに分かれてストーリーが組まれている。そんな中、グレート・ムタが突如アメリカマットにデビューしたんです。

しかしデビュー直後からグレート・ムタの動きのカッコ良さ、そのミステリアスなルックス、全戦全勝などが続き、ただの悪役ではなくカッコイイ悪いヤツとして、それまでにないキャラとして育っていった。やっぱり悪くてカッコイイヤツってのは世界共通なんだろうなぁ～。グレート・ムタの後、悪くてカッコイイヤツが続々と登場したこともそれを証明している。

が、実は当時は、ムタの扱いに主催側は困っていたという話も聞く。それまでは悪役は悪役と決まっていて日本人の売り出し方も決まっていた。が、悪いくせにベビーフェイスのように人気があるムタをどう売り出してよいものか、イマイチ方向性が決まらなかったようなのだ。なので中途半端な扱いになってしまった。しかしその後に続く日本人レスラーに新しい道を切り開いたのは、間違いなくグレート・ムタ。突き抜けた悪いヤツはカッコイイのだ。と、今回の撮影はそんな事でアメコミのヴィラン、悪いヤツのイメージで撮りたいなぁーと思いこんな感じにしてみました。アメコミ感が伝われば幸いです。

辛しみと優しみ〈42〉

人形・文＝与偶
doll & text by Yogu

私についておいで

撮影◎サトウ・ノリユキ / SATOFOTO

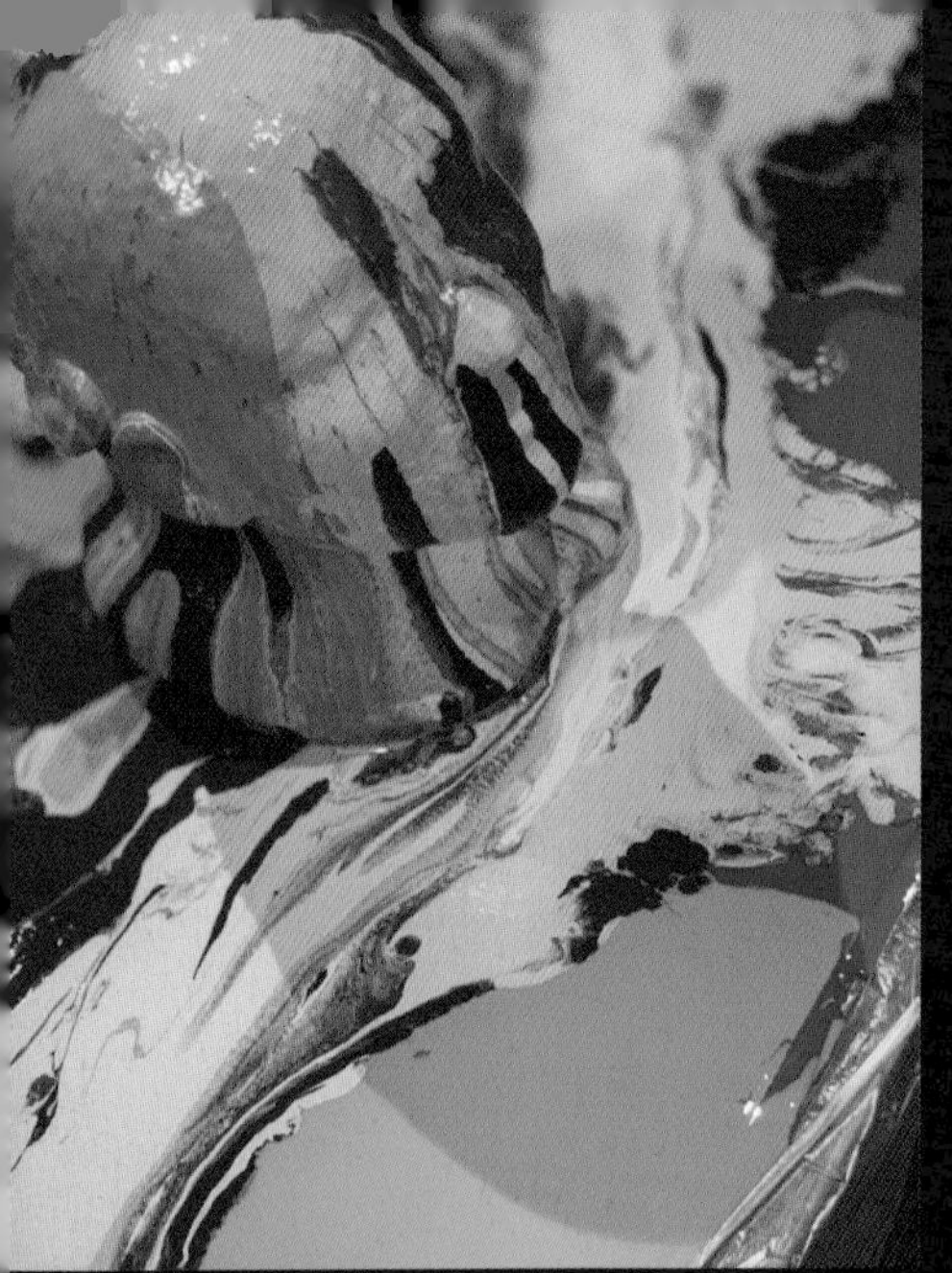

新型コロナウイルスの流行により海外との行き来も容易ではなくなった。小川貴一郎も、本来なら今年5月から拠点をパリに移していたはずだったが、延期に。そして7都府県に緊急事態宣言が出された4月7日から家に閉じこもり、創作活動に没頭することを決める——だがそれはコロナを恐れたからだけではなく、「資本主義に洗脳された人たち」に「染まりたくはない」からだった。「芸術家とは、自分自身の中から生み出されたものでしか、自分を守ることはできないのである」——コロナから身を守るだけでなく、芸術家として持つ自身の信念を、小川はそう言い表す。

その小川が、緊急事態解除までの45日間に制作した作品を一堂に展示する展覧会が開催中。またその作品を、日々の思いを綴ったテキストとともにまとめた画集「監禁芸術」が発売された。

小川は国内外のホテルやファッションブランド等のアートワークを手がけるなど、世界的に活躍しているアーティストだ。FENDIとのコラボレーションアーティストとして世界の5人に選ばれたこともある。今回、45日間に制作された作品の多くは服に描かれた。6歳の頃、パンクロッカーが黒のライダースジャケットに骸骨を描いている姿に強烈な影響を受けたといい、それが「監禁芸術」にも反映されているのかもしれない。

その絵やテキストからは、小川の中で沸き起こった思いが鮮烈に発露している。その生命の叫びは、まさに圧巻だ。(沙)

★小川貴一郎
「監禁芸術 confinement art」
A5判・128頁・定価税別2500円
発行・アトリエサード/発売・書苑新社
好評発売中!

★小川貴一郎展「confinement art」
2020年10月20日(火)〜11月8日(日) 月曜休
10:00〜18:00(入館は17:30まで) 入場無料
場所/神戸・六甲アイランド 神戸ファッション美術館
Tel.078-858-0050 https://www.fashionmuseum.or.jp/

監禁1日目、
イヴ・サンローランに蟻を描いた。

東學による一夜限りの「肌絵」２５０作品が豪華本に！

東《あずま》學《がく》は、アートディレクターとして舞台・演劇のポスターデザインを数多く手がけ、一方、糸のような墨の線で描く「墨画」で一貫して「女」を描き続けている絵師だ。2003年、ニューヨークのレストランに遊女シリーズを描き、07年には墨画集『天妖』（PARCO出版）を出版。そして14年、歌舞伎役者の片岡愛之助とコラボして墨絵のライブパフォーマンスをおこなうなど、幅広く活躍している。

その東が15年から手がけているのが、女性の肌に筆を走らせる「肌絵」だ。食事などをしながらモデルと話し合って絵のモチーフを決め、そして一晩かけて絵を描く。完成したらその姿を、東自身の手で写真におさめる。撮影したあとはシャワーで洗い流してしまうという、一夜限りの作品だ。終わったあと、モデルはとてもとってもすっきりとした表情をして帰っていくのだそうだ。

これまで180名余りのモデルに描き、作品数も250を数えるという。それらを1冊にまとめたいとクラウドファンディングがおこなわれ、多くの賛同者を得て、フルカラー576頁という豪華な作品集として実現することになった。小社を通じて流通にも乗ることになったので、書店やアマゾンなどでも入手可能。また、出版記念展も予定されているので乞うご期待！（沙）

★「東學肌絵図鑑
DRESS CODE」
A5判変形・576頁・定価税別 15,000円
編集責任・一八八
発行・アトリエサード／発売・書苑新社
詳しくは下記特設サイトへ！
http://188.jp/gaku/hadae/book

※出版記念展は、2020年12月に大阪、
2021年に東京で開催予定。
詳細は上記サイトなどをチェック！

奇妙で美しいものを集積して
生み出した、新たな美

★写真はいずれも、photo by Yulia Shur

林美登利の作品は、人形とはいっても、失礼かもしれないが良識や常識やらを打ち破って突き抜けたものがある。想像を超えた異形というか。だから今度の個展のタイトルが「驚異の部屋」だというのを聞いて、さもありなん、実にふさわしいと思った。かつてヨーロッパの貴族らが競って作り上げた「驚異の部屋」は、珍しい奇妙なものを世界中から集めたものであり、まさに林の作品はそうした驚きをもたらしてくれるものだからだ。しかもその作品は、林にとって美の集積であり、集積させることによって別の新たな美を生み出そうとしているのである。

今回掲載した写真は、そんな林の作品を、ベラルーシ出身でここ数年は日本を拠点にしている写真家＆ディレクター、Yulia Shurが撮影したもの。林の美を異界的な幻想で彩ってみせた。(沙)

★林美登利人形展
「Cabinet of Curiosities～驚異の部屋」
2020年12月8日(火)～20日(日) 会期中無休
入場料500円(A室と共通／全日時間指定事前チケット制)
場所／東京・銀座 ヴァニラ画廊 B室
12:00～19:00(土・日・祝は～17:00)
Tel.03-5568-1233 http://www.vanilla-gallery.com/

★林美登利 人形作品集
「Night Comers～夜の子供たち」「Dream Child」
好評発売中!
いずれもA5判ハードカバー
発行・アトリエサード／発売・書苑新社

村田兼一の視線は、はるか古代に向けられている。新写真集『女神の棲家』に寄せられた村田のまえがきを読めば、「女神の原型とは、地母神など多産を望むものではないだろうか」として、キリスト教の誕生のみならず、ギリシャ神話が生まれる前のはるか昔にまで思いを馳せて、「女神」のあり方を夢想している。

キリスト教などに侵略される前の原始宗教が育んだ女神の姿を、村田は現代の少女たちに投影して蘇らせようとしているのである。

美術作家の大槻香奈は、この「女神の棲家」の解説で、自身の少女時代に感じた、少女として神聖視される一方、実際には肉体を持った普通の人間であると

原始宗教が育んだ女神を現代の少女たちに投影

いうちぐはぐさを告白し、その思いを村田が撮影する女の子たちが拾い上げてくれているような気がしていたと綴っている。そう感じさせるのも、やはり、村田の写真が現代社会の倫理に惑わされず、いにしえから秘められ続けている力を解き放とうとしているからであろう。

その魔術的な力を、写真集ではもちろん、村田のオリジナルの写真を鑑賞できる出版記念展で、ぜひ感じ取ってもらいたい。（沙）

★村田兼一「女神の棲家」出版記念展

〈東京展〉2020年12月11日（金）～27日（日）月・火休
13：00～19：00 入場無料
場所／東京・神保町 神保町画廊
Tel.03-3295-1160
http://www.jinbochogarou.com/

〈大阪展〉2021年1月9日（土）～16日（土）日曜休
12：00～17：00 入場無料
場所／大阪・淀屋橋 乙画廊
Tel.06-6311-3322
http://oto-gallery.jpn.org/

★村田兼一 写真集「女神の棲家」

B5判・ハードカバー・96頁・定価税別3200円
発行・アトリエサード／発売・書苑新社 好評発売中！

暗黒メルヘン絵本シリーズ 第３弾は鳥居椿が登場！

　最合のぼると幻想系少女画家とのコラボによって作り上げられる〈暗黒メルヘン絵本シリーズ〉。アンデルセンやグリム兄弟など、よく知られた童話を元に、ダークで妖しい世界を展開している、絵と写真によるヴィジュアル物語だ。その第3弾に登場するのは、鳥居椿。これまでの黒木こずゑや、たまとはまた違い、リアルさがありながらも、描く存在の内

◉収録作品（いずれも仮題）
「ヲ耽美倶楽部」〜白雪姫/グリム兄弟
「片羽の王子」〜野の白鳥/アンデルセン
「長靴をはいた少女」〜長靴をはいた猫/ペロー
「青いドレスの女」〜人魚姫/アンデルセン

★鳥居椿（絵）最合のぼる（文・写真・構成）
「青いドレスの女〜暗黒メルヘン絵本シリーズ3」

2021年1月中旬発売予定！

★暗黒メルヘン絵本シリーズ好評発売中!!
▷たま（絵）最合のぼる（文・写真・構成）「夜間夢飛行」
▷黒木こずゑ（絵）最合のぼる（文・写真・構成）「一本足の道化師」

いずれも、B5判・カバー装・64頁・税別2255円 発行・アトリエサード／発売・書苑新社

面がにじみ出てくるかのような不穏さを湛えた幻想性が、観る者を異世界へいざなう画家だ。
　今回もその発売に合わせて、出版記念展が開催される。だがこのコロナ禍にあって恒例の朗読イベントは見送りに。その代わり無料のライブ配信を計画中。会期前から動画配信もあるかもなので、要チェック！ そして会場または画廊の通販では著者2人のサイン入りで「青いドレスの女」が手に入るので（さらに特典が付くかも？）ぜひお手元に！（沙）

★鳥居椿×最合のぼる
『暗黒メルヘン絵本シリーズⅢ 青いドレスの女』
出版記念原画展

2021年1月9日（土）〜21日（木）会期中無休
入場料500円（A室と共通／全日時間指定事前チケット制）

場所／東京・銀座 ヴァニラ画廊 B室
12:00〜19:00（土・日・祝は〜17:00）
Tel.03-5568-1233 http://www.vanilla-gallery.com/

※「青いドレスの女」を会場で先行発売
（会場・通販での購入特典あり＝予定）
※ライブ配信も予定。購入特典やライブ配信については、画廊のサイトや最合のぼるのTwitterなどをチェック！

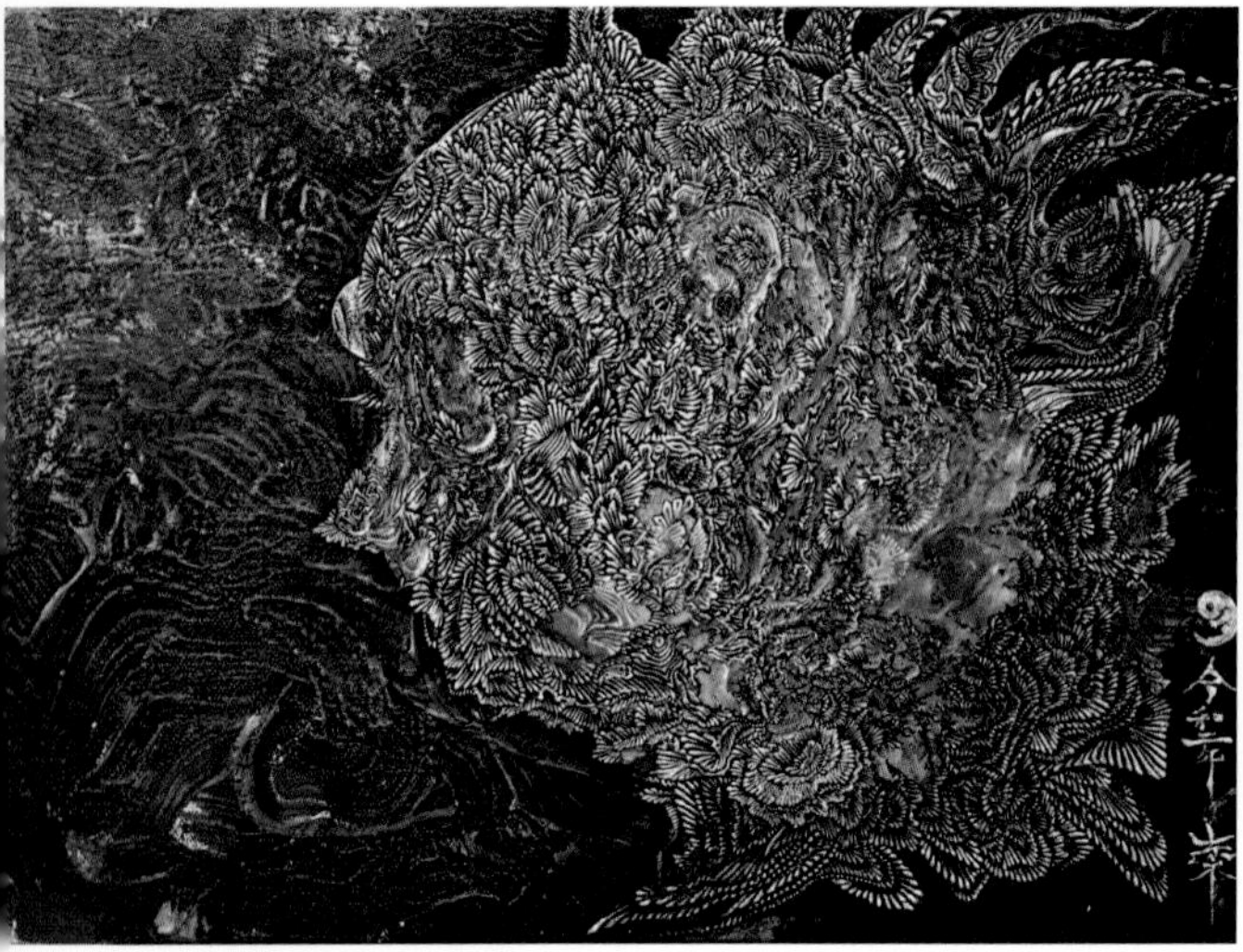

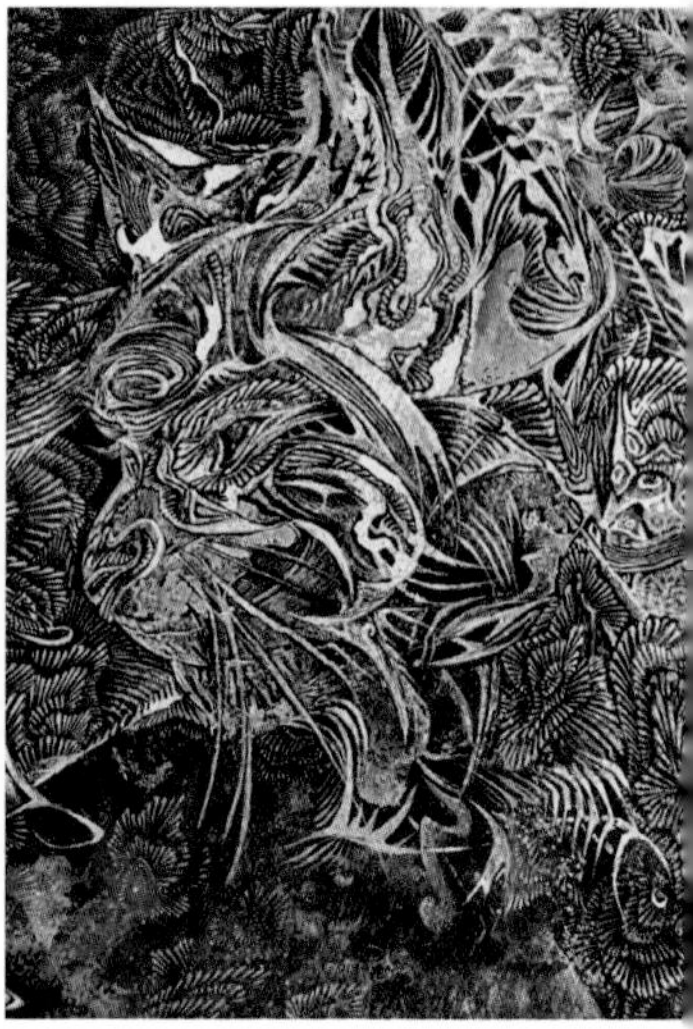

★上2点は赤木美奈、下2点は冥麿

邪眼信仰から生まれた想像力

本誌№81「野生のミラクル」において、粘菌の魅力を熱く綴った原稿を寄稿いただいた赤木美奈の個展が開催される。赤木は絵画においても粘菌を主要なモチーフとし、幼少のころからの自然体験と資料を元に作品を生み出している。今度開かれる個展のテーマは「邪眼信仰」。日本ではあまり馴染みがないかもしれないが、かつて南方熊楠が紹介した世界各地にある邪眼／邪視の風習から、物事の理《ことわり》に想像力を広げた作品を展示する。例えば本頁左上の作品は、額に第三の眼を持つとされるネパールの生き女神クマリに題材を得たものだという。

同じ乙画廊では、Mai Aimheartや冥麿《めいまろ》の個展も。

冥麿の作品は猟奇的だが、流れる血の跡やシミも美的な図像として昇華してみせ、ある意味スタイリッシュな美学を見せる。

Mai Aimheartは、自身でデザインしたアクセサリー等を販売する一方、ダークファンタ

妖怪や怪異をモチーフにした美人画

九鬼匡規は、妖怪や怪異を題材とした「妖怪美人画」を描き続けている作家だ。凛とした美しさの背後に、妖しげな情念が静かに渦巻き、いわゆる美人画と称されるものとは違う神秘さを湛えている。

九鬼は、かわうそ画廊では4度目の個展となる。左の出品予定作《飛縁魔《ひのえんま》》は、江戸時代の奇談集に名がある妖怪をモチーフにしたものだという。その妖怪は、菩薩のように美しい容姿でありながら、男の精血を吸い、最後にはとり殺してしまう。そうした冷酷さと妖気を漂わせ、観る者の背筋をゾクッとさせる作品だ。

なお、この個展に合わせて作品集も小社より発売予定。こちらもぜひお手元に!(沙)

★九鬼匡規個展「あやしの繪姿・肆(し)」
2020年12月12日(土)〜16日(水) 火・水休
12:30〜18:00(最終日は〜17:00) 入場無料
場所/東京・新富町 かわうそ画廊
Tel.03-3552-0550
http://kawausogarou.com/

★赤木美奈 白墨彫画展「一邪視一南方熊楠に奉ずる」
2020年11月20日(金)〜28日(土) 日曜休
★Mai Aimheart 個展
2020年12月4日(金)〜12日(土) 日曜休
★冥麿 個展
2020年12月18日(金)〜24日(木) 会期中無休
いずれも、場所/大阪・淀屋橋 乙画廊
12:00〜17:00 入場無料
Tel.06-6311-3322 http://oto-gallery.jpn.org/

★(下2点)Mai Aimheart

ジー的な作品を描き、展示活動もおこなっている。今回は光が仄かにしか届かない真っ暗な世界、という設定で、モノトーンに近い作品で個展を形成する。静謐な幻想世界が楽しめそうだ。(沙)

さまざまな記憶が交錯する「愉快な悪夢」

10月に東京での初個展を終えた山際マリが、今度は大阪で2年ぶりの個展を開催する。キルト作家を経て画家に転身した山際は、アメリカやイタリアなど海外でも活躍しており、国際的に評価を高めている。

その作品の特徴のひとつは、さまざまなものを画面にコラージュし、非常に賑やかで濃密なイメージを作り上げていることだ。さまざまな記憶や思い出がそこに交錯し、不可思議な幻想が浮かび上がる。山際いわく「ベッドサイドに飾って眺めながら眠ると、愉快な悪夢が見られるような絵が理想」。そう、いい夢ではなく、「愉快な悪夢」なのであり、その闇の気配がまた、観る者を引きつける。(沙)

★山際マリ個展「alone again or」

2020年11月6日(金)〜14日(土) 日曜休
12:00〜17:00 入場無料
場所／大阪・淀屋橋 乙画廊
Tel.06-6311-3322
http://oto-gallery.jpn.org/

★馬込浩一

★飴屋晶貴

★塙興子

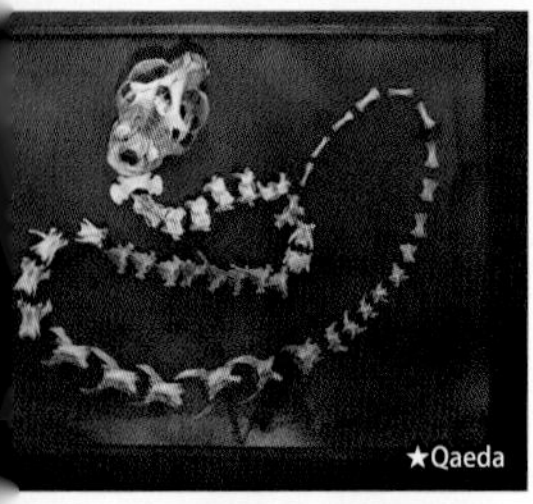
★Qaeda

★傘嶋メグ

★わたなべみゆき

★日野まき

不器用、だけど真摯に作品と向き合い続ける

「手が遅い」と言いながら、作品に真摯に向き合い、地道に作品を制作し続けている作家たち——このグループ展を企画したギャラリーは、そうした不器用さにシンパシーを感じたという。だからおそらく、その才能を応援する意味で「god speed you!」。招待作家を始め、公募作家にも、本誌でお馴染みの名もちらほら（飴屋晶貴、傘嶋メグ、

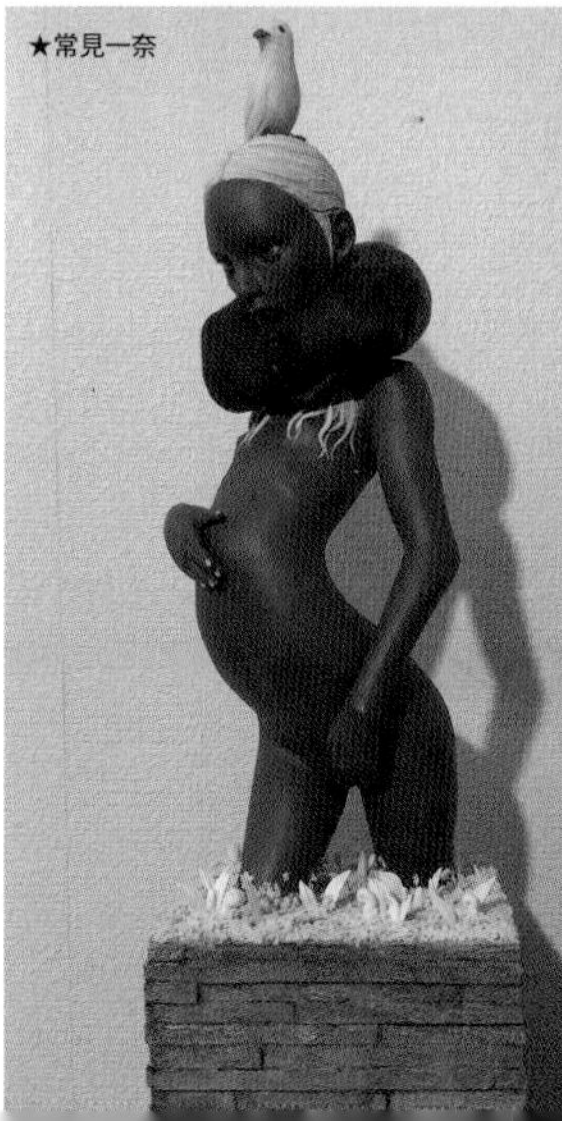
★常見一奈

★ちぇぶえもん

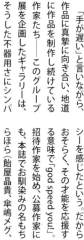

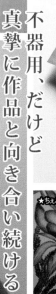

★万凛

★ジャバウォックス

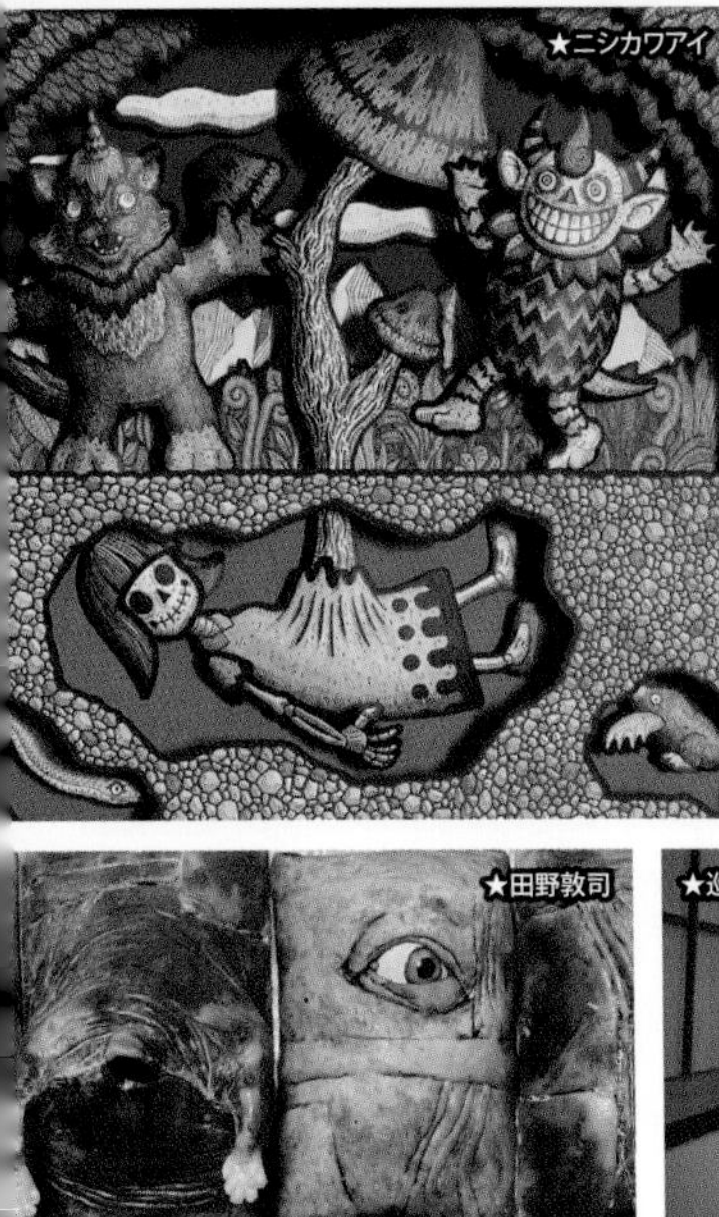
★ニシカワアイ

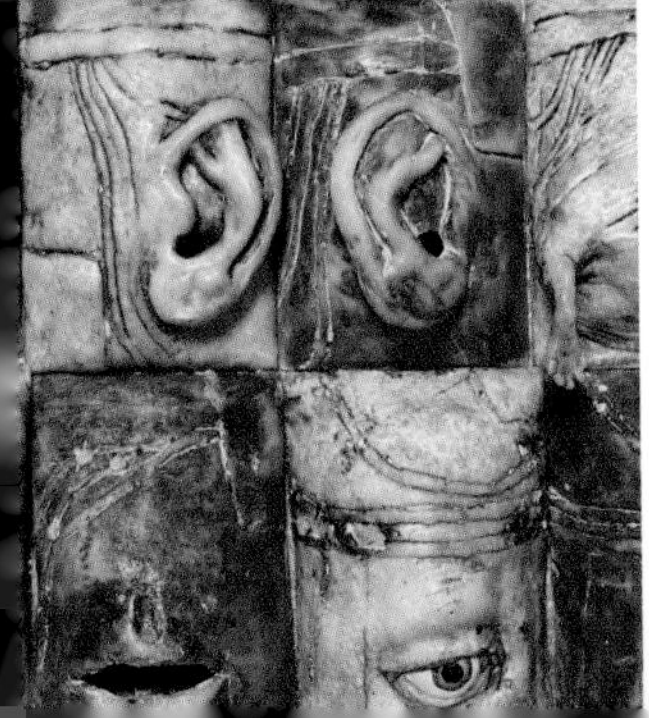
★田野敦司

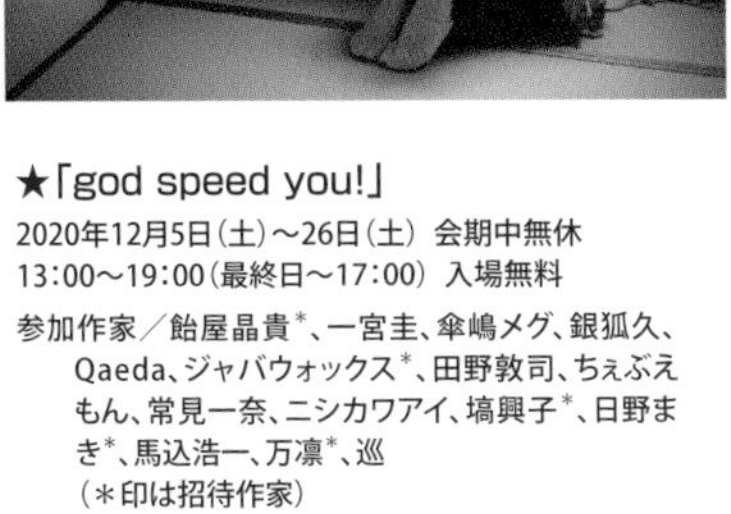
★巡

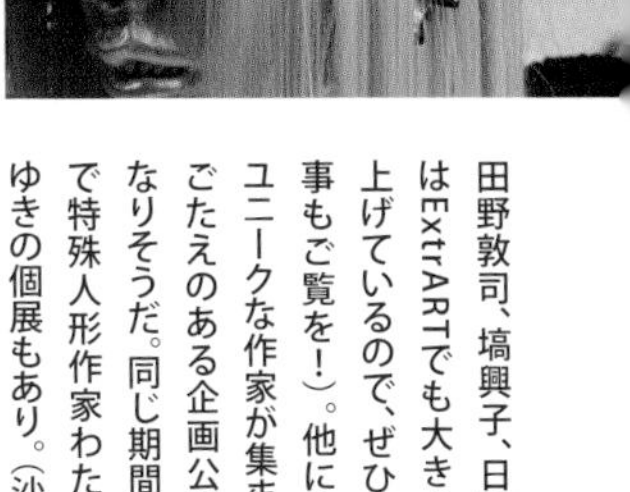
★銀狐久

田野敦司、塙興子、日野まきはExtrARTでも大きく取り上げているので、ぜひその記事もご覧を！）。他にも実にユニークな作家が集まり、見ごたえのある企画公募展になりそうだ。同じ期間に別室で特殊人形作家わたなべみゆきの個展もあり。（沙）

★「god speed you!」

2020年12月5日（土）〜26日（土） 会期中無休
13：00〜19：00（最終日〜17：00） 入場無料

参加作家／飴屋晶貴*、一宮圭、傘嶋メグ、銀狐久、Qaeda、ジャバウォックス*、田野敦司、ちぇぶえもん、常見一奈、ニシカワアイ、塙興子*、日野まき*、馬込浩一、万凛*、巡
（＊印は招待作家）

場所／京都・三条 ギャラリーgreen&garden
Tel.090-1156-0225 http://green-and-garden.net/

人形に託した生への思い

ヒトガタをモチーフに、球体関節人形やオブジェなどを制作している遠山涼音。セルフポートレイトを撮影したり、また他のカメラマンの被写体としても活動している。

その遠山の個展が開催され、同時に別室では、遠山をモデルに9人のカメラマンが撮影した写真展も開催される。

遠山のツイッターのプロフィールには「統合失調症と肢体不自由の障害持ち」とある。まるで彼女の分身のようなほぼ等身大の人形には、彼女の生へのさまざまな思いを感じずにはいられない。個展のタイトルは「生前葬」という。こうした人形たちにより過去を葬り、新しい未来を歩みたいという願いがそこにあるのだろうか。絶望の淵から懸命に生を選び取った遠山の情動を、人形を通して感じ取りたい。（沙）

★遠山涼音 個展「生前葬」
2020年11月1日(日)～15(日) 月・火休
15:00～22:00（最終日は～19:00）
場所／大阪・東部市場前 gallery cafeBar 冥
Tel.06-4306-3108 https://www.gallerycafebar-mei.com/

ペンギン・ギャラリー

キャフェの入口に兵士の絵を掲げた作品がある。むかし銀座で作品展を開催したとき、訪れた客がその絵を指差し「顔をペンギンに変えられんか?」と真顔で尋ねてきた。聞くと近所でペンギン・ギャラリーという、ペンギングッズ専門店をやっているという。店の看板にしたいのでぜひつくってほしいと言われ、つくったのが本作だ。制作二〇〇二年。縮尺十二分の一。

それから十七年経ったおととしの暮れ、作品が破損したので直してほしいと連絡があった。さっそく出かけて持ち帰り、去年の春には修理が完了。直ちにその旨を知らせたがいつまで経っても取りに見えない。仕方がないので作品は現在「はがいちようギャラリー」でお預かりし展示中だ。ご覧になりたい方は、あらかじめメール(ichiyoh@jcom.zaq.ne.jp)でご予約の上おでかけください。

▼はがいちようギャラリー=東京都北区中里三の二十三の二十二/午前一〇時～午後六時/入場料一〇〇円

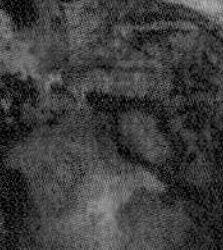

芳賀一洋(はが・いちよう) https://ichiyoh-haga.com/

1948年、東京に生まれる。1996年より作家活動を開始し、以後渋谷パルコ、新宿伊勢丹、銀座伊東屋などでの作品展開催や、各種イベントに参加するなど展示活動多数。著作に写真集「ICHIYOH」(ラトルズ刊)などがある。

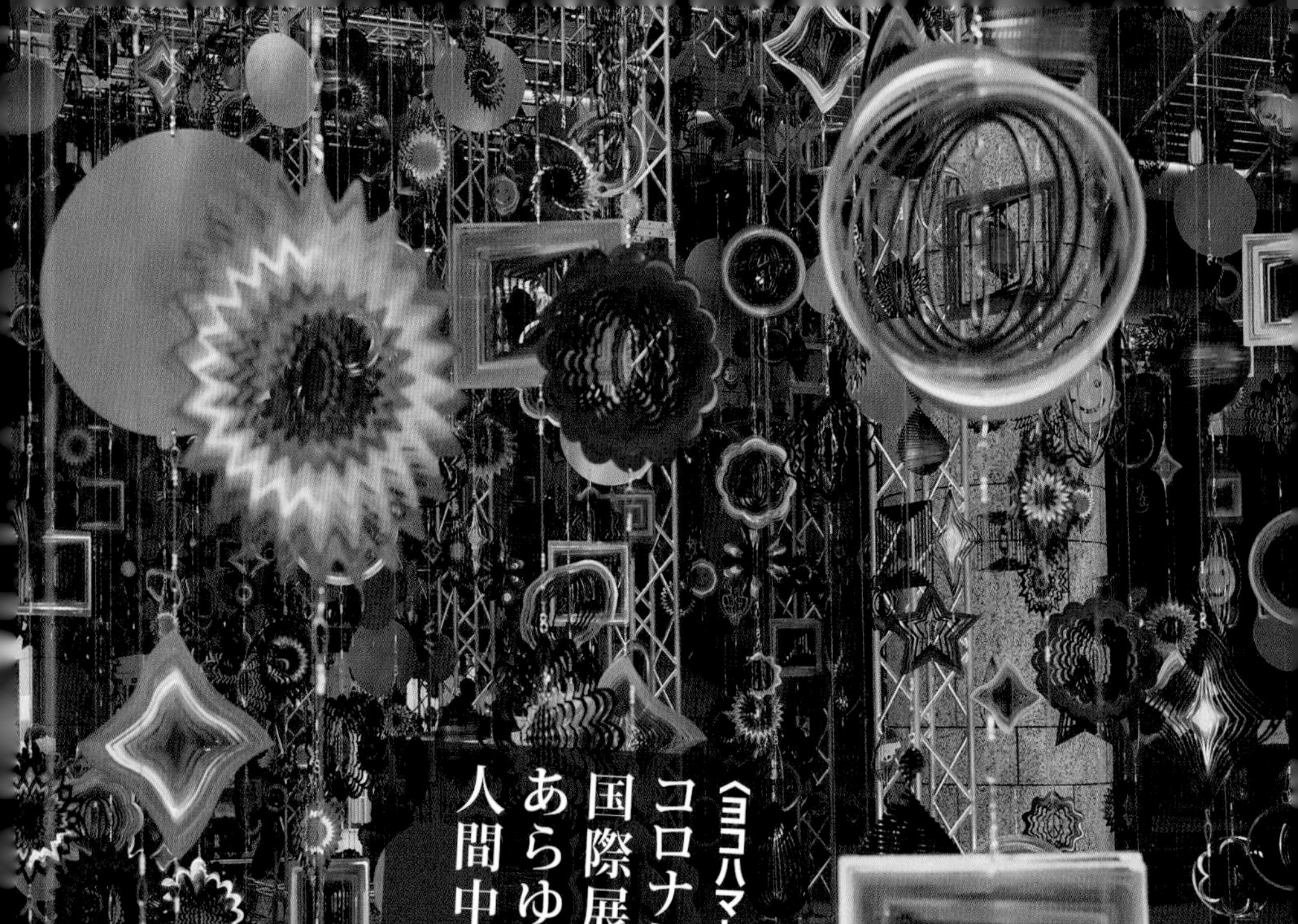

★ニック・ケイヴ《回転する森》2016/2020 ©Nick Cave
／この見開きはいずれも横浜美術館での展示作品

〈ヨコハマトリエンナーレ2020〉レポート

コロナ禍での国際展開催が問いかけるあらゆる多様性と人間中心主義からの脱却

◎文・写真＝ケロッピー前田

★エヴァ・ファブレガス《からみあい》2020

It was June when m her stayed there,
during a time avy rainfall.
★岩間朝子《貝塚》2020 ©Asako Iwama

★メイク・オア・ブレイク（レベッカ・ギャロ&コニー・アンテス）
《橋を気にかける》2020 ©Make or Break

3313-30005
★青野文昭《イエのおもかげ・箪笥の中の住居―東北の浜辺で収拾したドアの再生から》2020、《なおす・代用・合体・侵入・連置「沖縄で収集した廃船の復元」》2020 ほか

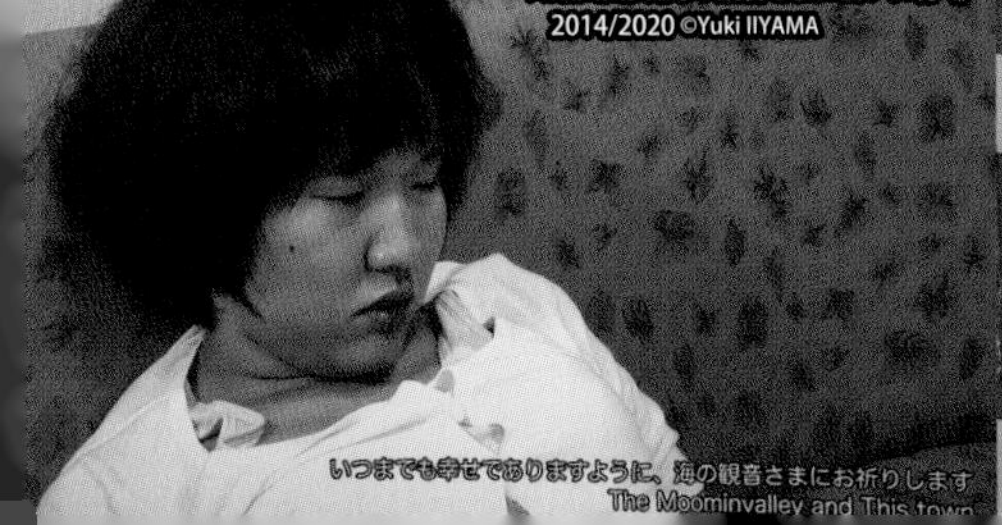
いつまでも幸せでありますように、海の観音さまにお祈りします
The Moominvalley and This town
★飯山由貴《海の観音さまに会いに行く》2014/2020 ©Yuki IIYAMA

★レーヌカ・ラジーヴ《親しみと違い》2015-現在

★イシャム・ベラダ《質量と殉教者》2020
© ADAGP Hicham Berrada
／このページはいずれもプロット48での展示作品

★ファラー・アル・カシミ《ジャジラ・アル・ハムラ 2020》2020
©Farah Al Qasimi Courtesy of The Third Line and Helena Anrather

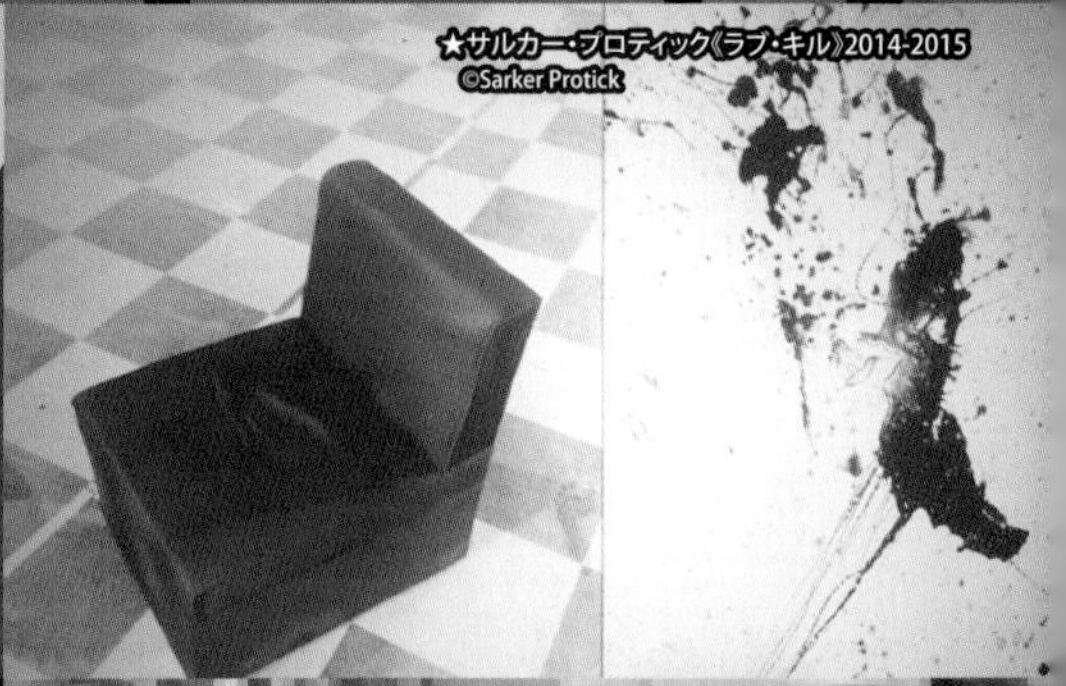

★サルカー・プロティック《ラブ・キル》2014-2015
©Sarker Protick

THE MIRROR
UNIT 4
Activity 25: Looking into a mirror
Can you see the mirrors in the pic-
ture?
can you see in the mirrors?

★ラヒマ・ガンボ《タツニヤ（物語）》2017 ©Rahima Gambo

★エレナ・ノックス《ヴォルカナ・ブレインストーム（ホットラーバ・バージョン）》2019 / 2020
©Elena Knox 2020

今年２０２０年は本来ならオリンピック・イヤーであった。世界各国から大量の観光客が押し寄せて、日本全国の観光名所ばかりか、芸術祭のような文化的な大規模イベントも大いに盛り上がることが期待されていたことだろう。

　だが、新型コロナウイルスの感染拡大に見舞われ、世界中の展覧会や芸術祭が中止や延期、あるいはオンライン開催などの対応を迫られた。そんななか、３年に一度行われる国際展「ヨコハマトリエンナーレ２０２０」は最大限の感染対策を行うことで開催することを選択した。

　それでも、会期は当初の予定から２週間遅れの７月17日からとなった。終了は予定通りの10月11日であったが、展示会場内で観客が密集する状態を避けるため、事前予約制となり、入場の際にはマスクの着用、手洗い・消毒、体温測定、来場者同士の距離の確保などが求められた。また、オンラインで展覧会を楽しめる「バーチャルツアー」のサービスなどが提供され、来場することが難しい人たちにも国際展が開かれたものになるような工夫がなされた。

　今回のヨコハマトリエンナーレ２０２０「AFTERGLOW（光の破片をつかまえる）」は、インドのニューデリー出身の３人組のアーティスト集団「ラクス・メディア・コレクティヴ」（以下「ラクス」）がアーティスティック・ディレクターを務め、世界の30以上の地域から67組のアーティストが集められた。アーティストは20代～30代が半数で、日本初出展も多く、出身や活動拠点がアジア諸国、中東、アフリカなど多様な地域に広がっている。

　ラクスは芸術祭開催に先立って、昨年11月、５つのテキストからなる「ソースブック」をネットで公開した。今回の展覧会の大きな特徴はあらゆる物事が複雑に絡み合う世界の中で、出展アーティストだけでなく、鑑賞者もともに考え、展覧会を作り上げていこうという野心的な試みにあった。

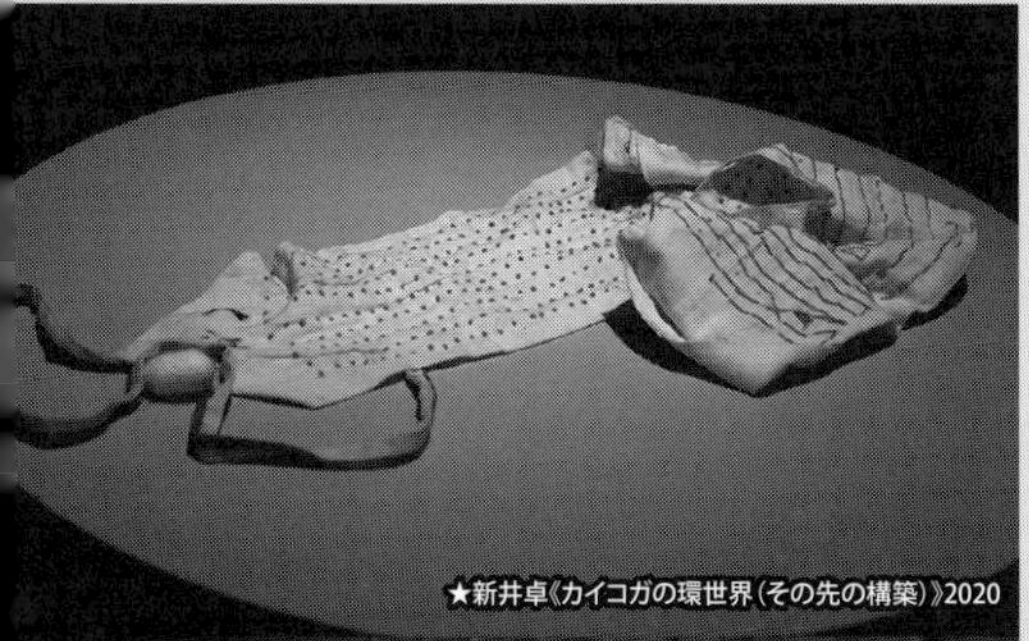

★新井卓《カイコガの環世界（その先の構築）》2020

★竹村京《修復された×××シリーズ》2015-2020
／この2点とも横浜美術館での展示作品

　「ソースブック」はかなり込み入った代物だが、鑑賞者に配布されるガイドには、その要点が５つのキーワード「独学」「発光」「友情」「ケア」「毒」で示されている。ここでポイントとなるのは「世界に否応なく存在する毒と共生すること」と説明されている「毒」だろう。このキーワードは、新型コロナとの共生を余儀なくされている、現在全世界が直面している差し迫った問題とも呼応している。

　「わからない」を楽しむ、展示作品を鑑賞しながらアーティストとともに「考える」ことによって、鑑賞者にも積極的な〝参加〟を求めている点がこの展覧会のポイントであり、そのことがコロナ禍にあっても開催に踏み切った理由にもなっている。

　さっそく、メイン会場となった横浜美術館から見ていきたい。

　巨大なシートに覆われた美術館に入ると、エントランス広場には回転しながらキラキラと七色の光を反射するガーデンスピナーと呼ばれる庭用の飾りが大量に吊るされている。この作品はアフリカ系アメリカ人の作家ニック・ケイヴによるもので、その幻想的な美しさとは裏腹に、よく見ると銃や弾丸などの形状のものが含まれている。

　２階に上がって、最初の導入となる展示室は暗がりのなか、新井卓の千人針をモチーフとした映像と写真を交えた作品、その奥に竹村京の壊れた陶器の破損部分を絹糸で縫い直す「修復シリーズ」がある。竹村の作品は、オワンクラゲの緑色蛍光タンパク質の遺伝子を応用した蛍光シルクを使っており、緑がかった光を放っている。次の展示室には、岩間朝子と飯山由貴の映像作品が続く。岩間の作品は亡くなった父親が残したスリランカでの長期に渡る調査記録を辿ることから再アーカイブ化を試み、飯山の作品は精神疾患の妹やかつて東京に存在した精神病院の医療記録などで構成され、あえて妹の内面世界に家族総出で関わることで異常と正常の境界を探っていく。
「考える」ことを求められる作品が多い中で、ダイレクトに感覚に訴えてくるのは、巨大な「腸」を思わせるエヴァ・ファブレガスの作品だ。たくさんの突起がついた大きな触覚ボールを膨らませ、カラフルな布で包んだソフト・スカルプチャーで、鑑賞者が座ったり、もたれかかったりすることも許可されている。観覧に疲れた人たちの休憩場として、あるいは家族連れの子供の遊び場として、作品と一体となる展示空間を作っていた。また、タウス・マハチェヴァのインスタレーション作品は、広い空間に鉄棒、跳び箱、あん馬などの本格的な体操器具が配置され、「姿勢をよくしなさい」「子供はまだなの?」と言った〝正しさ〟を強いる日本語の怒声がスピーカーから流れている。その場所では実際に体操選手がパフォーマンスとして体操実演を披露した日もあった。

★タウス・マハチェヴァ《目標の定量的無限性》2019-2020 ©Taus Makhacheva／横浜美術館での展示作品

一方、インティ・ゲレロが横浜美術館の所蔵作品をキュレーションした小作品などが並ぶ展示室では、レーヌカ・ラジーヴによるインスタレーションが異彩を放った。ラジーヴの作品はセクシャリティやジェンダー、家族などの概念に縛られることなく、他者とコミュニケーションする手段として、ドローイングや版画、張り子などの多彩な表現の手法で作られている。それらを集積的に見せていることに圧倒されるのだ。

また、実在の橋の金属製模型に鑑賞者自らが塩水を吹きかけて腐食を進行させるメイク・オア・ブレイクの作品や、美術館旧レストランに展示されたジャン・シュウ・ジャン（張徐展）の紙細工の動物によるアニメーション映像作品も見逃せない。

第二会場のプロット48を見てみよう。

会場1階の導入は、川久保ジョイによる、作家の父親が模写していたエル・グレコの絵画作品、近代オリンピック創成期における関係機関の系統図、本来展示するはずだったタコの成育記録を含めた映像作品で構成される。イシャム・ベラダによる水槽の中にある2つの彫刻が電気的に腐食していく作品、手や足を型取った彫刻や4つのカセットテープを連結してループ再生するアモル・K・パティルの作品もあった。

★川久保ジョイ《ディオゲネスを持ちながら》2020
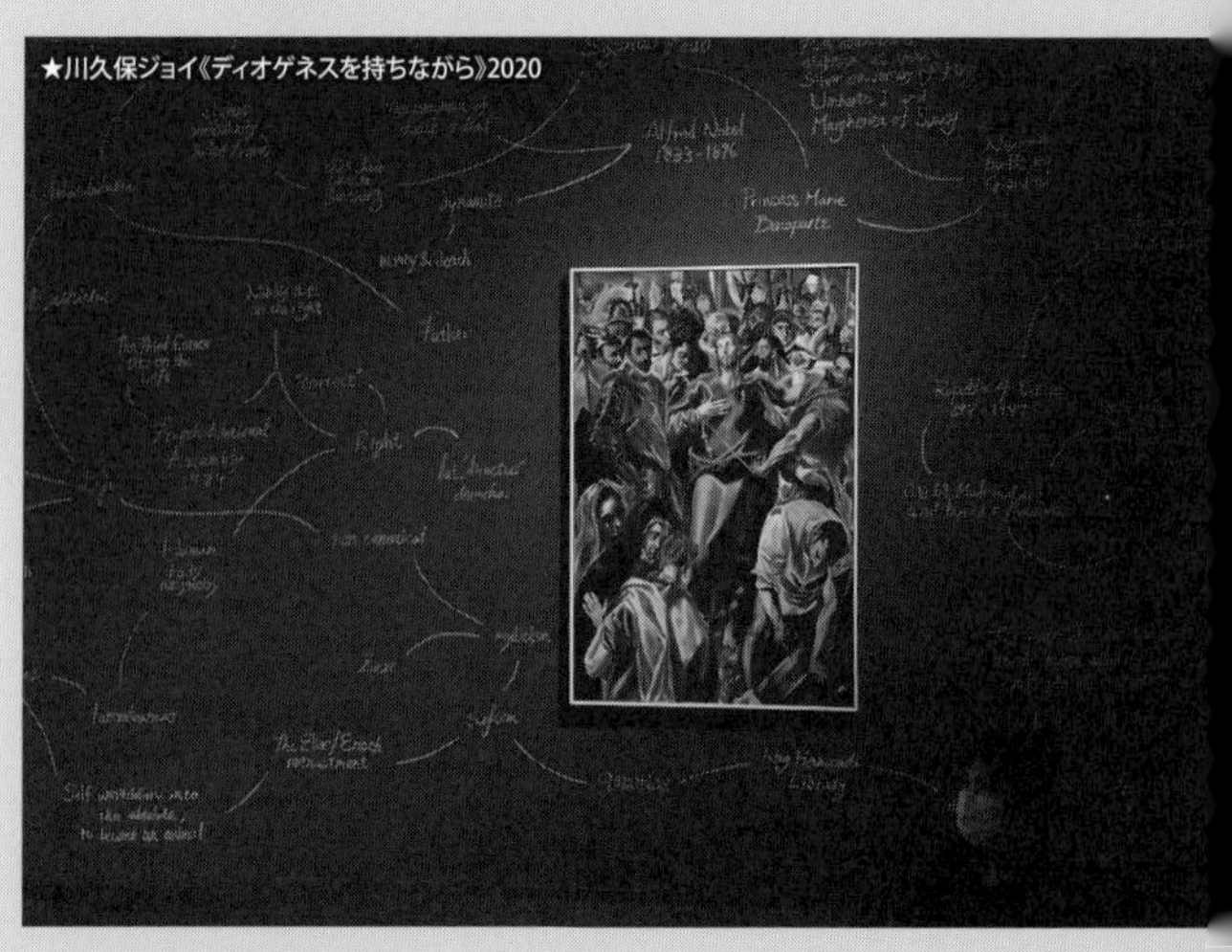

★アモル・K・パティル
《人間的なものが動物になるとは?》2020 ©Amol K. Patil
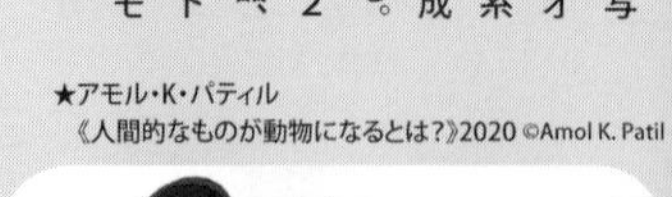

★エレナ・ノックス《ヴォルカナ・ブレインストーム（ホットラーバ・バージョン）》2019 / 2020
©Elena Knox 2020

★鄭波（ジェン・ボー）《シダ性愛》2016-2019

★ハイグ・アイヴァジアン《1、2、3 ソレイユ！（2020）》2020 ©Haig Aivazian

★ラス・リダタス《プラネット・ブルー》2020

中東イスラム文化を背景に際立っていたのは、コラージュを含む絵画を手がけるファラー・アル・カシミ、ボコ・ハラム（イスラム過激派グループの名称、ハウサ語で「西洋式の教育は禁止」を意味する）によって教育の機会を失っていた少女たちが再び学校生活を復活させる過程を映像と写真のインスタレーションで見せるラヒマ・ガンボであった。

さらにプロット48を特徴付けているのは、性表現を前面に出したエレナ・ノックスやジェン・ボー（鄭波）の作品であろう。

日本在住の外国人アーティストであるノックスは、人工養殖で交尾をしなくなった海老を欲情させるための〝ポルノ〟を作るというアイディアを軸に、オタクの机や謎の雑貨屋、「SEX CAVE」と書かれた〝海老仕様〟のビデオボックスやネットカフェを連想されるＡＶ鑑賞室など、かなりのボリュームで執拗にポルノグラフィックな空間を作り出した。

一方、ジェン・ボーは動植物に関する生殖活動のリサーチをベースに、天然のシダ植物にまみれながらマスターベーションに耽る若い男たちの映像作品のシリーズを発表した。日本の法律上で見せられない部分は画面を暗転させながらも、男の喘ぎ声が漏れ聞こえる作品を最後まで上映した。それらの作品に「毒」を感じる人もいるだろうが、多様性の容認を前提とするならば、表現の自由やある種の親近感を感じる人もいるだろう。

最後に付け加えるなら、昨年のヴェネチア・ビエンナーレ（本誌№80に掲載）にも出展されていたコラクリット・アルナーノンチャイの映像作品を再び見ることができた。記憶をなくしつつある作家の祖母をテーマに蛇神ナーガに扮した緑色の人間や動物たちなどが交錯し、過去と未来、動物と人間が区別なく溶け合う世界を表現していた。

今回の展覧会が「ソース」をもとに鑑賞者とともに作り上げていこうというものなら尚更のこと、観客を挑発するアーティストの表現の自由を担保し、そこから広がる鑑賞者の想像力を最大限に許容していくことは必要であろう。それはまた、あゆある多様性を受け入れ、人間中心主義からの脱却でもあるだろう。コロナに屈することなく開催してくれたことに大きな拍手を送りたい。

※ヨコハマトリエンナーレ2020「AFTERGLOW—光の破片をつかまえる」は、2020年7月17日から10月11日まで、横浜美術館、プロット48の2つの会場にて開催された。https://www.yokohamatriennale.jp/2020/
なお「ソースブック」は右記で読むことができる。https://www.yokohamatriennale.jp/2020/concept/sources/

欠片が生む余韻

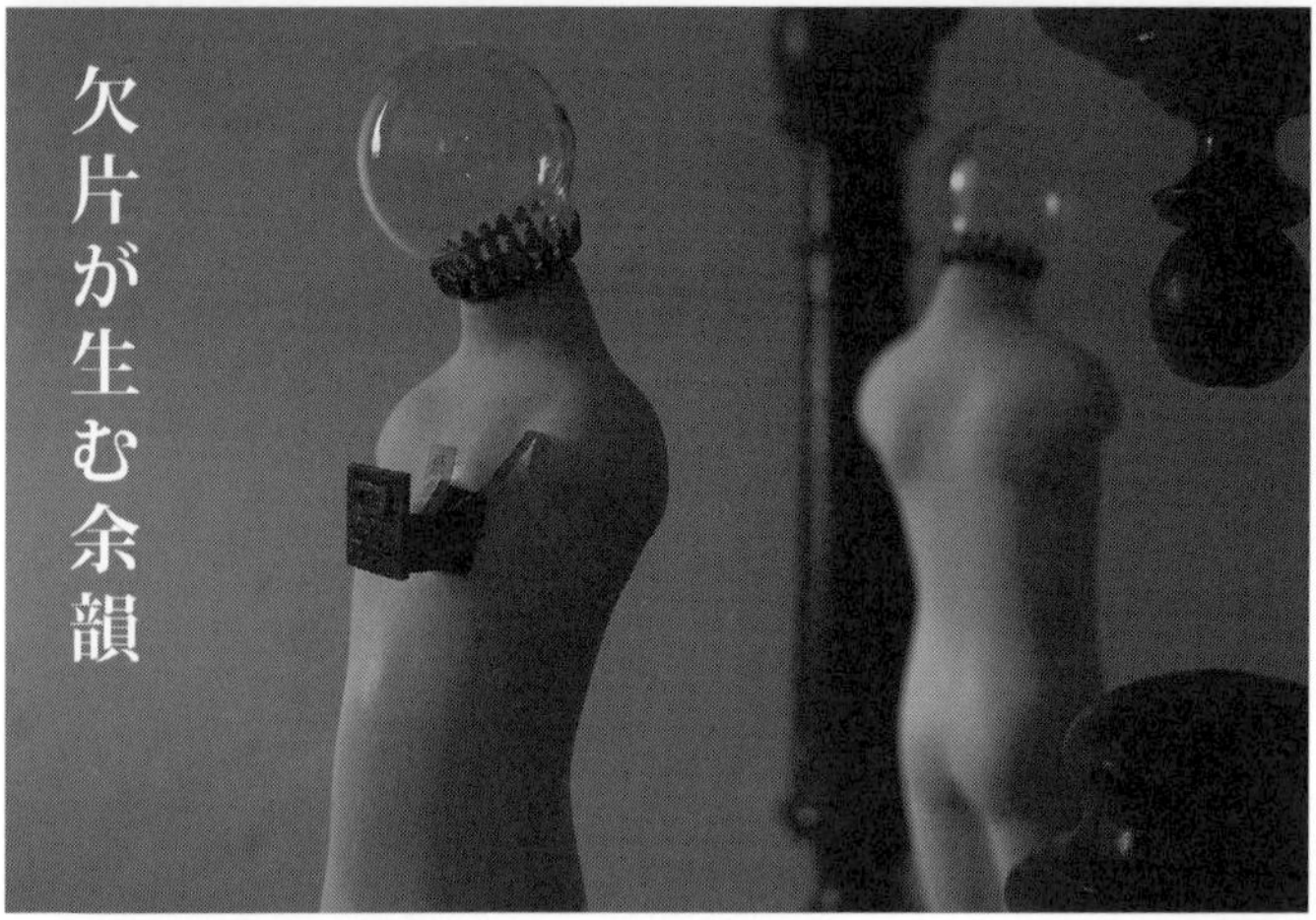

DANPENは、もともと球体関節人形から立体造形の世界に入り、仮面や、人体をモチーフにしたオブジェなどを制作している作家だ。その作品の特徴は「欠片」。完成された完璧な形の人体像ではなく、そこにいたらない、もしくはそこから何かが剥落した造形を制作している。その姿は、表層だけが残され、内面が失われてしまったかのようにも見え、そうした喪失と不完全さが、ノスタルジーにも似た感傷を観る者に呼び起こす。今回の個展は、昨年の乙画廊に続き2回目。欠片が醸す余韻を感じ取りたい。（沙）

★DANPEN個展 ―心像―

2020年11月20日（金）～29日（日）水曜休
12:00～19:00（火・木は～18:00、最終日は～16:00） 入場無料

場所／京都・銀閣寺道 Gallery Nostalgia
Tel.080-4481-1112 https://nostalgiaofficial.com/

※11/28（土）13:00～/15:00～ イベントあり（パフォーマンス：KAORI）
要予約／入場料：予約先行特製ミニポストカード付800円

天使の羽に託した願いと救い

天使画家・岸田尚による個展。天使画を中心に、猫やフランス人形、レトロな人形をモデルにしたペン画やアクリル画が出品される。テーマは「願い、救い」だという。岸田は何かをモデルにして描くが、決まって天使の羽を付け加える。それはモデルとの程よい距離感を生み出すとともに、モデルの幸せを願うシンボルにもなる。右の作品は猫をモデルにしたものだという。素朴な擬人化が岸田の思いのピュアさを物語っているように思う。（沙）

★岸田尚 個展「願いの天使達」

2020年11月20日（金）～29日（日） 会期中無休
13:00～19:00 入場無料

場所／東京・神保町 神保町画廊
Tel.03-3295-1160 http://www.jinbochogarou.com/

★1997年、前橋文学館前の朔太郎橋で、北浜竜也氏と「影を慕いて」を踊る萩原葉子（撮影／寺田功）

文筆にダンスに、多彩な活躍

萩原朔太郎の長女・萩原葉子は、さまざまなジャンルで多彩な活躍をしてきた。30代半ばで文筆活動を開始し、デビュー作『父・萩原朔太郎』は日本エッセイスト・クラブ賞を受賞。その後40代半ばになってダンスを始め、70歳を超えてからアクロバティックな振付にも挑戦する。そして造形制作もおこなった。初めてオブジェ展に出品したのは68歳のことだ。「出発に年齢はない」。「書いて、創って、踊る」。生誕100年を迎える今年、その生涯を振り返る展覧会が前橋文学館で開かれる。

また同館ではほぼ同時期に、3階オープンギャラリーでイラストレーター・田村セツコの展示も開催。イラスト原画、油彩、コラージュ、セツコグッズなどが集められ、おちゃめで可愛らしい世界が楽しめるだろう。（沙）

★なぜ踊らないの――生誕100年記念　萩原葉子展

2020年10月10日（土）～2021年1月11日（月）
水曜休（10/28は開館、10/29休、12/29～1/3休）9:00～17:00
観覧料／400円（高校生以下無料／障害者手帳をお持ちの方とその介護者1名無料）
※観覧無料の日10/10（土）・10/28（水）・11/1（日）・1/11（月・祝）

★私が出会った表現者たちⅣ　おちゃめなアリス　田村セツコ展

2020年10月3日（土）～12月27日（日）
水曜休（10/28は開館、10/29休）9:00～17:00　観覧料／無料

※いずれも、要・事前予約。詳細は下記サイトへ。
場所／群馬・前橋　前橋文学館
Tel.027-235-8011　https://www.maebashibungakukan.jp/

石の硬さに宿る魔力

1980年、舞踏グループ・白虎社の創立に参加、その後独立し、自身のカンパニー倚羅座を立ち上げ、国内外で広く活動している舞踏家・振付家、今《いま》貂《てん》子《こ》。その公演が京都で開かれる。古代、人がダイヤモンドに認めた価値は、美ではなく魔力めいた硬さにあったという。その古代人が感じ取った魔力から舞踏が立ち上がる。音楽はryotaro。

★今貂子舞踏公演「金剛石-Diamond-」
―《妹の力》シリーズ第10弾―

2020年11月7日（土）19:00～、11月8日（日）・9日（月）15:00～／19:00～
入場料／前売2700円、当日3000円（1ドリンク付）、学生各500引（要学生証提示）
予約／舞踏カンパニー倚羅座
予約フォーム https://www.quartet-online.net/ticket/d5u25fb
EMAIL: ima_kiraza@yahoo.co.jp TEL.090-7098-2869 FAX.075-748-6778
※予約の際には①名前②人数③来場日時③券種④連絡先を明記のこと。
3日後までに確認の連絡がない場合は再度ご連絡ください。
※会場UrBANGUILDのサイト、電話でも予約可能
場所／京都 UrBANGUILD Tel.075-212-1125 http://www.urbanguild.net/
主催・問合せ／舞踏カンパニー倚羅座 http://imakiraza.wixsite.com/kirabutoh

密度の高い線で描かれた魔術的な光景

★生熊奈央 個展「境界探訪」
2020年12月17日(木)〜27日(日) 火・水休
13:00〜18:30(最終日は〜17:00) 入場無料
音楽：Oeil-ウイユ-
場所／東京・曳舟 gallery hydrangea
Tel.03-3611-0336
https://gallery-hydrangea.shopinfo.jp/

ExtrART file.22で12頁にわたって紹介し、file.26でも萌木ひろみとの2人展で取り上げた生熊奈央が、12月にはgallery hydrangeaで個展を開催する。非常に線の密度の高いエッチング作品で異界の風景を描いている作家だ。この世ではない世界とのはざまで垣間見たかのような魔術的な光景。ぜひ実際の作品で目撃して欲しい。(沙)

色香漂わせる和風の少年画

甲秀樹の個展が六本木ストライプスペースで開催される。今回展示されるのは、油彩や色鉛筆で描かれた和風作品の新作19点。甲秀樹ならではの色香を漂わせる若衆作品は、海外でも評価が高い。また人形作品(洋風作品)も3点出品予定。なお、甲が絵の描き方、立体の造り方を指導する「絵楽塾」が第8期デッサンクラス、第3期立体クラスの塾生を募集中だ。詳しくは絵楽塾のサイト(https://kairakujuku.com/)へ!(沙)

★甲秀樹 個展「若衆展」
2020年11月14日(土)～23日(月) 会期中無休
13:00～19:00(最終日～17:00) 入場無料
場所／東京・六本木 六本木ストライプスペース
Tel.03-3405-8108 https://striped-house.com/

★shichigoro-shingo

生身の身体と機械との融合

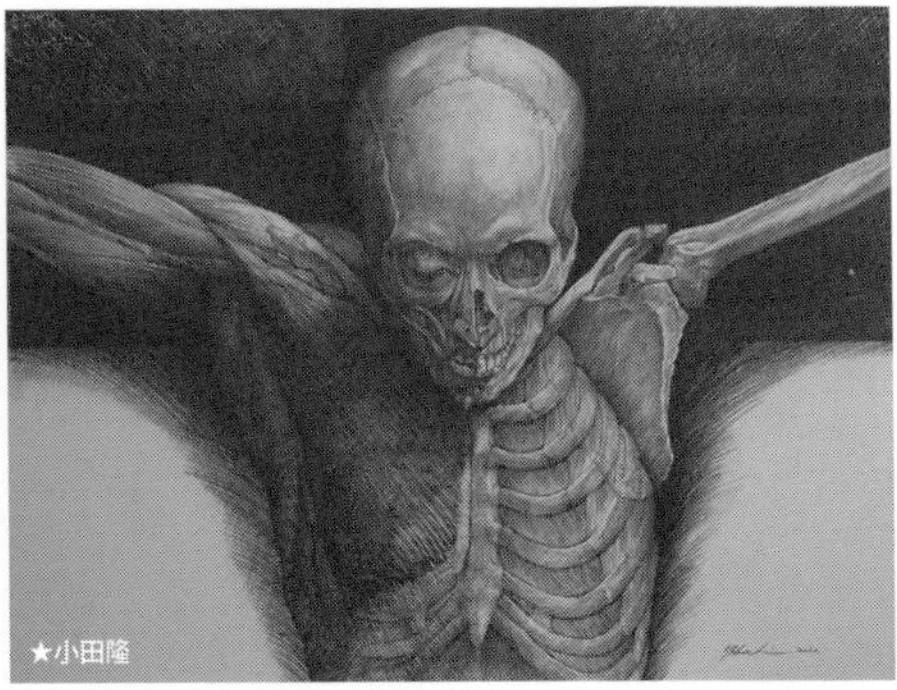

★小田隆

ヴァニラ画廊では、他ページで紹介した展示の他にも、科学的資料に基づいた古生物の復元画や人体解剖図などで知られる小田隆の個展や、イラストレーターshichigoro-shingoがレコメンドする内外の作家を集めた企画展「機械ノ音」などを開催。後者は、メカニズムと身体のあり方を探求した興味深い展示になりそうだ。(沙)

★小田隆展「Anatomy」A室
2020年12月8日(火)～20日(日) 会期中無休
入場料500円(B室と共通／全日時間指定事前チケット制)

★shichigoro-shingo企画展「機械ノ音」A&B室
2021年1月23日(土)～2月4日(木) 会期中無休
入場料500円(全日時間指定事前チケット制)

場所／東京・銀座 ヴァニラ画廊
12:00～19:00(土・日・祝は～17:00)
Tel.03-5568-1233 http://www.vanilla-gallery.com/

あなたは熟女のエロをどう観る？

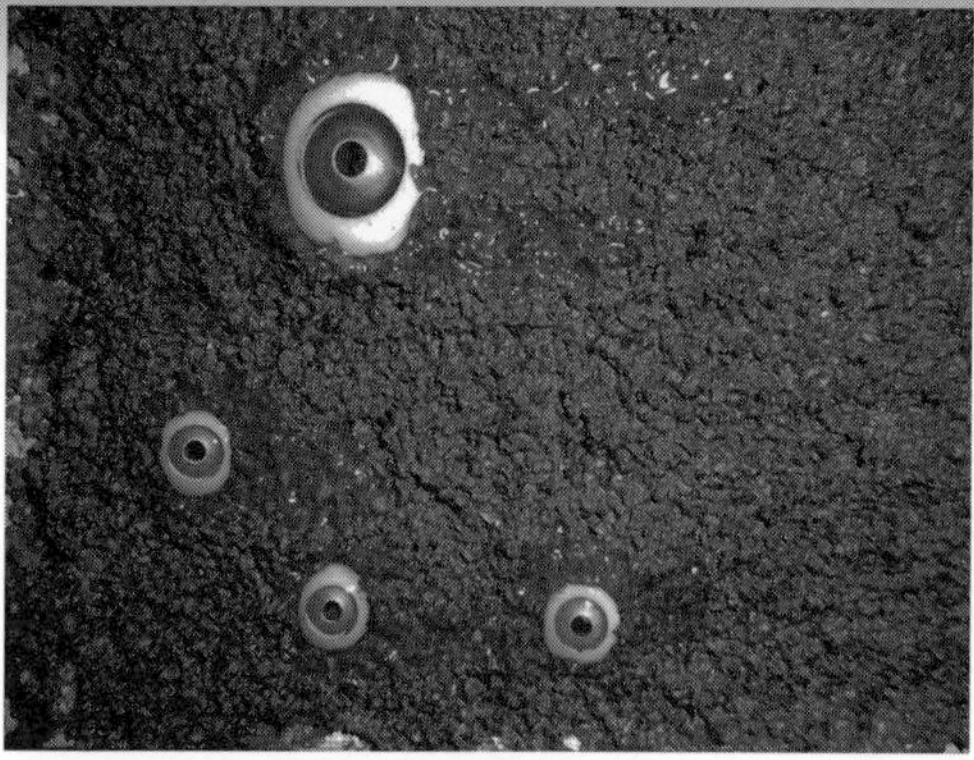

★深瀬綾

★目玉堂

★巡

★吉岡里奈

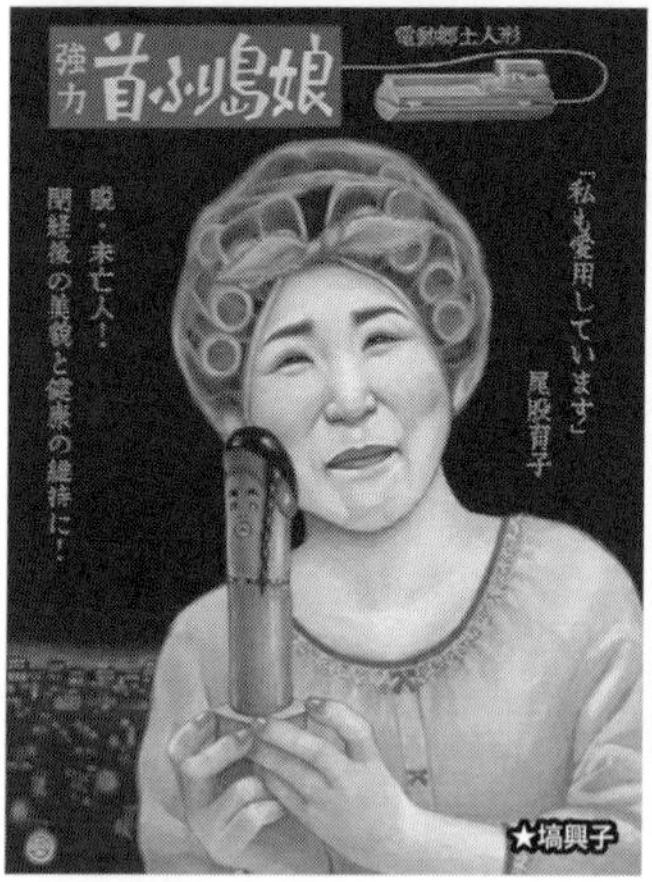

★塙興子

★林不一

★マキエマキ

★深瀬綾・目玉堂「成レノ果テ～眼球二人展～」
2020年11月3日(木)～30日(月)

★マキエマキ・巡 共催「年忘れ艶々熟女まつり」
2020年12月3日(木)～28日(月)

参加作家／あさごみ.333、徒花ブルーム、kiyo(書)、塙興子、林不一、マキエマキ、まゆすみえ、巡、吉岡里奈

いずれも、場所／東京・板橋 カフェ百日紅
15:00～22:00、火・水休 要オーダー Tel.03-3964-7547
https://cafe-hyakujitukou.tumblr.com/

カフェ百日紅では、11月には眼球作品を多く制作している深瀬綾と、緊縛病棟の住民たちを描く目玉堂の2人展。そして12月には恒例となっている「熟女まつり」。本誌今号の巻末の特選品レビューのコーナーで、本橋牛乳氏が、マキエマキが写真を担当した「くらべるエロ」のレビューをしているので読んでみてほしい。その中で本橋は、熟女は男性にとって消費の対象としての価値が低いから、だからこそエロを自分のものとして取り戻せるのでは、という旨のことを記している。そうした側面から「熟女まつり」を観るのも面白いだろう。(沙)

〈アジアフォーカス・福岡国際映画祭2020〉レポート

コロナ禍の制約下でも、これだけの多彩な映画が集まった！

◉文＝友成純一

　コロナ禍がまだまだ続く中、今年も〈アジアフォーカス・福岡国際映画祭〉が開催された。第三十回という区切りの良い記念すべき年が、コロナ問題と重なるとは……今年は無理なのでは、そんな風に危ぶんでいたのだが、急遽開催が決まった。九月二十日（日）から二十四日（木）まで、シルバーウィークを挟んで、いつもより期間を短縮。短編プログラムや特別上映、回顧特集も含めて、二十三本（プログラム）が上映された。

　コロナ禍での開催なので、ゲスト招待とかイベントは一切なく、ひたすらに映画上映のみの映画祭。関係者や監督の挨拶は、該当作品の上映前にビデオでスクリーンに映し出される。観客席はたっぷりと余裕を取り、本来の収容人員の半分ほどに制限されている。なので、逆に言うと、落ち着いてスクリーンに集中できた。還暦を過ぎてからというもの急激に体力が衰え、混雑している中で映画を見るとか、イベントで人々とお話をすることに負担を感じている私としては、却って有り難かったりした。

　さっそく映画の話を。まず、今回の上映作品で強烈に面白かった作品について。

アジアならではの逸品を三つ

◉インド映画「ジャッリカットゥ」

　インド映画というより、インド南部のタミルナードゥの映画と呼びたい。ボリウッドを中心とするいわゆる〝マサラ〟と違って、タミル映画はもっと泥臭い。まさに〝土〟の匂いがする。タミルナードゥの人々はインドの先住民（ドラヴィダ人）で、太古の昔よりインド亜大陸に住み着いており、インダス文明を築いた。紀元前千数百年に北方から移住して来たアーリア人に押され、後にはモスレムも入って来て、今はインド南部やスリランカに住んでいる。ヒンドゥー以前のインド土着の宗教と伝統に生きる彼らは皆んな、歌と踊りが大好き。ボリウッド＝マサラはたいてい稀有壮大なミュージカル仕立てだが、特にドラヴィダ人（タミル語、テルグ語、マラヤーラム語……二十六の語族）の映画の歌と踊りは激しい気合いが入る。タミル語の「ムトゥ踊るマハラジャ」、テルグ語の「バーフバリ」がインド南部の映画だと言えば、アミダブ・バッチャンやシャー・ルク・カーンの映画との違いが判ると思う。

　本作では、先住民パワーが全面展開される。

★リジョー・ジョーズ・ペッリシェーリ監督「ジャッリカットゥ」2019年／インド／91分

　タミルナードゥはケーララ州のど田舎、小さな村が舞台である。冒頭で、そこの肉屋で食肉を捌く様子や村人の暮らし振りを、リズミカルで切れ味の良いパーカッションな音楽と共に小刻みに垣間見せる。まるでミュージック・ビデオだ。熱帯の巨大な樹木が鬱蒼と生い茂る中、人々の生活する居住地や店の建ち並ぶ商店街は埃まみれ、雨が降るとドロドロに泥濘む。男尊女卑は当たり前で、晩飯が前の晩と同じだと言って、亭主は女房をぶん殴る。「人を差別しちゃダメよ」とか「生き物の命は大切だわ」とか、〝民主主義〟〝Mee To〟なんて、彼らには言うだけ無駄よね。

　この小さな村で、巨大な水牛が逃げ出し、暴れ回る。家は壊され、店は荒らされ、ついに死者まで出る。村の男ども総出で、牛狩りが始まる。それは男たちにとって、己れの〝男〟を誇示する機会でもある。「待ってました！」だ。江戸の火消みたいなもん。火事と喧嘩は江戸の華てなもんで。もう、お祭りだ。

　水牛を追う男どもの数が、どんどんどんどん、膨れ上がって行く。小さな村のはずなのに、こんなに人がいるのか……虫が灯に吸い寄せられるように、きっと近隣の村々からも男どもが集まっている……牛追いは夜を徹して行われるのだが、鬱蒼と生い茂るジャングルに物凄い数の松明が渦巻き、這い動く。まるで異次元ファンタジーの風景だ。

　そんなお祭り騒ぎの中、村を追い出されたマッチョ野郎が、水牛殺しの達人として呼び戻されるが、彼の目的は実は、自分を陥れた野郎に仕返しすることだった。その他その他その他、騒ぎは村の大物連中の勢力争いに発展して行く。そして最後には……

　この映画を見る前の晩に、ジョージ・オーウェルの「象を撃つ」というエッセイ小説を読んでいた。一九二〇年代だから今から百年ほど前、英国の統治下にあったビルマに、若きオーウェル自身が警官として派遣された当時の体験談である。

　オーウェルは余所者の若い白人で、しかも宗主国の警官だというので現地の住民に嫌われ、何かとバカにされていた。ある時、雄の象が盛りが付いて暴れ出し、住宅や店を破壊し、ついに住人まで踏み殺した。オーウェル警官の出番となり、友人に象撃ち銃（強力なライフル）を借りて、象を追った。念のために象撃ち銃を持って出ただけなので、オーウェルには象を殺す気はなかった。象は大変に高価で、持ち主もいるし。しかし村の衆は若造の白人警官が象を殺すものと決め、お手並や如何にとゾロゾロついて来る。群れをなして背後に従い、象が倒されるのを楽しみに待ちかねている。象の肉の分け前に与かるために。オーウェル警官は、象よりもその民衆の数と気迫が怖くなっていた。象はやがて原野で見付かったが、盛りの発作も収まったらしく、大人しく草を食んでいた。しかしオーウェルは並み居る村の衆のご期待に応えて、象を撃ち殺さざるをえなくなってしまった。

　オーウェルは言う、「植民地の支配者は支配者であるために、被支配者の期待に応えざるを得ない。彼は支配者としての権威を、認めて貰うために。支配者は実は、被支配者の欲求に支配される」。

　これを読んだ後にこの映画を見ると――オーウェル警官の後を付いて回り、ついに押し包んでしまった民衆のエネルギーを、まざまざと見せられる思いがした。

　エンディングはアニメ。村の衆の太古の原始生活が、誇張して描かれる。人間も人間である以前に動物であり、生き物である。理性でなく本能で、情動で生きると言わんばかりに。そしてこれが、タミルナードゥの民衆のパワーだと。

◉バングラデシュ映画「土曜の夜に」

　二〇一六年七月一日、ラマダン期間中の土曜日の午後、バングラデシュの首都ダッカで〈レストラン襲撃人質事件〉が起きた。イスラム過激派の起こした事件で、日本人など外国人十七人を含む、二十人の人質が殺害された。本作はこの事件を元に、レストランという限られた空間の中、民族も宗教も階層も異なる人々の間で起きた出来事を、ワンシーン・ワンショットの超長回しで追い掛けて行く。

　本作は別室に監禁された外国人には軽く触れるだけで、レストランに閉じ込められた従業員や地元の客に焦点を絞る。客の中には西洋風の身なりの娘もいれば、ヘジャブを被ったモスレム娘もいる。男の客は皆んな、実業家風だったりインテリ風だったりする。襲撃者は彼らにコーランの一節を唱えさせ、唱えられないと射殺。襲撃の目的は金銭でもジハードでもなく、コーランの教えを世間に知らしめるためだと言い、客と論争したり、演説を始めたりする。

★モストファ・サルワル・ファルキ監督「土曜の午後に」2019年／バングラデシュ、ドイツ／86分

　超長回しというのは不自然な撮影方法なので、ひょっとすると退屈かも……危惧したが、とんでもない。物凄い緊迫感だった。襲撃者と人質のやり取りが切羽詰まるほど、時としてコメディのようになり、思わず笑ってしまったりする。その意味で、緩急自在の演出でもあった。

　人質の中に、バングラデシュの人間の振りをしているインド人がいる。テレビ報道からそれが襲撃者にバレてしまい、事態が急激に悪化する。バングラデシュのモスレムにとって、インドは敵である。何としてもインド人を探し出し、始末しなければならない……映画はここから、宗教と政治と人間性の三つ巴の葛藤に突入して行く。

　本作は本国バングラデシュでは上映禁止になったというけれど、この事件に触れること自体がタブー視されているからだろう。映画は決してテロリスト＝悪、犠牲者＝可哀想な被害者、救助者＝正義という描き方をしていない。こうしたテロ事件を扱った欧米製の「ホテル・ムンバイ」とか「15時17分、パリ行き」などよりはる

★フォン・チーチアン監督「犯罪現場」2019年／香港／104分

かに切実で、奥が深かった。

◉香港映画「犯罪現場」

面白かった映画としてもう一本挙げておこう。監督は、二年前一八年のアジアフォーカスで「大楽師」が上映されたフォン・チーチアン。

話も人間関係も複雑に入り組んでおり、六十代半ばのジジイ（私のこと）がそれを反芻するよりもはるかに早い快テンポで（香港映画の持ち味）ガンガン展開するので、一回見ただけでは何が何だか良く判らなかったのだが……

猫を愛するラムは人間味あふれるヒラ刑事なのだが、それが災いして殺人現場に遅れて到着したり等々、しょっちゅう上司を激怒させ、相棒の女刑事シウムイを呆れさせている。その殺人現場に一匹のオウムが取り残されていて、唯一の目撃者であるこのオウムこそ、何か証言してくれるのでは（オウムは喋る！）と期待し、オウムを引き取って飼い始める。二人が担当することになったこの事件の被害者は、数ヶ月前に警察が潜入捜査をしたにも拘らず、未だに逮捕されていない宝石強盗グループの一人だった。潜入していた捜査官が殺されており、責任を感ずるボスはますます、この事件を追い続け、オウムに証言させようなんて馬鹿な事に真剣になっているラム刑事に苛立っている。

映画は、事件を捜査する警察の動きと並行して、犯人グループの動き、特に主犯格の冷酷なまでに冷静で寡黙なウォンの動きも追う。一見、冷酷だが、芯は優しい。犯人グループの仲間を殺したのは、実は彼ではない。宝石強奪事件の裏に何があったのか、それをひたすら隠しつつ、彼自身の目的を一人で黙々と追って行く。

ウォンを追ううちに、警察内部に犯人グループに通じている者がいることに、ラムも気付く。事件の裏に、何があるのか。仮面を被っているのは誰か——私や、この種の謎解きモノが苦手で、小説でも映画でもたいてい、途中から付いて行けなくなるんだが——血生臭い殺人、狭い裏路地を走り回るダイナミックなアクション、男同士の友愛、男女のほのかな恋心……香港ノワールの醍醐味がこれでもかと詰め込まれている……そして香港の〝百万ドル〟の夜景。

香港が中国本国に押し潰されようとしている今、本作は、香港と香港映画への挽歌にも見える。

広大な大地の美、
大都会の冷たい沈黙

◉トルコ映画「三人姉妹の物語」

中部アナトリアの寒村に住む家族のお話。三姉妹はそれぞれ、町の金持ちの医師の元で下働きすることにより、稼ぎを得ると同時に教養も身に着けるつもりでいた。若い娘が町の金持ちや地位の高い家に奉公に出るのは、この村では当たり前のことだった。

家政婦として雇われていた長女は、誰とも知れぬ相手の子を身篭ったので、既に実家に帰されている。いささか頼りない、頭の弱い羊飼いの男と気に染まぬ結婚をして、父と共に暮らしている。代わりに次女が医師の元に住み込んで子守をしていたのだが、気の強い彼女は子供を叩いてしまい、追い出されて家に帰って来た。そして今、三女が子守に雇われようとしている。

父は貧しいながら誇り高く、金持ちの医師とも村の衆ともきちんと付き合っているが、長女の羊飼をしている亭主は口先ばかりでおよそ役に立たず、家族にも村の衆にも持て余されていた。三女を雇ってもらうべく父と村長が、町から医師を招いている酒の席に、亭主まで押し掛けて来て、酔っ払う。泥酔して医師に、自分に都会での仕事を紹介してくれと執こく絡み、自分の女房の腹に宿っている子供

★エミン・アルペル監督「三人姉妹の物語」2019年／トルコ、ドイツ、オランダ、ギリシャ／107分

について、ついに言ってはならない事を口走ってしまう……辛うじて均衡を保っていた家族の関係が、純朴でもある亭主のこの切羽詰まった言動のせいで壊れて行く。

悲惨な話なのだが、出来事がまるで神話か民話に感じられた。羊たちを追う亭主、たわいもないお喋りや口喧嘩をしながら食事の支度をする娘たち、毅然として家長の貫禄を保つ父、金持ちだがそれをひけらかすこともない教養ある町の医師……悪人はいない。大地の真っ只中にポツンとある荒屋で、電気どころか水にも不自由しているであろう一家の生活を、映画は淡々と追って行く。それが、美しいのである。

◉カザフスタン映画「マリアム」

これもまた、極寒の大地にポツンとある一軒家の話だ。

夫が買い物に出た切り、帰って来なくなった。三人の小さな子供を抱えて、マリアムは町から遠く離れた家に取り残されてしまう。夫が行方不明と言うので、預かっていた家畜はすべて預け主に持って行かれてしまう。収入の道を絶たれた。夫が死んでいれば政府から援助があるが、失踪して三年が経たないと死んだと認められない。マリアムは知り合いの警官を介してこれを誤魔化し、政府から多額の補助金を得られるようになった。

★シャリパ・ウラズバエヴァ監督「マリアム」2019年／カザフスタン／76分

懐に余裕が出て、マリアムの暮らし振りは夫がいた時よりも楽に、華やかになった。口を利いてくれた警官はマリアムに気があるらしく、何かと手助けしてくれるし。

そこに不意に、夫が帰って来る。補助金を得た条件は、もし夫が生きて帰って来たら全額返済すること。マリアムは間もなく、返済を求められるだろう。冒頭でマリアムは、自分よりも丈のある鬱蒼と茂る草叢から、夫の名を呼びながら姿を見せる。ラストでも同じ草叢から、今度は無言の困惑の表情で姿を現す――同じシーンながら、意味が全く異なる。

本作は実際にあった出来事に基づいているが、マリアムを演ずるのは妻本人とのこと。

カザフスタンの凍て付くだだっ広い大地抜きには、本作は語れない。人の営みは、大地があってこそ。「人間の命は地球よりも重い」と言った馬鹿がいるが、とんでもない。大地あっての人間だ。地球なくして人は生きられない。環境破壊が末期症状を呈し、気候変動のせいで深刻な被害を各地に齎らしている昨今、誰もがこれを実感しているだろう。「三人姉妹の物語」も「マリアム」も、原野にポツンと建つ貧しい一軒家を舞台にすることにより、何が〝豊か〟で何が〝貧しい〟のか、それを語っているように思う。

◉ベトナム映画「樹上の家」

これは、近未来である今世紀の半ば、砂漠の星＝火星に辿り着いた宇宙飛行士が、故郷のベトナムを思い出すという設定である。が、このSF的な設定の味噌は、風邪の音しか聞こえない不毛の火星の砂漠にいて熱帯雨林のベトナムを思うという、この対比であろう。本作のテーマはSFでなく、ベトナム奥地の少数民族を描くことである。

ベトナムの山間部の洞窟に住んだり、樹の上に木造の家を作って住んでいる彼らは数百年、いや遠い古代の昔から、日々変わらぬ同じような生活をして来たに違いない。それに満足し、何の不自由もなく長い年月を生きて来た。ベッドで眠るとか、妙な文明の利器は気色が悪いし、不自由なだけだ。電気やガスがないと使えなかったり、すぐに壊れたりする。

ベトナム戦争後、共産党の一党支配が確立されて以来、同化政策の名の下に彼らは昔ながらの住いを追われる。映画はしばしばベトナム戦争ドキュメンタリーのフッテージを交え、何が彼らを追い立て

★チューン・ミン・クイ監督「樹上の家」
2019年／ベトナム、シンガポール、ドイツ、フランス、中国／84分

★ニアン・カヴィッチ監督「昨夜、あなたが微笑んでいた」2019年／カンボジア、フランス／81分

るのかを示しつつ、愛でるように彼らの本来の暮らしを追って行く。映画に対する検閲はまだ生きているので、少数民族に寄り添う映画を撮るには、こんなSF的な設定をして、いささか曖昧な撮り方をするしかなかったものと思われる。

大自然と一体化した少数民族の暮らしと、自然に敵対する文明人の〝万物の霊長〟面した暮らし。人間は人間である以前に、何よりまず動物であり生き物である。どちらの暮らしが、本来の人間に相応しいのだろうか。

◉カンボジア映画

「昨夜、あなたが微笑んでいた」

これは、カンボジアの首都プノンペンの巨大な集合住宅が取り壊されるに当たり、住民が立ち退きを迫られる話だ。一九六三年に近代化の象徴として建てられた、公営の巨大な集合住宅である。ポルポトの時代も生き延びたものの、日本企業による買収が決まって、一七年に取り壊されることになった。この時点でまだ、五百世帯が住んでいた。

貧しい庶民の住処で、住民は助け合って生きていた。荷物を取りまとめ、持って行けるものはドアでもガラスでも何でも持ち出し、立ち退いて行く人々の姿をカメラは追う。長く住んで来た人々はここを去り難く、ここの歴史を懐かしんでスナップ写真を見せてくれる。

◉中国映画

「明日から幸せな人になろう」

一方この映画は、田舎から大都会の北京に出稼ぎに来た青年のお話。小汚い地下室に、同居人と埋もれるように過ごしている。夜警の仕事に就いていて、人気の全くない新築の巨大ビルを夜間に巡回する。玄関口に倒れているホームレスがいるので、ガラスのドア越しに蹴って起こそうとするが、彼は身動きもしない。昼は昼で、単純作業のアルバイトをしているようである——映画はひたすら無言で青年の行動を追い、具体的な説明は一切しない。

★イヴァン・マルコヴィッチ、ウー・リンフォン監督「明日から幸せな人になろう」2019年／中国、ドイツ、セルビア／57分

マットレスの下に寝押ししている一張羅のズボンを取り出し、身に付けてスマホで自撮りしたりする。相部屋の仲間が引越しをするというので、思い付いて彼も部屋を探している振りをして、マンションの高価な部屋を見てみたりする——田舎にいてポスターで見た北京と、こうして実際に底辺に住み着いて実感する北京とは、えらい違いだ。都会での華やかでリッチな生活は、こんな形でしか叶えられない。大都会に一人で暮らす青年の孤独が、ほとんど台詞のない効果音だけのスクリーンから、ひしひしと伝わって来る。

プノンペンと北京、場所も国も違うが、この二本、妙に繋げて見てしまった。どちらも首都のど真ん中ながら、家族で固まって皆んなでワイワイガヤガヤ、人間臭がぷんぷん漂う貧乏長屋の暮らしと、片隅に埋もれる孤独な沈黙の暮らし。前者は大都会ながらまだ〝田舎〟があったが、後者はまさに大都会の孤独な暮らしだ。貧乏長屋のあの住人たちは、これから大都会の孤独な暮らしに追いやられるのか……北京のコンクリートに埋もれて生きる青年は、「三人姉妹の物語」とか「マリアム」にも似た寒村の暮らしを、今は懐かしんでいないか。

青年はラスト近く、繁華街を歩き回るのに疲れて、商店のガラスに寄り掛かって眠ってしまう。明け方、公園のベンチで目を覚まし、夜明けの赤い光に包まれる。それまでずっと着ていた赤いシャツを、この時には緑のシャツに着替えている。〝赤〟の光に包まれた青年は、〝緑〟に目覚めようとしているのか……

（この他、五本のタイ前衛映画については、次号で！　巻末の連載「パリは映画の宝島〈番外編〉」のページにて掲載予定）

※アジアフォーカス・福岡国際映画祭2020は、2020年9月20日〜24日に、ユナイテッド・シネマ キャナルシティ13をメイン会場に開催された。

5300年前のタトゥーを施されたミイラ アイスマンに会いに行く！
――イタリア・ボルツァーノの旅

◉文・写真＝ケロッピー前田

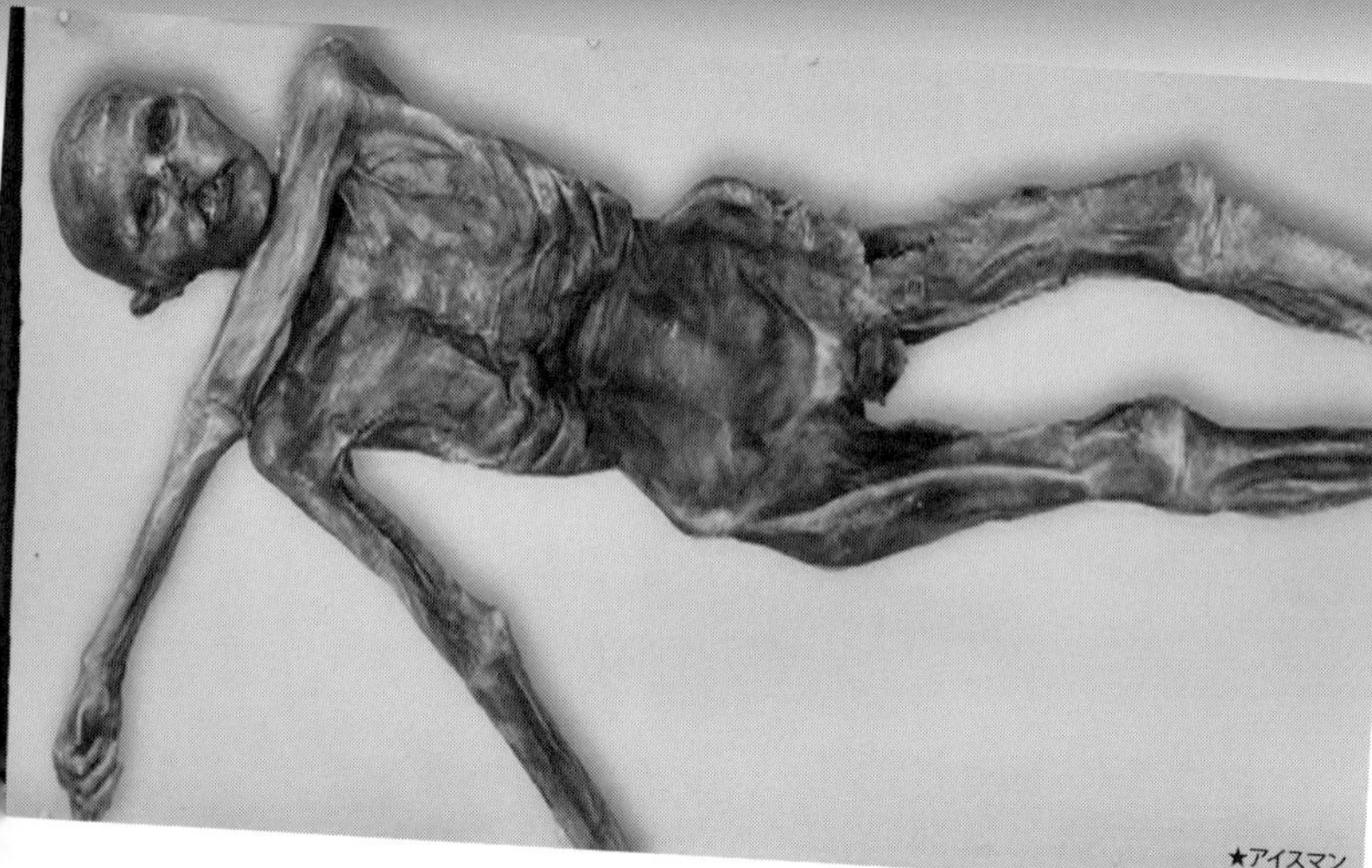
★アイスマン

ちょうど1年前、2019年9月、筆者はイタリアのボルツァーノを訪れていた。タトゥーを施されたミイラとして世界で最も知られたアイスマンに会うためである。

日本でも2019年11月2日から2020年2月24日まで、国立科学博物館で特別展「ミイラ」が開催された。世界各国から集められたミイラに混ざって、資料展示のみではあったが、アイスマンを紹介する展示コーナーが設けられていた。

何と言っても、アイスマンが世界的に知られている理由は、世界最古級の5300年前のミイラで、その大きな特徴として全身61ヶ所にタトゥーをしていることにある。

さらに最初の発見以降、さまざまなことが明らかになるにつれ、世界中の高い関心を集めるものとなった。

1991年9月19日、その日はのちに「アイスマン」発見の日として記録されることになる。アルプス山中でドイツの登山家夫妻が偶然に氷河から上半身を出していた遺体を発見したのだ。4日後に専門機関に収容されると遺留品などからかなり古いミイラであることがわかった。

その時点でマスコミが強い関心を引いていたが、コンラート・シュピンドラー博士らの調査で、約5000年前のヨーロッパ人の成人男性であることがわかると、人類最古級の自然ミイラとして世紀の大発見であると大々的に報じられ、世界的にも大きなニュースとなった。

ちなみに現在人類最古のミイラはアメリカ・ネバダ州の「スピリット洞窟」で発見された自然ミイラ（約9000年前）、人工ミイラはチリのチンチョーロ文化のもの（約7000年前）で顎にタトゥーが施されていた。

アルプスのエッツ渓谷（イタリア・オーストリア国境）の氷河で発見されたことから「エッツィ・ジ・アイスマン」と名付けられている。

また、そのミイラが小さなタトゥーを全身のあちこちにしていたことも世間の関心を呼んだ。タトゥーがあったのは、右膝と左足首に小さな「十字」、両足の足首数カ所と左のふくらはぎに「平行線の束」、背骨の中央付近数カ所に「平行線の束」など、最新の調査では、タトゥーは全身で61ヶ所であることが判明している。

90年代初頭、欧米を中心にタトゥー流行が世界的な広がりを見せた時期に、世間的にも話題となったアイスマンがタトゥーをしていたという事実は、タトゥーは人類の太古から存在する文化芸術であるという認識を多くの人々に印象づけた。タトゥーに対するパブリック・イメージを大きく転換する象徴的な出来事であった。

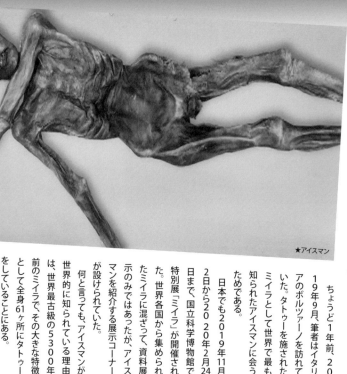

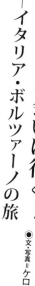

アイスマンは亡くなってすぐに冷凍されたため、内臓器官や細胞組織も生前の状態を残しており、多数の遺留品とともに発見されたことから、物証がないためにわからなかった様々な謎の解明に役立てられている。現在は、イタリアのボルツァーノにあるアルト・アディジェ考古学博物館（南チロル考古学博物館：South Tyrol Museum of Archaeology）で公開されている。

実際に現地に行ってみると、街の背後には、アイスマンが発見されたアルプス山脈が大きくそびえ、オーストリア国境にも近く、街の標識や商店はイタリア語とドイツ語のバイリンガル対応となっている。もちろん英語も大丈夫で、アイスマン目当ての観光客が世界中からこの街を訪れているようだ。その証拠に、開館時間には博物館の前に入館待ちの行列ができていた。

　アイスマンのためだけに丸々ひとつの博物館が作られていると言ってもいい。内容も豊富なので展示順に見ていきたい。

　最初のコーナーは、アイスマンの発見と反響だ。特に当時のニュース映像やテレビでの報道の過熱ぶりが凄まじい。日本のテレビ番組での映像もあった。冷戦の終結、ソ連崩壊、東西ヨーロッパ統一と、世界が激変したタイミングに、アイスマン発見の衝撃がオーバーラップする。

　続いて早速のアイスマンご対面となる。アイスマンは現在、大きな冷蔵室の中で冷凍された状態にあり、その様子を小さめの窓から覗き見することになる。タイミングによっては、ここでも行列ができる。

　タトゥーについての説明もあった。

「なぜ、エッツィはタトゥーをしたのか？　すべてのタトゥーは普段は服で隠れてしまうので、装飾的なものではないでしょう。たぶん、どれも初期の鍼治療の事例であって、神経を刺激することで痛みを和らげることができます。すべてのタトゥーは体のツボの位置にありました」（展示解説より）

　確かに、全身のいたるところに施された小さなタトゥーは不自然である。アイスマン自身、針を持ち歩いていなかったことから、ナイフで切り込みを入れて、煤を刷り込んだのではないかと考えられている。また、手首をぐるっと巻いたタトゥーはステッチと言われる墨を染み込ませた糸を縫い針を使って皮膚に貫通させることで施されたのではないかともいう。

　現物を見てみると、そのリアリティがたまらない。ついつい彼に語りかけてみたくなるのは僕だけではないだろう。

　そこに続いて、アイスマンが持っていた

★南チロル考古学博物館

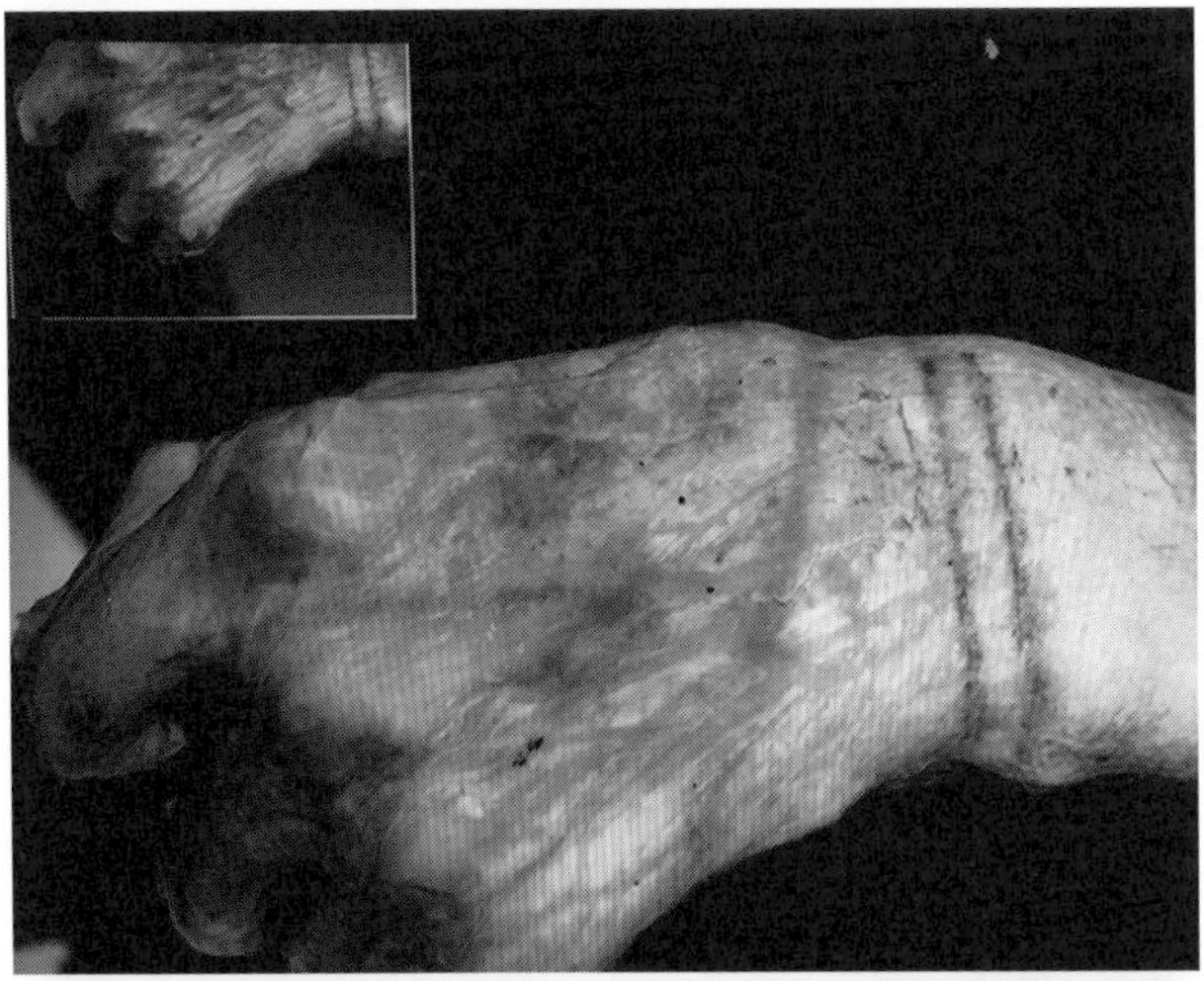

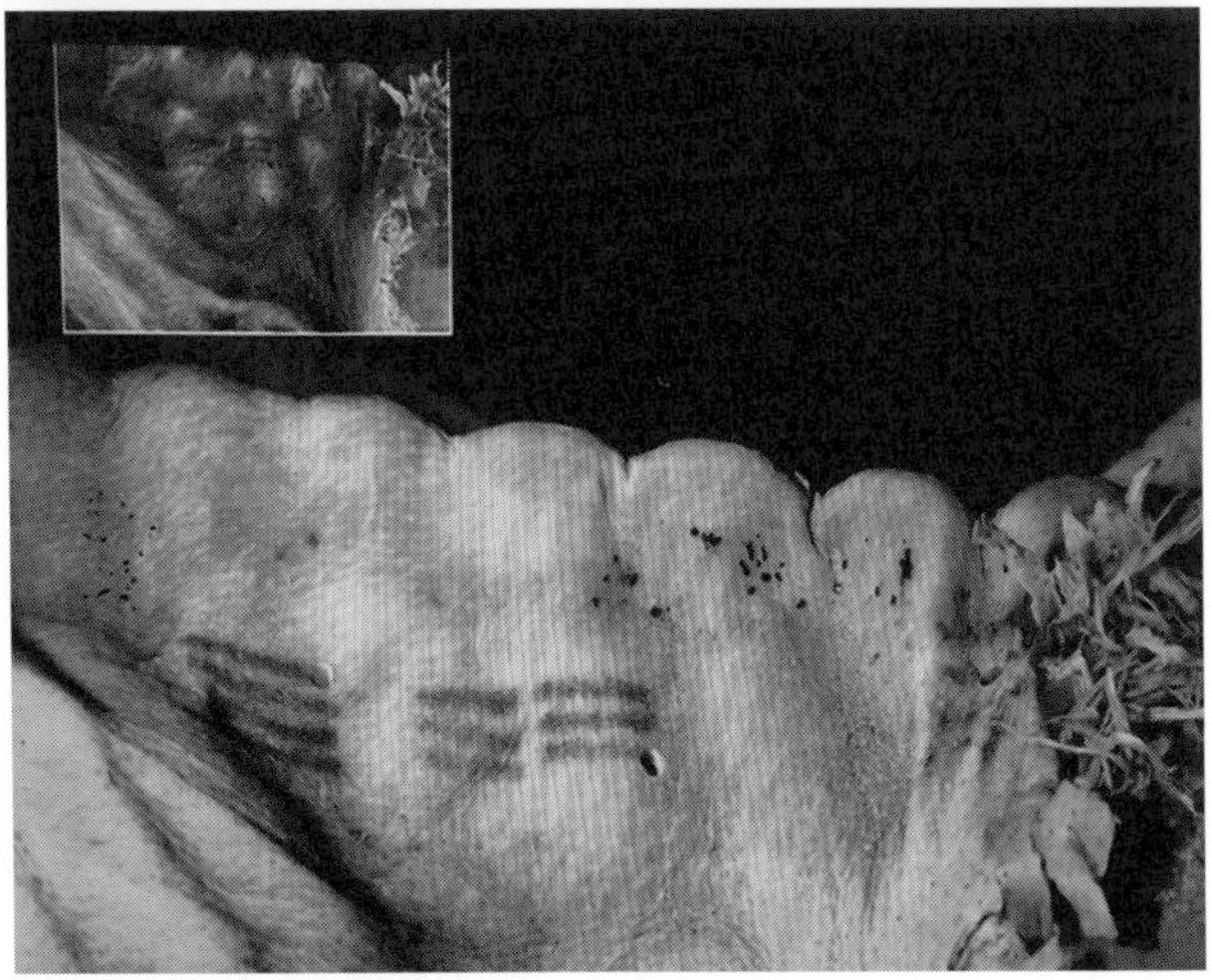

★（上２点、手首と背中）アイスマンに施されたタトゥー

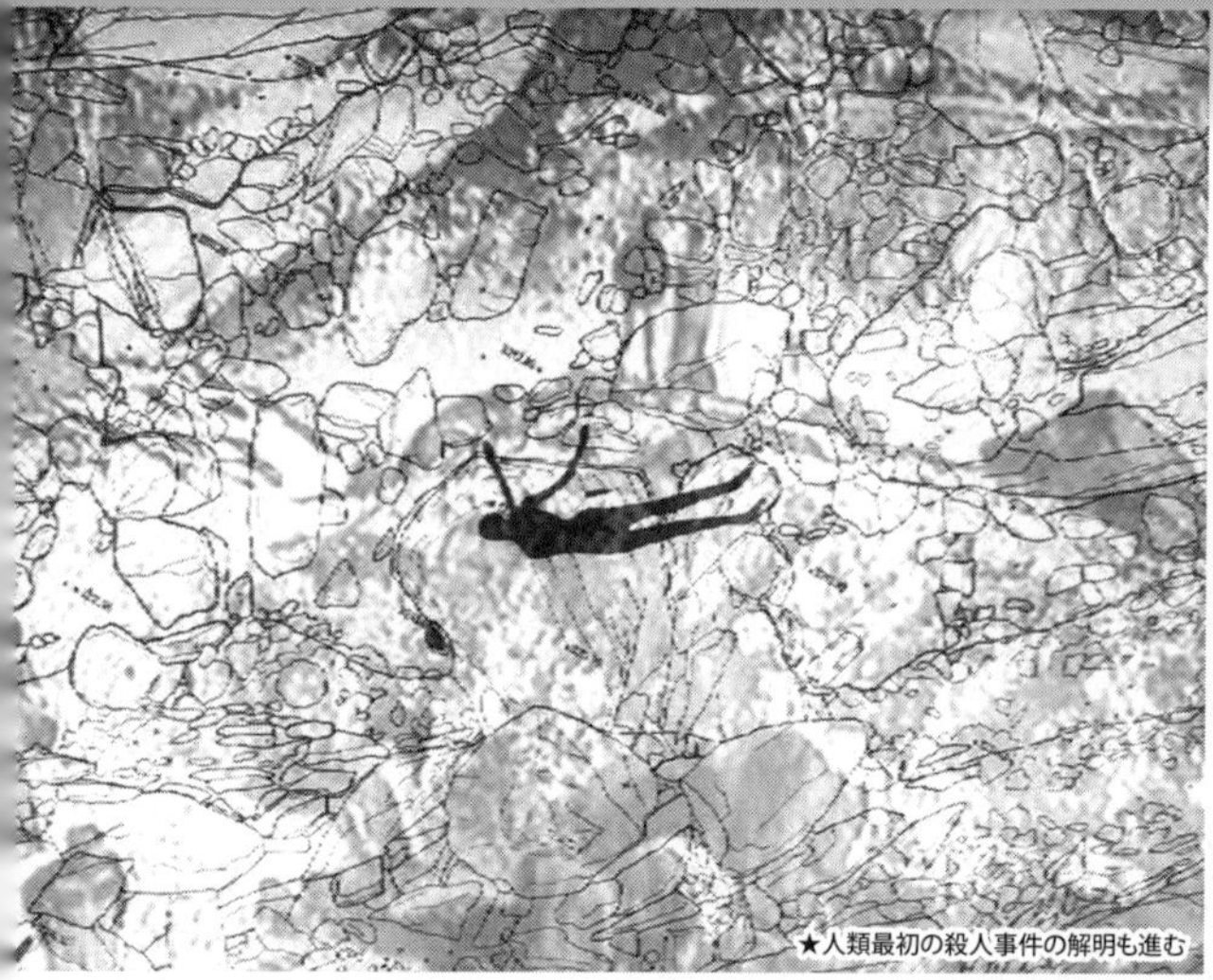

★人類最初の殺人事件の解明も進む

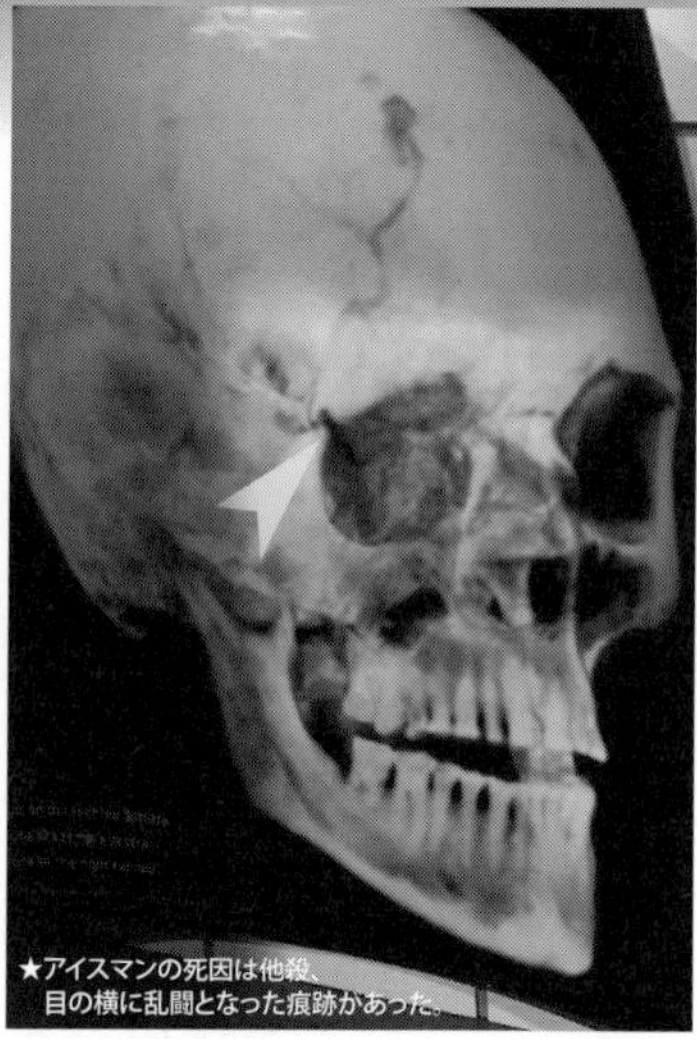

★アイスマンの死因は他殺、目の横に乱闘となった痕跡かあった。

道具や武器、服装などの展示となる。冷凍されていたので、本来なら腐ってなくなってしまう木や草、動物の革などで作られたものまですべて残っているのがすごい。アルプス山中に徒歩できたというのに、とにかく、荷物が多いのだ。

弓、矢と矢筒、槍、銅製の斧、石のナイフ、背中にはバックを背負い、防寒のために靴を履き、長ズボン状のもので足を覆い、革の上着を着て、熊の毛の帽子を被る。ここで最も重要なものは斧だという。なぜなら、先史時代の斧で柄も刃もそれを固定した紐もすべてが完成した状態のものは世界でこのひとつだけ。5300年前に銅製の斧があったという事実からヨーロッパの青銅器時代の開始が大幅に遡った。加えて、銅製の斧は木を切るにも武器にするにも性能的には劣るため、特別な身分などを証明のために持ち歩いていたのではないかと考えられているというのだ。

現在も冷凍状態にあるアイスマンだが、2010年にひとたび解凍され、149項目の科学的な調査のためにサンプル採取が行われた。DNAや細胞組織、MRIやレントゲンなどによる精密検査も受けた。そこからまず胃袋に寄生虫やピロリ菌がいたことがわかった。アイスマンは、常に胃痛や消化不良に苦しめられていたわけだ。そのような体調不調を治すためにも、医療目的のタトゥーを数多くした可能性がある。鍼治療やツボなどは中国を発祥とする東洋医学と考えられてきた。しかし、5300年前のヨーロッパで医療目的のタトゥーの効用がわかっていたことには驚かされるばかりだ。

もうひとつ、科学的な調査でいままでわからなかった死因についての新事実が浮かび上がった。アイスマンは、肩に矢を受けて出血した跡があり、顔などにも誰かと乱闘した跡があるという。つまり、彼は何者かといさかいになったのち、離れたところから矢で射抜かれたのだ。

アイスマンは、立証された人類最古の殺人事件の犠牲者というわけだ。ここから見えてくるのは、5300年前にすでにあった複雑な人間関係や社会状況だ。アイスマンは、当初考えられていたような狩猟採集民ではなく、交易を担っていた行商人のような存在だったともいわれ

★世界で唯一完全な形で残された銅製の斧

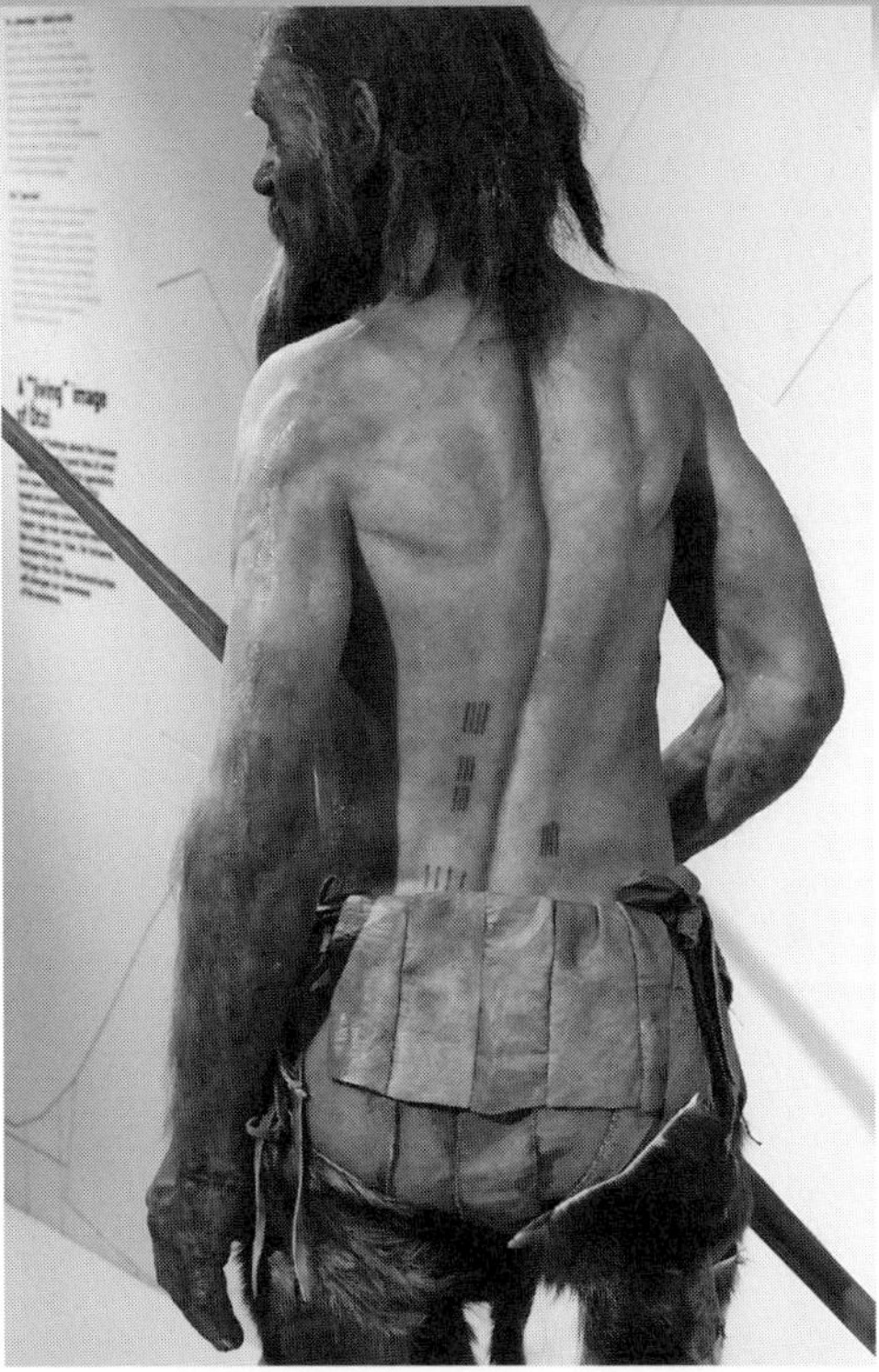

★アイスマンの等身大復元模型、背中のタトゥーも再現された

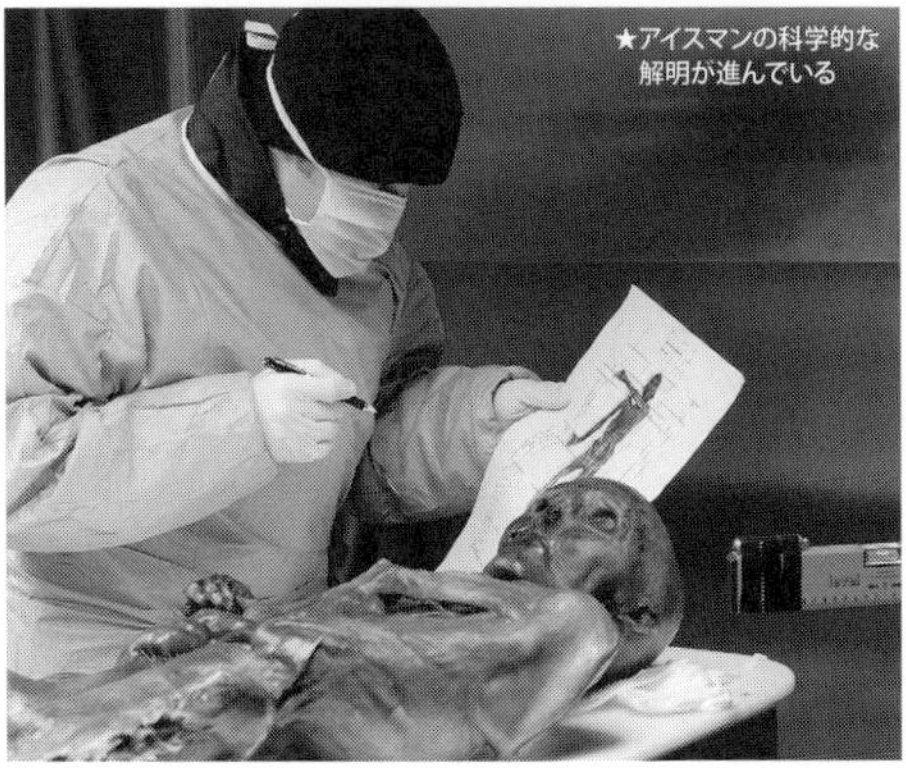

★アイスマンの科学的な解明が進んでいる

る。

最後のセクションは、リアルに再現されたアイスマンの姿だ。復元模型の製作で知られるオランダの兄弟アドリー・ケニスとアルフォンス・ケニスによる。彼の推定年齢45歳で身長160センチ、そのまま原寸で再現されている。ちゃんと背中には医療目的のタトゥーがまるでバーコードのようにみえている。

5300年前というと、日本ではちょうど縄文時代にあたる。アイスマンのような医療目的のタトゥーが存在した可能性もある。古代のタトゥーについて、まだまだエッツィから学ぶことは多そうである。

ところで、このときアイスマンに会いに行ったのは、拙著『縄文時代にタトゥーはあったのか』（国書刊行会）執筆のためであった。古代のタトゥーについては、ぜひ、そちらを参照していただきたい。

最後になったが、このボルツァーノを世界的に有名にしたもうひとつの珍事があるので紹介しておく。

ボルツァーノが誇るムゼイオン現代美術館（Museion : museum of modern and contemporary art）、モダンな外観は周囲の自然に溢れた風景とは違和感を持つ。2015年、その美術館に展示されていた現代美術の作品が清掃員によって、ゴミと間違えて処分されてしまう事件が起こっている。ダミアン・ハーストら複数のアーティストによる《今夜はどこにダンスに行こうか》と題する作品で、シャンパンの空瓶や使い終わったクラッカーなどを使ったインスタレーションであった。幸い、事件発覚後すぐに回収されたので、3日後には展示が再開されたという。

もしこの街を訪れる人がいたら、オーストリア風の地ビールとイタリア風の肉料理の両方を堪能できる。そしてじっくりとアイスマンとの対話を楽しんで欲しい。

陰翳逍遥《第40回》

志賀信夫

ヨコハマトリエンナーレ2020

「よくぞ開催にこぎつけた!」と、それだけでもスゴイことなので、まずそこに強いエールを送りたい。インドの三人組「ラクス・メディア・コレクティヴ」によるキュレーションで、「AFTERGLOW—光の破片をつかまえる」がコンセプト。本邦初の作家が多いのも特徴だ。会場は、横浜美術館と元アンパンマンミュージアムのプロット48（七月一七日〜一〇月一一日）。

横浜美術館でまず目に入ったのは蚕と絹の作品。養蚕と製糸、紡績が日本を富ませたが、いまは衰退している。日本人アーティストがそれに関わる展示をする。壊れたものを継ぐことを蛍光糸で表現した竹村京の作品が、闇の中に静かに光を放っていた。

レボハング・ハンイェによる切抜き立体写真のインスタレーションと映像も、飛び出す絵本のように繰り広げられる動く映像が魅力的で、アフリカ黒人の生と社会を浮かび上がらせる。それは植民地主義、西洋化、奴隷制や差別ともつながっており、実は日本もまったく無縁ではない。ロバート・アンドリューがジェットプリンタの機械で壁から掘り出す先住民の言葉は、身体的な痕跡による絵画のようにも見えて、不思議なエロティシズムを漂わせていた。

インティ・ゲレロのキュレーション作品は、ヴィルヘルム・フォン・グレーデンの男子同性愛写真などエロティックなものなど、撮影不可も多かった。特にクリスティーナ・ルカス『ビッグバン』（二〇一〇年）は、ナムジュンパイクの妻で優れた映像作家、久保田成子の『ヴァギナ・ペインティング』（一九五六年）を再制作して、下から写している映像作品。女性器に筆を入れて自ら書を描くというものだ。

プロット48での、アンドレアス・グライナーの作品は繊細な夜光虫によるパフォーマンス。音楽に反応する生物の動きを、闇の中で目を凝らして見る面白い作品だ。

そしてこの会場の白眉は、エレナ・ノックスのキュレーション。日本の東南アジア侵略の象徴でもある「海老」をテーマにさまざまな作家が、エロスと混沌のパンク・キッチュなインスタレーションで楽しいエビ祭りだった。

横浜トリエンナーレの本体展示は終了したが、始まる前、そして終わった後も続く「エピソード」と呼ばれるパフォーマンスやレクチャーのシリーズが組まれている。

★（上）手前はモレシン・アラヤリの作品、奥はニック・ケイブの作品
（下）アンドレアス・グライナーの作品

わたしはここにいる

本誌No.71で取り上げた渡辺篤。その「アイムヒア プロジェクト　渡辺篤　修復のモニュメント」展が、横浜バンクアート・シルクで開催された（六月一日〜七月

★渡辺篤「修復のモニュメント「ドア」」部分

二六日)。

渡辺の展示は、引きこもり体験による、切実かつ現代美術としても存在感のある作品が並ぶ。今回の展示は、ひきこもりの六名が渡辺と対話しつつ、コンクリート製の記念碑をつくり、それをハンマーで破壊して「金継ぎ」することで、抑圧されてきた声を顕在化し、新しい表現のかたちを模索する作品。特に『被害者と加害者の振り分けを越えて』は体験型インスタレーションで、歩く感覚を改めて体感する優れた作品だった。

歴史的建物の保存

仕事で関わっている東京・神田神保町でいくつかのギャラリーと知り合った。調べてみると、神保町を中心にギャラリーは四〇以上ある。二〇〇軒近くある古書店のギャラリー、出版社のギャラリー、そして半世紀近い歴史の檜画廊を中心に、最近新しいギャラリーが増えている。

ただ、展覧会開催時のみ開くところもあり、情報が十分発信されていない。だがこれだけあるなら、一つを目当てに来て、他にも回ってほしい。そして美学校をはじめとする専門学校、画材店などたくさんあり、岩波ホールを中心に映画館など、アートカルチャー施設をめぐりたい。それで、有志で「神保町アートネットワーク」を立ち上げた。当初、アートマップをつくって配る予定だったが、コロナ禍でギャラリーも開いていない。Facebook上で発信したところ、すぐに二〇〇〇人以上集まった。

神保町は岩波ホール、三省堂の面した靖国通り、三省堂の反対側のすずらん通りが有名である。だが、その先のさくら通りが、元々神保町の中心だった。旗本、神保氏の屋敷があったため名付けられ、靖国通りは後から広げられた道だった。そのさくら通りの中心に、古い洋ビルがある。以前から気になっていたが、この夏、取り壊しが表示されたことで、惜しむ声が高まった。

この旧相互無尽会社ビルは、昭和五年建造のコンクリートにスクラッチタイルの貼られた煉瓦風の建築だ。一九三〇年だから九〇年になる。大正一二年の関東大震災で、多くの煉瓦造りのビルが倒壊し、復興のためにコンクリート造のビルが急増した。そして、帝国ホテルの外装のスクラッチ煉瓦にならって、筋の入った

★(上)旧相互無尽会社ビル(下)クロストーク/鈴木淑子撮影

スクラッチタイルで外装された。これは古い洋ビルなので、窓などにデザインが施され、レトロな雰囲気を醸している。

　さくら通りには、二年前にアートギャラリー&レジオンが開き、今年、隣にもう一つギャラリーがオープンした。そのため、急遽、「さくら通りと神保町の歴史的建造物」展をレジオンで画廊主らと企画・開催し（一〇月六〜九日）、木下栄三、神田順の神保町を描いた絵、ホムンクルスの『犬神博士の夜の散歩』上映、解説のパネル展示などを行った。八日には、クロストーク〈神保町さくら通りの建築を巡る、文化と歴史〉を企画したが、東大名誉教授の神田順をはじめ、多くの建築家、建築に関わる専門家、神保町や建物への思いのある方々が集まった。

　実は周囲には山形屋紙店の煉瓦造りの蔵や矢口書店の看板建築、鰻店・今荘、カトリック神田教会、東方学会、文房堂など、レトロな建築や、その意匠（デザイン）を生かした建物がたくさんあり、徒歩十五分以内にはニコライ堂、学士会館などもある。つまり、歴史的建築をめぐるアートな街歩きができるのだ。

　この旧相互無尽会社ビルは、名前の通り、市民による相互金融、無尽講から始まったものらしい。無尽講、頼母子講は現在のマイクロクレジットである。つまり日本の銀行の歴史を示している。また、以前には日本タイ協会が入っていた。これが神保町にあることで、エスニック料理店が増え、旧来のカレー店とともに、神保町が古書の街かつ、カレーの街になるきっかけになったといえる。古本まつりは毎年三〇万人、神田カレーグランプリは四万人を集めるイベントに成長している。そんな歴史ある建物が開発のために取り壊されるのは、やはり残念である。なんとか活用できないものだろうか。

★JAZZ ARTせんがわの会場となった調布市せんがわ劇場

JAZZ ART せんがわ二〇二〇

ヒカシューの巻上公一が主宰するJAZZ ART せんがわ。今年はコロナで開催不可能と思われたが、頑張って九月一六日〜二〇日に開催された。欧州で活躍するジャズトランペッター、沖至が亡くなったが、彼はこのところ毎年出演していた。フリージャズを中心としたコンサートだが、「福島泰樹 短歌絶叫コンサート」もある。

　テクノポップで注目されたヒカシューも、巻上公一（ボーカル、コルネット、テルミン、尺八）、三田超人（ギター）、坂出雅海（ベース）、清水一登（ピアノ、シンセ）、佐藤正治（ドラム）というメンバーで、サックスの梅津和時がゲストに入り、ニューポップフリージャズ。決めどころとアドリブ、カオスの混じり合いが凄かった。

　また、箏の八木美知依とドラムの本田珠也のデュオ「道場」はメチャスリリング。フリージャズ的なノイジーなかに和音階が見え隠れしてカッコいい舞台だった。一九日所見。

★松平敬と中川俊郎

死にゆく若者への挽歌

現代音楽の作曲家、佐藤聡明はピアノを中心にして独自の世界を生み出すことで知られている。また『耳を啓く』（春秋社）という著書もある。

　佐藤は二〇一五年、初めて映画音楽を作曲した。小栗康平監督の『FOUJITA』である。オダギリジョーが主演してフランスでの藤田嗣治を描いたことで話題になった。映像美の中に藤田像が浮かび上がり、音楽もとても映像に合っていた。

今回の舞台では、前半、佐藤のパートナーである佐藤慶子がピアノで、「星の門」（一九八二年）と、その映画『FOUJITA』のための曲「藤田組曲」を演奏した。「星の門」は、余白が多く、音がポツンと空間に放たれ、次の音を待つなかで、聴く者の想像力が広がっていく。「藤田組曲」はオーケストラ曲をピアノに編曲したもので、テンションの高い部分とのコントラストがひきつける。

第二部は、歌曲集「死にゆく若者への挽歌」全四曲の世界初演である。安定したバリトンの松平敬の確かな声に、中川俊郎のピアノ。海外詩人、ウィルフレッド・オーウェン、カール・サンドバーグ、ナンシー・ウッドの三人の詩に曲をつけたもの。歌詞が抑圧された政治、戦争を描いており、メロディが太く、そこに対するピアノは伴奏というよりも、コラボレーション。時にはミニマルな音のリフレインが続き、現代音楽のエッセンスが感じられた（九月一〇日、南青山MANDALA）。

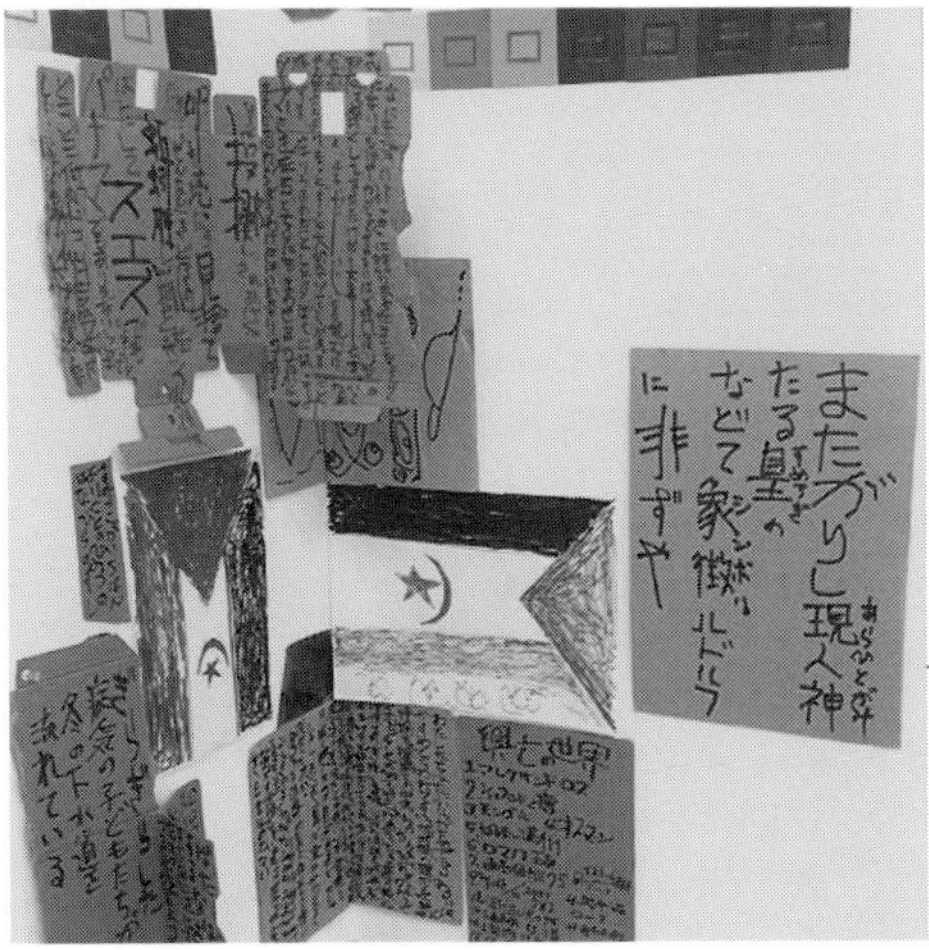
★山崎春美のインスタレーションから

オリンピック終息宣言！

外苑前のトキ・アートスペースで七月二〇日から二六日まで開催された「オリンピック終息宣言展」。まさにオリンピック会場である国立競技場の門前町のギャラリーに、異議申し立てをするアーティストたちが集結した。元々、名古屋のあいちトリエンナーレで問題となった「表現の不自由展」に関連して、昨年、吉祥寺のギャラリーナベサンで開催された「不自由の不自由展」を引き継いだかたちの展覧会である。伊藤カイ、近藤あき子、堂免修、安冨歩、山崎春美、渡邊未帆ら一七名が出品。七月二三日のクロージングイベントでは、周囲の過去・現在のオリンピック施設をめぐるツアーを行った。改めて地域からの視点で、オリンピックの建築を見て、その意味を考える時間は貴重だった。

死とセックス

本誌でもおなじみのケロッピー前田がプロデュースした「バースト・ジェネレーション：死とセックス」展が、新宿眼科画廊で開催された（七月一〇日～二二日）。

ケロッピーの関わった伝説の雑誌『BURST』の流れを組む『バースト・ジェネレーション』誌を受け、「死と未来」展の続編にあたる展覧会だ。ちょうど会期中に「まんこアート」で有罪判決を受けたろくでなし子を始め、鬼畜カルチャーの根本敬、西牧徹、死体写真家、釣崎清隆、ピスケン、ブライアン佐藤、陰部神社のPONO♡FEKO、ケロッピー前田など個性的な作家が集結し、やばく刺激的な作品を発表した。

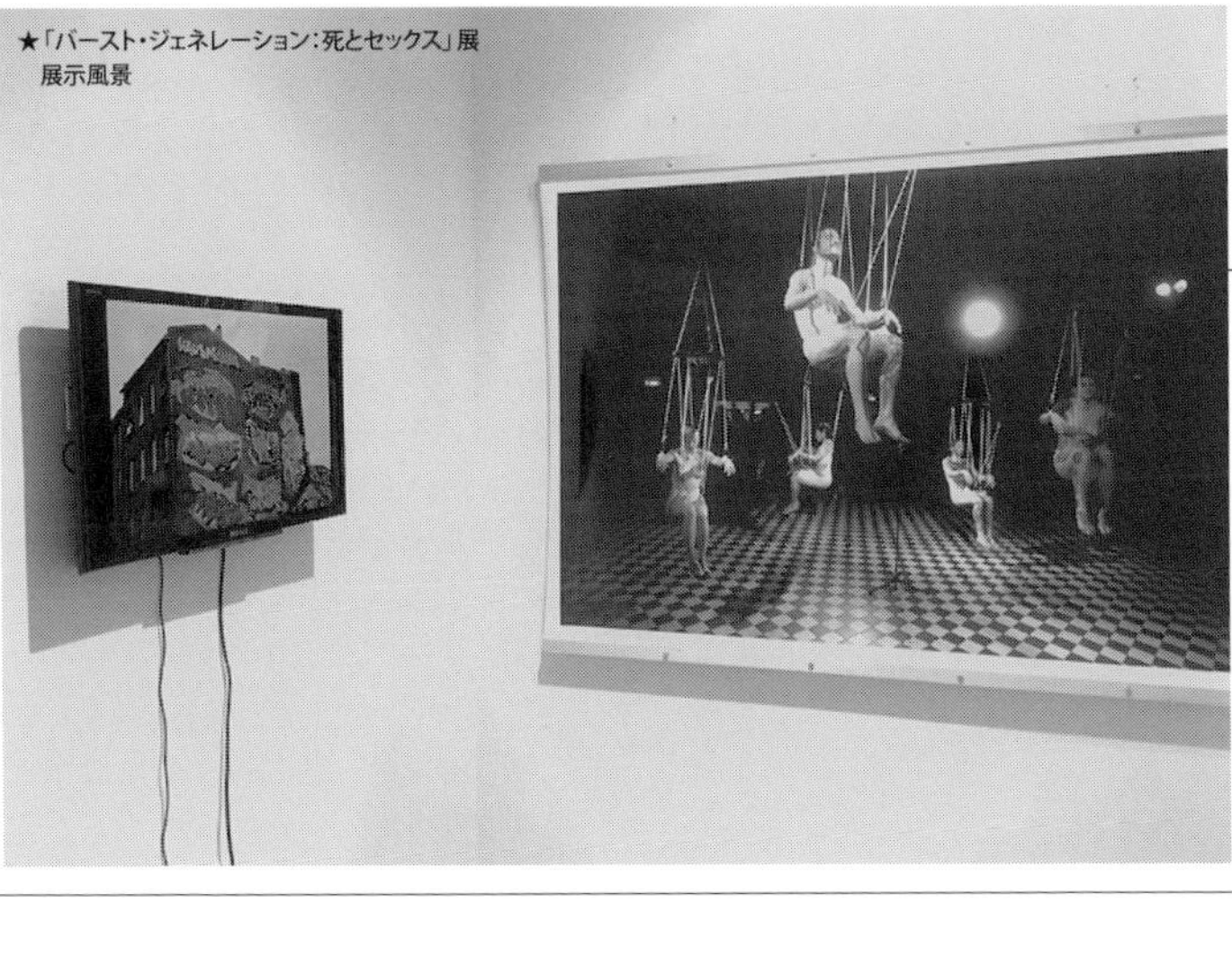
★「バースト・ジェネレーション：死とセックス」展
展示風景

表紙＝こやまけんいち

All pages designed by ST

CONTENTS

善悪の彼岸——夫婦生活編

◉文＝友成純一

大人の世界は複雑怪奇

——連城三紀彦「恋文」、トリュフォー「隣の女」

七〇年代の後半、四十年ほど前のことである。

まだ二十代前半のガキだった。ガキのくせに生意気に、今やカルトとなったマイナー探偵小説雑誌「幻影城」に、〝新進評論家〟として原稿を書き始めていた。ここの新人賞の評論部門に、佳作入選したのがきっかけだった。同じ時期にやはり評論部門で佳作入選したのが、私より一歳年上だった栗本薫さんで、小説部門では同期に連城三紀彦さんが入選していた。編集長の島崎さんのお声掛りで、「幻影城」の書き手同士が集まって〈影の会〉ってのを作り、何かと口実を作っては皆んなで集まっていた。

まだ学生気分の私は、まだまだ世間知らず人間知らずで、純情一途だった。別に正義を信じたり道徳を守らなければなどと思ってはいなかったが、自覚がないだけで、育って来た環境、両親や教師や近所の大人の言動、テレビ番組に影響され、それらからの〝躾け〟に縛られていた。間違ったこと、人が嫌がることをしてはいけないと染みついていた。〝悪〟を憎んだ。何が間違った事で、何が悪か——それを判断する力はなく、染みついた経験に従って、反射的に反応していた。

書き手仲間である連城さんの小説が、どうしても理解できなかった。連城さん自身はとても良い人で仲良く付き合って頂いたが、書くものは耐え難く嫌いだった。許し難い不道徳なものに思えた。例えば——連城さんの短編の代表作に「恋文」というのがある。ちゃんと読んだのか、映画とかテレビで見ただけか、定かでない。が、えらく憤ったものだった。

ある若夫婦と、その旦那の方の元カノの三角関係のお話。元カノとは縁が切れていたが、彼女は不治の病で死の床にある。未だに彼を愛しており、彼が結婚していることを知らなくて、死ぬ間際に彼と一緒になることを、つまり結婚を望む。

彼は、彼女の望みを叶えてやろうとする。そのために事情を話して、愛する妻に離婚してくれと頼む。妻は最初は憤るが、ついにこれを了承し、夫が死の間際の元カノと添い遂げるために、離婚してやる。妻は黙って夫と元カノのために、黙って離婚届だけを送って来る。夫は、「これこそ最高の恋文だ」と感動する。で、夫と元カノとが死の床で結婚して、メデタシ、メデタシ——

「何だ、それ。そんなバカな話があるかい！」、私ゃ怒ったね。いかに死を前にしての、最後で最大の望みとは言え、彼はすでに結婚している。「わたし、もうすぐ死んじゃうの、可哀想でしょう」そう言わんばかりに相手の同情を買い、有無を言わせぬ状況に落とし込み、その家庭を破壊してまで、男をモノにしようなんて、なんと身勝手でワガママな女であろうか。

そんな戯けた願いを聞いて、心から愛し合っている奥さんに事情を話して離婚を申し出るなんて、なんとバカな男であろうか。願いを聞いてやる奥さんも、なんとバカな女であろうか。二人の間には、幼い男の子までいるんだぜえ。何と無責任な親であろうか。愛する相手を裏切ってはいけないとか、他人の相方を奪ってはいけないとか、私はそういう道徳に縛られていた。浮気は罪だと感じていた。

連城さんは浄土真宗の坊さんの家柄で、後に寺を継いで本当に坊さんになった。浄土真宗は、世俗を知ることを重視すると聞く。穢れに塗れてこそ、成仏できると。その意味では連城さんの書くものは、紛れもなく浄土真宗の延長上にあるのだろう。善とか悪とかを超越して、人情の機微を探って行く。

私は単純なB級青少年だったから、悪は悪、善は善、両者が混じり合うわけないと決めていた。連城さんの世界には、とても付いて行けなかった。

連城さんはそもそも映画の脚本家になりたかった人で、学生時代にパリに留学している。フランス映画、特にトリュフォーが大好きだった。このトリュフォーが、これまた若き日の私は大嫌いだった。特に「隣の女」(81)というのに、連城さんはベタ惚れだったが、私はこれがひときわ嫌いだった。二人で夜を徹して酒をかっ喰らい(連城さんは酒が強かった。一緒に旅行とか行くと、朝からずっと飲み続け)、トリュフォーとこの作品を巡って、好きだ嫌いだと遣り合った記憶がある。その「隣の女」、まさに連城さん的に屈折した話なんだなあ。

主演はジェラール・ドパリュデューとファニー・アルダン。二人とも円熟の演技だった。

二人はかつて恋仲だったが、愛していればこそ憎み合い、別れた。そしてそれぞれ別の相手と結婚していた。普通はそれっ切りで終わりだが、田舎のドパリュデュー夫婦の家の隣に、アルダン夫婦が越して来てしまう。アルダンが懐かしんでこっそり連絡しようとするとドパリュデューが素っ気なく、ドパリュデューが口を利こうとするとアルダンが背を向ける。二人同時に相手の家に電話を掛けて、共に話中だったり(昔のダイヤル電話、スマホじゃないぞ)……本当は会いたくて会いたくて、また一緒にイチャイチャしたいのに、思いを明かせずすれ違い……ついに二人は二人だけで会ってしまい、イチャイチャホニョホニョ、こっそり逢瀬を重ね……二人とも家族は大切だし、そっちはそっちで愛してるし、こんなことをしていちゃいけないわ、別れましょう……でも、別れられず……ご近所衆やお友達を集めてのガーデンパーティーの席で、二人の仲が皆の衆にバレる場面は、まさに恥も外聞も身も蓋もない一世一代の大屈辱シーンである。両夫婦は決定的な別れを決意するが、しかし二人は別れられず、無理心中となる。

美しい純愛とか、死して結ばれる永遠の愛とか、そんな素晴らしいものではない。結婚している良い歳をした大人が、高校生みたいに恋情と性欲に悶え苦しみ、失神し、神経衰弱に陥ったりする。はっきり言って、醜い、恥ずべき劣情である……くっ付いたり離れたり、またくっ付いて離れ、実に煮え切らない、女々しくも情けないお二人。二人は思い詰め、逡巡しつつも激情に駆られてパニックに陥り、ついに死んでしまう。

まさに連城さん好みのお話なのだが、私は「幾つだお前ら、大人になれよ」と呆れるばかりだった。

白黒が、善悪が明確な話が、私は大好きだった。テレビでも映画でも「どっちが悪い奴? どっちが良い奴?」がいつも気になったし、良い奴が悪い奴をやっつけるためには、何をしても良いと思っていた。どんな悪事であっても、正義の味方がやらかすなら、それは正しい行いなのである。そんな私は、黒澤明が大好きだった。

連城さんが好きなのはまず増村保造で、溝口健二であり成瀬巳喜男だった。映画少年だった私は中学高校の頃には増村作品はまだ見ていなかったが、東京は京橋のフィルム・センターに通って、溝口も成瀬も小津安二郎もまとめて頑張って見たものだった。ちっとも面白くなかった。面白い詰まらない以前に、スクリーンで何が起きているのか、全く理解できていなかった。彼らの映画は人間心理の、男と女の関係の、家族の内情の、善悪を超えた奥深くを探っている。勧善懲悪のお話では全くない。子供には難しかったのだ。

私は学生結婚をしていた。好きになったら、恋愛関係に陥ったら、結婚しなければならないと固く信じていたからだ。強固な道徳観念の故に、早々に結婚していたのである。普通は結婚は大人になった証拠なのだろうだが、私の場合は、幼児性の結果だった。「面倒臭い、結婚しちゃおう」そう言って二人で区役所に行って、婚姻届を出した。それだけ。親も知らなかった。

結婚生活を通じて、大人になって行った……かな？　二十歳を過ぎて間もなく結婚し、三十歳になる少し前に離婚した。酒が原因だった。私がアル中になっていたのである。離婚して酒を絶って原稿をせっせと書き、それなりに稼ぐようになって二度目の結婚をした。これも数年で破局を迎え、逃げるように東京を離れ、福岡で三度目の結婚――三十代も後半に入っていた。さすがにそれまでの経験のおかげで、だいぶ大人になった――と思う。

間違ったことをしてはいけませんなどと、考えなくなった。善悪に拘らなくなった。人間も結局は動物である。世の中の人間関係に、善悪の建前など通用しない。周りを見回せば、一生貧乏して苦しんで終わる奴もいれば、一生遊んで暮らす奴もいる。人間社会というのは、学校で教わったのと全く異なり、理不尽なことだらけだ。幸福に客観的な基準などないので、何を苦しいと思うか、何を楽しいと思うか、何が不幸で幸福なのか、当人次第、成り行き次第なのだと。

私が福岡に越して来て間もなく、福岡市総合図書館がオープンした。ここの映画の特集上映に、頻繁に通うようになった。この図書館は本ばかりでなく映像資料も収集しており、世界でも有数のアジア映画のコレクションを誇っている。設備の整った上映ホールもある。韓国や中国、東南アジア各国の映画と並んで、日本映画の特集も頻繁に組まれ、溝口健二、小津安二郎、成瀬巳喜男の作品もしょっちゅう上映される。彼らの作品を数十年振りに改めて見て、しみじみと感動。なるほど、中学生高校生が見て、面白いはずがない。特に私のように、善悪を決め付けて見ていた人間には。

一夫一婦か一夫多妻か

――モスレム大ロマン「望まれざる天国」

一度に何人もの異性を愛するのは、一夫一婦制を原則とする資本主義社会では、いちおう悪い事、不道徳な事とされている。

私はつい先日までインドネシアはバリ島にいた。バリ島はヒンドゥーの島で、インドネシアで唯一ヒンドゥーが主流の小さな島。インドネシアという国の中心はジャワ島であり、ジャワではイスラム教が支配的である。

インドネシアは世界で最もイスラム人口が多いというので、イスラムの国と思っている人が少なくない。が、イスラムはここの国教ではない。インドネシアはすべての宗教を重視しており、無神論者と無政府主義者は許されないが、信仰心さえあれば、どんな宗教でも同等に認められている。ただ、モスレムの人口が多いというだけである。だから正月は、西暦のそれとモスレムのそれ、仏教、ヒンドゥー……と、幾つもある。主要な宗教の祝日はすべて国の祝日と認められている。

モスレム社会では、伝統的に一夫多妻が許されている。ただし、結婚できる相手は四人まで。ヒンドゥーでも戒律としてどうなのかは判らないが、一夫多妻はよく聞く話。バリ島に住んでいて、特に田舎に行くと、少なからぬ男があちこちに奥さんを抱えていた。若かりし時だったら、「フシダラな！」私は一人で猛り狂っていただろう。が、所変われば慣習も変わると今では承知している。私がとやかく口を挟む問題ではない。

モスレム映画が面白い。特に恋愛の一大メロドラマが。本誌の連載コラム〈バリは映画の宝島〉で前に、「望まれざる天国 Surga yang tak Dirindukan」（15・16／二部作）という国民的に大ヒットしたモスレム映画を紹介したことがあった。

愛する女性とようやく添い遂げた真面目一筋の堅物男が、自殺しようとしている女性を危機一髪で助ける。放っておけばすぐにまた自殺を試みるという切羽詰まった状況で、男は彼女と結婚の約束をしてしまう。約束ばかりか、その場で結婚することになってしまう。否応なしに一夫多妻の生活に突入する。

二人の妻がいると、いかに男が苦労するか……一人いてさえ大変な苦労なのに、二人もいたら、もうヘトヘト。四人まで許されるというが、四人も奥さんがいた日には間違いなく寿命が縮まる。一夫多妻の悲喜劇を描いた「夫を分かち合う Berbagi Suami」（06）というオムニバス映画があり、インドネシアで大ヒットした。その中の一エピソードで、複数の妻を持っていた男が死の間際に息子に遺した言葉は、「女房は一人にしておけ」だった。

さて、堅物男は止むを得ず奥さんが二人になったわけだが。奥さん同士が結局、凄く仲良くなってしまう。苦悩のあまり死ぬことしか考えてなかった二番目の奥さんだが、堅物男と一番目妻の助けがあって、だんだん心の平安を得て来る。そして、堅物男と一番目の奥さんの生活を、自分が邪魔していると自覚する。そして二人の元を、いったんは去るのだった。

しばしの時が経ち、一番目妻は自分が白血病を患っていて死も時間の問題と知る。自分が死んだ後、愛する夫と娘はどうなるのか――別れてしまった二番目妻こそが、夫と娘に相応しい。一番目妻は病を秘密にして、二人を結び付けようと、滑稽なまでに涙ぐましい努力を重ねる。ある意味、連城さんの「恋文」にも通じる展開だ。

愛とは何か――ここインドネシアに来て、複数の愛人を持っている連中を、そしてそれをテーマにした映画を見ながら、考えざるをえない。一夫多妻と名付けるから、何やら男尊女卑、家父長制の嫌らしさを感じないでいられない。しかし、愛を〝分かち合う〟と考えたら……分かちあってこその愛だと考えたら……傲慢で不自然なのは、実は一夫一婦制なのではないか。相手を、自分の所有物、私有物として独占するわけだから。まさに資本主義制度、私有財産制度の産物である。これこそ、人間をモノのように所有し、縛り付け、独占する、実に非人間的な制度なのではないか。一夫一婦が厳密に定められ、かつ当たり前になったのは、資本主義制度が浸透したごく最近のことではないのか。

ケン・リュウの「蒲公英《タンポポ》王朝記」シリーズを読んで、なるほどと思ったくだりがあった。〈項羽と劉邦〉をファンタジー的に換骨奪胎したお話なのだが、主人公がやはり止むを得ず複数の奥さんを持つことになる。その際に〈分かち合う愛〉という言葉を使う――これだよ。

当のインドネシアでも今は、一夫多妻は強く非難されている。通俗映画、一大メロドラマのネタとしては一夫多妻はお話を大いに盛り上げてくれるが、真面目な映画では批判の対象である。田舎では昔ながらの風習で続いているが、都会では一夫一婦が当たり前だ――というか、資本主義化した都会では、奥さんは一人で手一杯だろう。一人でも持て余して、逃げ出したがってる奴、沢山いる。

お国が違えば、風習も異なる。どんな風習にも地理的経済的な背景があるので、人は常にその時、その土地に最も生きやすい形で生活している。第三者が勝手な善悪の基準を持ち込んで、判断すべきではない。

悪の彼方の悪
——ダークナイト・トリロジーにみる悪の本質

◉文＝大岡淳

『バットマン ビギンズ』、『ダークナイト』、『ダークナイト ライジング』からなる、クリストファー・ノーラン監督のダークナイト・トリロジーが描いた悪を、以下、抽出してみたい。

▼正義も悪も真実を伏せる

『バットマン ビギンズ』において悪を象徴する存在は、ひとまず、ヒマラヤにアジトを構えていた、ラーズ・アル・グール率いる影の同盟である。影の同盟が目指すのは、腐敗した文明に終止符を打つことであり、同盟は、既に歴史上幾度もそのような使命を果たしてきたことが、若き日の主人公ブルース・ウェインに告げられる。社会、国家、文明を破壊することを目論む点が、影の同盟が悪とみなされる理由であり、これは、多くのヒーロー物に頻出する悪役の類型でもある。

　彼らが厄介なのは、単なる「破壊のための破壊」を目指しているわけではないという点である。彼ら自身の思想としては、破壊は手段であり、その目的として、例えば『ビギンズ』であれば、「腐敗した文明に終止符を打つ」という大義が掲げられるわけだ。文明破壊はおそらく、人類なり世界なりを浄化するための「必要悪」と認識されている。このように、大義のために滅亡を要請する論理を、笠井潔に倣って、黙示録的情熱と形容することもできるだろう。それを我々は「本末転倒」もしくは「逆説的」と感じるが、影の同盟からすれば、それは決して転倒でも逆説でもないのである。

　ダークナイト・トリロジーに限らず、このようなアクション映画やSF映画に頻出する、合理的な実践形態としての悪（＝必要悪）は、007シリーズが典型だが、冷戦下のソ連をモデルとしているのだろうし、実際、強固なイデオロギーを信奉しながら粛々と悪を遂行する官僚機構の一員、鉄の掟に従う冷血漢を、我々は「非人間的」な悪とみなしてきたわけである。

　この「非人間性」を徹底すれば、『マトリックス』シリーズや『ターミネーター』シリーズのように、もはや敵が人間である必要はなくなり、人間を殺戮する機械がその座を占める。あるいは、動物、怪物、異星人でもよいが、とにかく「人間性」を想定できない存在、生存競争に打ち勝つことだけを目的とする存在、他者を殺害することに良心の呵責を覚えない存在が、悪とみなされる。

　さらには、このような「非人間的」機械に過ぎないレプリカントに「人間的」な心理が宿るという逆説を描いた点に、リドリー・スコット監督『ブレードランナー』の面白さがあったし、ジャン＝ピエール・ジュネ監督『エイリアン4』に至っては、エイリアンと人間の合いの子であるニューボーンとの哀しき死闘の果てに生き残るのは、クローン人間と化したリプリーと、女性アンドロイドのアナリーであり、純粋な「人間」は不在である。

　『ビギンズ』に登場するラーズ・アル・グールや、『ライジング』に登場するベイン、タリア・アル・グールといった悪役たちも、腐敗した文明に終止符を打つというイデオロギーに取り憑かれ、躊躇せず「非人間的」に行動する人物として描かれている。ただし、そこには一点、奇妙な特徴がある。彼らは常に影武者を必要とするのである。

　『ビギンズ』では、ラーズ・アル・グールは当初、いかにも東洋風の教団の導師という風情で登場するが、これは影武者であった。影の同盟のヒマラヤのアジトは、ゴッサムシティ破壊計画を拒んだブルース・ウェインによって焼失させられる。しかし、同盟におけるブルースのメンターであったヘンリー・デュカードが、自身が本物のラーズであることを証し、ブルースの屋敷を全焼させ、復讐を遂げるのである（ただし、この火事を辛くも生きのびたブルースによって反撃される）。また『ライジング』では、影の同盟から追放されたというベインが、ラーズに代わって再びゴッサム破壊計画を推進するが、実はこの計画の首謀者は、ブルースの協力者と思われていた資本家ミランダ・テイトであり、彼女の正体は亡きラーズの実娘タリア・アル・グールで、殺された父の復讐を遂げるべく、ブルースを窮地に追い込むのである。

　崇高な使命を遂行するために、「非人間的」な手段を取ることを厭わない組織が、なぜ影武者を必要とするのか。物語に即せば、「敵の目を欺くため」だろうし、映画におけるドラマツルギーとして考えれば、どんでん返しの趣向を凝らすためであろうが、それにしても、トリロジーにおいて影武者＝虚像は、三作を貫通する重要なモチーフとなっている。そもそも、ブルース＝バットマンにしてからが、自由奔放な資産家と見せかけながら、夜が来れば一転して、悪を懲らしめるヒーローという虚像に変身する。

　そしてまた昼が来れば、「敵の目を欺くため」に、派手好きで、女好きで、金遣いの荒い、軽薄な二代目オーナー経営者という虚像を誇示し続けねばならない。ブルース＝バットマンが一人二役を演じ分けて「敵の目を欺く」ことと、影の同盟が影武者を置いて真のリーダーを隠し「敵の目を欺く」ことは、本質的には同じことであろう――善玉・悪玉ともに、人々の眼を虚像に引きつけているのだ。

　トリロジーで執拗に反復されるこの虚像というモチーフを、力強い君主であると人々に信じさせる存在が君主である、というマキャベリズムに由来するものと、ひとまずは解しておこう。正義のヒーローも、悪のリーダーも、素顔を公衆の面前にさらす必要はない。いかにもそれらしい仮面のヒーロー、仮面のリーダーを表に立てれば足りる。このマキャベリズムを共有する点において、バットマンと影の同盟のリーダーたちは、相似形をなしており、彼らの戦いは、ゴッサム人民のあずかり知らぬところで進行する。

　とするとトリロジーに通底しているのは、大衆なり人民なりへの不信である。性悪説といってもよい。人民に対しては真実を知らせてはならない。正義の側は、真実を伏せることで、初めて社会の秩序が維持できると判断しているし、悪の側は、真実を伏せることで、極秘の破壊計画を遂行できると確信している。

　さらに、この不信は、組織外の人民のみならず、組織内のメンバーに対してまで徹底される。
これがトリロジーの、娯楽作としては異色な点である。影の同盟のメンバーは、『ビギニング』においては、自分たちの真のリーダーが誰なのかを知らない。『ライジング』においてもそれは同様であり、加えてメンバーはおそらく、ゴッサム破壊計画の本当の全容を知らされず、「敵の目を欺くため」のフェイク・プランを鵜呑みにしている。いかにもそれらしく見える偽のリーダーを立てるという影の同盟やベイン一味の戦略は、メンバーを統率するためのカリスマの捏造であると同時に、離反者や内通者から組織を防衛するための工夫でもある。

実際、ブルースは影の同盟を裏切ったし、ベインは娘タリアとの関係を警戒したラーズによって影の同盟から追放された。そしてラーズももともとは傭兵だったのだから、彼自身、特定の国家に忠誠を誓いながらも、「金の切れ目が縁の切れ目」となることは珍しくなかっただろう。

すなわち、トリロジーの主要登場人物が善玉も悪玉もともに裏切り者を警戒するのは、彼ら自身が、何かを裏切った経験を有するからにほかならない。ブルース＝バットマンの場合、警察内部でバットマンの正体を知るのはジェームズ・ゴードン（警部→本部長）ただひとりだし、ブルースが所有するウェイン産業内部でバットマンの正体を知るのは、応用科学部のルーシャス・フォックスただひとりだ。そしてブルースの一人二役ぶりを知る執事アルフレッド・ペニーワースだけが、ブルースにとって心を許せるただひとりの友であり、親代わりの庇護者である。

このような、敵はおろか味方をすら信用せず、躊躇なく「必要悪」を選択する冷徹な合理主義・現実主義・マキャベリズムは、例えば『ライジング』の冒頭、CIAに拘束されたベインが飛行機から脱出する場面に端的に現れている。命綱をつけて脱出する瞬間にベインは、部下に対して事も無げに「お前はここに残れ」と命じ、この部下はゴッサム破壊計画の成功を信じて、進んで自らの命を犠牲にするのである。この場面は、ベイン一味が単なる実利で結びついた組織ではなく、特殊なイデオロギーで結びついた徒党であることを示唆するが、しかしベインは実は影武者に過ぎないし、ゴッサム破壊計画の全容は、この部下には知らされなかったというわけだ。

▼必要悪に手を染める正義漢

正体を隠す英雄。影武者を立てる組織。これらに対して、全く異なるスタンスをとるのが、『ダークナイト』のジョーカーである。彼は『ダークナイト』の冒頭、ピエロのマスクを被って銀行を襲撃するが、ピエロのマスクを脱ぎ捨ててあらわになるのは、これもまたピエロのようなメイクを施した素顔なのである。これは、バットマンのマスクと対照的である。バットマンという虚構の仮面の裏側には、ブルースという素顔が隠れているが、ジョーカーのマスクを引き剥がしたところで、あたかも玉ねぎの皮むきのように、またしてもマスクのような素顔に出会うばかりだ。彼は、仮面と素顔という二重性を抱えていない。むしろ仮面＝素顔なのだ。

これはコスチュームにも当てはまる。バットマンは、銃弾すら跳ね返すバットスーツを身にまとい、様々な武器を携行して重装備で行動するが、ジョーカーは常に、カラフルなシャツ、ベスト、スーツといういでたちで、ナイフを片手に身軽に行動する。この対照から、バットマンの方がなにやら「卑怯者」にすら思えてくる。

仮面の裏側に素顔を隠し持たないジョーカーは、まさしく正体不明の人物として描かれる。警察には彼の記録は存在しない。ジョーカー自身は、自分の口が笑っているかのような形で切り裂かれた理由について二度語るが、一度目は、眼前で母を殺した父に「何を深刻ぶってんだ？　笑え！」と怒鳴られ切り裂かれたと語り、二度目は、顔を傷つけられた妻の笑顔を見たくて自ら切り裂いたと語る。矛盾する発言はいずれも、ナイフで相手を脅し、怯えさせて楽しむために語られるでまかせであり、いかにも悪党らしいエピソードをでっちあげたに過ぎず、いささかも彼の生い立ちを暗示するものではない（この点が、トッド・フィリップス監督『ジョーカー』との大きな違いである）。

つまりジョーカーは正体不明、というより、偽りか正体かという二重性を峻拒する存在なのだ。繰り返すが、彼にとっては仮面＝素顔なのである。仮面＝素顔だからこそ、トランプのジョーカーがあらゆる手札の代わりとなるように、彼は変幻自在であり、時に銀行強盗、時に警官、時に看護師に扮しもする。

トリロジーを通してゴッサムシティは、光と闇の二元論を基本構造としており、闇が光を侵食して均衡が崩れるのを、ダークナイト（闇の騎士）たるバットマンが防ぐという勧善懲悪が、物語のパターンだ。『ビギンズ』で影の同盟が企んだのは、水道水に混入させた幻覚剤を気化させることで、人々の無意識（＝闇）に沈む恐怖の対象を意識（＝光）に引きずり出し、廃人化させてしまう作戦だった。『ライジング』でベイン一味が企んだのは、地下空間（＝闇）のあちこちを爆発させてゴッサムの機能を麻痺させ、ウェイン産業の地下室に眠る核融合炉を奪い、中性子爆弾に転換してゴッサムを核爆発（＝光）によって葬り去ることだった。そして、幼い頃に井戸（＝闇）に落ちて蝙蝠の群れに恐怖したブルースは、自らその恐怖の対象に同一化してバットマンと化し、「目には目を」「毒を以て毒を制す」といわんばかりに非合法の暴力を駆使して悪に立ち向かい、結果的に正義（＝光）を回復するのである。

かくして登場人物たちが、光と闇、善と悪、真実と虚構、素顔と仮面、意識と無意識を往還する二元論的ダイナミズムによって、トリロジーの物語は展開するのだが、ジョーカーはこの世界観を撹乱する存在である。彼の目にうつる世界は、いわば悪の一元論によって成立している。ジョーカーにとっての犯罪は、この世が純粋な悪で満ちていることを証明する実験である。影の同盟とは異なり、彼には「必要悪」という発想はない。善のために悪を為すのではない。大義を実現するための歯車に徹する「非人間性」は、彼とは似て非なるものだ。彼は、快楽の赴くままに行動し、破壊するために破壊する。彼は混じり気なしのサイコパスであり、愉快犯であり、その意味でむしろ「人間的」ですらある。

だから、マフィアも、警察も、ブルースも、彼の行動を予測することはできない。例えばマフィアは、ゴッサムシティのマイノリティとして結束し、金を稼ぎ、生き延びるために犯罪に手を染めることを厭わない。つまり彼らの行動は、自己の利益を目的とした合理的なものである。一方ジョーカーは、マフィアが麻薬取引で蓄積した資金を強奪し、半額を手元に残し、半額を彼らの目の前で焼き捨ててみせる。その行為に理にかなった意味などない。彼は言う――マフィアも警察もバットマンも、計画を立てて行動するスキーマーに過ぎないが、自分は違う、自分は混沌の代理人だ、混沌とは公平なものなのだ、と。

彼のふるまいは常に無邪気であり、突発的であり、遊戯的である。利己的・合理的な発想とは無縁の彼は、時に自分の命を差し出すことすら厭わない。バットマンに対しても、バットマンと共にゴッサムの犯罪撲滅のために戦う新人検事ハーヴィ・デントに対しても、彼は自分を殺すチャンスを与える。正義漢もまた憤怒や私怨に駆られて悪を為すことを証明できるなら、自分の命など惜しくはないというわけだ。ネットスラングでいう「無敵の人」の究極形である。

ゲームには複数のプレーヤーが必要だが、ジョーカーが犯罪ゲームの相手に選んだのはバットマンだった。当初はバットマンの正体を暴こうと躍起になっていたジョーカーだが、一転して正体を暴く気を失ったと宣言し、そのかわり、自分と同様の「モンスター」であるバットマンをゲームに参加させるために、犯罪をエスカレートさせてゆく。「正体」を問うことの無意味さに気づいたジョーカーは、仮面＝素顔たちが火花を散らす混沌の遊戯――善悪の彼岸――へと、ブルース＝バットマンを引きずり込んでゆく。
では、ジョーカーに敵対する正義漢たちは、これにどう応答したか？

ここで、仮面／素顔の二元論に縛られる正義漢たちは、飽くまで、虚実を使い分ける作戦によってジョーカーに対抗するのだ。ゴードンは、ジョーカーによる市長暗殺未遂事件の際に殉職したと見せかけ、妻子をも騙して、ジョーカーを逮捕する機会をうかがう。デントは、会見の席上自分がバットマンであると嘘をつき、ジョーカーをおびき寄せようとする。フォックスは、ゴッサム全域の携帯電話を盗聴する通信システムから、ジョーカーの居場所を割り出すようブルースに命じられ、人々のプライバシーを侵害するこの要請を、渋々引き受ける（そしてジョーカー逮捕の後、フォックスはこの通信システムを破壊し退職する）。さらにはあの執事アルフレッドですら、ブルースが思いを寄せる幼なじみの検事レイチェル・ドーズが、デントとの幸福を選んだことを告白した手紙を、レイチェルをジョーカーに殺され失意に沈むブルースの目に入らないように、焼き捨ててしまうのである。

つまり正義漢たちは、「嘘も方便」といわんばかりに、状況に応じて仮面を被り、他人を騙し、「必要悪」に手を染めるのである。まさにジョーカーから「スキーマー」と嘲笑されるだけのことはあるのだ。

極めつけはデントである。コインを投げて、表裏いずれが出るかに命運を賭ける、危うい遊戯を楽しむ癖のあったデントは、ジョーカーに拉致され辛くも生き延びるものの、拉致された折の爆発によって顔の半分が焼け爛れた怪人トゥー・フェイスへと変貌する。デントは、恋人レイチェルを死に追いやった、警察内部のジョーカーへの内通者たちに対する復讐を開始し、復讐の相手を殺すか否かを、当人の目の前でコインを投げて決定する。生かすか殺すか、光を取るか闇を取るか、その選択をコイン・ゲームに委ねるトゥー・フェイスは、光と闇の二元論で成り立つゴッサムシティが生んだ鬼子といえよう。

注目すべきは、恋人を殺される以前から、デントがコイン・ゲームに取り憑かれていたという点だ。ジョーカーは、デントをトゥー・フェイスに変貌させる、触媒の役割を果たしたに過ぎない。最終的にジョーカーはバットマンとの対決によって捕縛されるが、善人デントを悪人に変貌させたことで、ジョーカーによる悪の存在証明は成功を収めてしまう。トゥー・フェイスには、もはや「必要悪」などという言い訳は必要ない。善を取るか悪を取るかは、偶然の気まぐれでしかない。ジョーカーが混沌こそ公平だと語ったように、トゥー・フェイスは運こそ公平だと語る。エリート新任検事であり、ゴッサム浄化のシンボルであった彼が、このような本質を抱えていたという事態を、ゴッサムのエリート・スキーマーたちは、隠蔽するほかないだろう。さもなくば、ジョーカーが純粋なる悪を追い求めたのが、ただ自らの快楽に従っただけであったのと同様に、エリートたちが時に「必要悪」を選ぶのもまた、戦略的な判断の結果でもなければ苦渋の決断の結果でもなく、突き詰めれば単なる偶然の戯れであり、光だけでは退屈で生きていけない彼らの、気まぐれの闇の遊戯であったということが、暴露されてしまうからだ。

復讐の手をゴードンにまで差し向けたデントは、バットマンによって殺害されるが、光の騎士が闇へと堕落した事実を人々に対して隠蔽するために、デントの殺人はバットマンによる犯行だったというすりかえがおこなわれる。この究極のマキャベリズムこそ、トリロジー全篇を通しての白眉である。ここで我々は、ドストエフスキーの小説『カラマーゾフの兄弟』の「大審問官」を想起することができるだろう。

▼虚像なくして生きられない社会

「大審問官」は、カラマーゾフ家の次男イワンが、三男アリョーシャに語って聞かせる、彼の創作した物語である。舞台は十六世紀、スペインのセヴィリヤ。異端審問が猖獗を極めるこの時代に、イエス・キリストが現れ、死んだ少女を蘇らせ、民衆を驚嘆させる。そこに九十歳の老人である、大審問官＝枢機卿が通りかかる。民衆に取り巻かれたイエスに気づいた大審問官は、苦々しい表情を見せるや否や、イエスを捕縛し、連行し、獄に閉じ込める。大審問官は獄を訪れ、イエスに対峙する。ひとことも発しないイエスを前に、大審問官は、「なぜわれわれの邪魔をしにきた?」となじる〈引用は原卓也訳『カラマーゾフの兄弟』〈新潮文庫〉より、以下同様〉。「……まさしく今日、人々はいつの時代にもまして自分たちが完全に自由であると信じきっているけれど、実際にはその自由をみずからわれわれのところに持ってきて、素直にわれわれの足もとに捧げたのだ。しかし、それをやってのけたのはわれわれだし、お前の望んでいたこともそのことだったのではないか、そういう自由こそ?」

そして大審問官は、新約聖書における、あの悪魔の三つの問い〈荒野の誘惑〉を持ち出す。「この石ころをパンに変えてみるがいい、誰もがお前に従うだろう」という悪魔による第一の誘惑を、イエスが「人はパンのみにて生きるにあらず」と退けたのは、服従がパンで買われたものなら何の自由があろうかと考えたからだろうが、人々はまずパンを与えよと叫ぶだろう、これに対して我々は、お前のためにと嘘をついて、人々にパンを与えてやるのだ——と大審問官は語る。

「かりに天上のパンのために何千、何万の人間がお前のあとに従うとしても、天上のパンのために地上のパンを黙殺することのできない何百万、何百億という人間たちは、いったいどうなる?　それとも、お前にとって大切なのは、わずか何万人の偉大な力強い人間だけで、残りのかよわい、しかしお前を愛している何百万の、いや、海岸の砂粒のように数知れない人間たちは、偉大な力強い人たちの材料として役立てばそれでいいと言うのか?　いや、われわれにとっては、かよわい人間も大切なのだ」

またイエスは、悪魔による第二の誘惑〈私に跪け、引き換えに権威と栄華を授けてやるから〉、第三の誘惑〈神の子ならここから飛び降りよ、神が守ってくれるであろうから〉も退けた。それもイエスが、人々の服従ではなく自由な選択を望んだからだが、大審問官は、そのようなイエスの偉業を修正し、イエスが退けた「奇跡と神秘と権威」の上にそれを築き直したと嘯く。さらに、我々が人々の犯した罪を許してやることで、人々は個人の自由な決定という苦しみから解放されると説く。

「そして、すべての人間が幸福になることだろう。彼らを支配する何十万の者を除いて、何百万という人々がすべて幸福になるのだ。それというのも、われわれだけが、秘密を守ってゆくわれわれだけが不幸になるだろうからな。何十億もの幸福な幼な子と、善悪の認識という呪いをわが身に背負いこんだ何十万の受難者ができるわけだ」

そして大審問官は、できるものなら自分たちを裁いてみろ、とイエスに迫り、「明日はお前を火あぶりにしてやるぞ」と言い放つのである。教会によって火あぶりに処せられるキリスト!　信と不信に引き裂かれ、「神がいなければ全ては許される」という思想に取り憑かれた、懐疑家イワンにふさわしい鮮烈なイメージである。

『ダークナイト』のラストは、この「大審問官」の現代版だと解釈できる。デントがジョーカーによって悪へと堕落した事実を隠蔽せよと、ブルースはゴードンに命じる。その目的は、正義に殉じたホワイトナイト＝デント、殺人を犯し逃亡するダークナイト＝バットマンという善悪の虚像を作り上げ、迷える子羊たちを跪拝させることにある。さもなくばゴッサムの人々は、自由という重荷に耐えかねて、たちまち無秩序へと陥ってしまうだろう。

つまり、あたかも火あぶりにされるキリストのようでありながら、実はブルース＝バットマンこそが、ゴッサムの大審問官なのだ。セヴィリヤの大審問官が「奇跡と神秘と権威」という「嘘」をこしらえたように、ゴッサムの大審問官は、ジョーカーの登場以前から、ブルースという正体を隠してバットマンという虚像を示し、バットマンという正体を隠してブルースという虚像を示していた。悪を撲滅するための「必要悪」が肥大して、とうに悪を凌駕してしまった姿がそこにある。そしてセヴィリヤの大審問官が「秘密を守ってゆくわれわれだけが不幸になる」と見抜いている通りに、虚像をこしらえて舞台裏に佇む限り、ブルースは孤独なままだ。彼に幸福が訪れるのは、『ライジング』のラスト、核爆発からゴッサムを救い、ゴッサムを遠く離れた後のことである。

このように見ると、『ライジング』における、ベインに率いられる影の同盟の残党たちが、バットマンに敗北するのは必然だったということがわかる。地下空間というアジトから地上に現れたベイン一味は、中性子爆弾のスイッチを握ることで、ゴッサムを封鎖し、ブルジョアジーが身ぐるみはがれる無政府状態を現出させるが、これは単なる時間稼ぎであり、真の目的はこの中性子爆弾を炸裂させ、ゴッサムを破壊することにあった。だがこの目論見を共有するのは、おそらく隠れたリーダー・タリアと影武者ベインの二人だけであろう。つまり、ベインというリーダーや、解放区と化したゴッサムという虚像をこしらえて、二人は同志をすら騙している。

ここで我々は、オウム真理教による地下鉄サリン事件を想起してもよい。あの事件の本質は、「教団が米軍からサリン攻撃を受けている」というデマゴギーを信者たちに信じさせるため、教祖麻原が幹部メンバーに実行させた、自作自演テロであった。このように、虚像を捏造し誇示して人々を結束させるという方法をとる点では、ブルースも、タリア、ベインも変わりはない。同じく肥大した「必要悪」同士の対決なら、地下のルンペン・プロレタリアートと、地上のゴッサム・エスタブリッシュメントと、いずれが勝利するかは明白である。ベインに捕まり傷ついたブルースは、かつて子供時代のタリアがベインの助けを得て脱出した地下牢獄に幽閉されるが、回復したブルースが――あたかも幼少期に落ちた井戸のトラウマを克服するかのように――その奈落から脱出したとき、勝敗は決したと言える。

タリアやベインにとって命がけだった脱出は、ブルースにとっては、トレーニングによって克服できるスポーツに過ぎない。その「努力」に感動するのは観客の自由であるが、そのように軽々と困難を乗り越えるブルースの精神的・肉体的優位は、つまるところ富豪の家に生まれたという幸運に由来する――それは神の気まぐれなコイン・ゲームの結果に過ぎないと、ハーヴィー・デントなら笑うだろう。

つまり、トリロジーが描き出した悪の本質とは、虚像なくして生きられない卑小・惰弱・愚鈍・性悪な存在として人民を規定する悪、他人を悪と見る悪である。その世界に現れたジョーカーは、あたかも大審問官に対峙するイエスのようである――とはいえ、もちろん彼は、残虐な遊戯を繰り返す反キリストに過ぎない。しかし私の目には、このジョーカーは、エルサレムの神殿の境内で、「私の父の家を商売の家としてはならない」と叫び、商人たちを追い払ったイエスの破壊衝動を、ただそれだけを、純粋に人格化した存在にも見える（『カラマーゾフの兄弟』には、アリョーシャがテロリストと化す続編が想定されていたというよく知られたエピソードを、ここで想起してもよいだろう）。

かくしてトリロジーは、虚像＝英雄を必要とする社会を批評する虚像＝映画として、屹立するのである。

超越性への渇きとしての悪
——磯田光一について

◉文＝石和義之

　昭和の戦後期に活躍した批評家に磯田光一という人物がいる。文壇的には三島由紀夫の並走者というイメージが強いが、三島以外にも近代以降の日本文学にはほぼ通暁した書き手で、日本文学全集のような企画には編纂者として必ず名を連ねていた。磯田はいろいろな局面で三島について語ったが、その三島観は次の一行に集約されているといっていい。「三島氏の文学と思想とを貫くもの、それは美的生死への渇きと、地上のすべてを空無化しようという、すさまじい悪意のようなものである」（「太陽神と鉄の悪意」）。ここで描かれる三島像は、「青空による地上の否定」に憑かれた詩人の姿であるが、それは磯田自身の自己像にほぼ重なると言っていい。ただし、それはあくまでも「ほぼ」である。なぜなら磯田は「地上による青空の否定」という思考の運動にも重きを置いていた人物だからである。

　磯田が最も愛した文学者はおそらくセルバンテスだったであろうが、磯田が自分の思考形態を説明する時に必ず引き合いに出すのが、ドン・キホーテとその従者サンチョ・パンサであった。磯田においては、思考の核が必ず二つあることが、最低限の倫理というものであった。ここから人は友好的な対話というものを想像しがちだが、そしてそれを磯田自身全否定する意志は持ち合わせていないだろうが、対話以上に磯田が希求してやまないのは、敵対という過酷な環境である。優しい理解など人間を甘やかすだけであり、ブヨブヨした肉体をもたらすだけだ、トップ・アスリートのごとく徹底的に体を苛め抜いて精神の贅肉をもそぎ落として残ったものだけが存在するに値する、そのような業の深いオブセッションに磯田は掴まれているかのようだ。磯田という文学者は、生の手応えを、破壊や傷を通して確認するような人間であった。人が真に個人を確立するのは過酷さを通してしかない、と考える磯田のストイシズムは、端的に次のような言葉で言い表されている。

> 人は他者にたいする違和感から文学に入る。しかし、そこで摑まれた真実を文学化するには、やはり他者の論理に己れを切らせることが必要なのである。成熟とは「他者」による自己否定に耐えうる能力以外の何であろうか。（「現代作家の肖像」）

　ここの部分だけを取り出すと、なにやら道徳的な人生訓のようなものになりかねないが、磯田という文学者の発想の底の底を辿っていくと、そこにはあらゆるものを相対化し否定しつくしたいという邪悪な衝動があるに違いない。そしてその裏返しとしての究極的な絶対性を希求してやまない不可能な夢があるに違いない。その不可能な夢は、およそ、人間的な地平に馴染むようなものではない。

　そのような磯田の断面を示すのが、ペーター・ヴァイスの戯曲についての論考である。戯曲のタイトルは『サド侯爵の演出のもとにシャラントン保護施設の演劇グループによって上演されたジャン・ポール・マラーの迫害と暗殺』であり、磯田の論考は、六〇年代末の政治の季節に書かれた。

　ヴァイスの戯曲は、一八〇八年の時点から一七九三年のフランス革命の恐怖政治を見るように構成されているが、真の主題は二十世紀後半の現実とその問題であり、ユートピアは地上で可能かという問いを巡るものである。サドとマラーは古典的秩序を否定しようという点では共通しているが、彼らは立脚点を異にしている。

サドはあくまでも極限的なユートピアを目指すのだが、マラーは現世の制約の中で革命を考えている。つまり、サドは権力の対立概念である無権力（反権力ではない）をこそ目指し、自己権力とアナーキーとの併存が夢見られているのに対し、マラーは地上の秩序たる権力の体系内から外に出ることはなく、マラーにとっての政治革命は権力の移動でしかないからである（権力そのものは維持される）。ここには天と地の差がある。

磯田は比喩的に「マラーの思考は、あえていえば、マキャベリの、スターリンの、あるいは毛沢東の思考に通じている。そしてサドの延長上には、おそらくトロツキーがあり、またシュールレアリスムがある」（「正統なき異端の時代」）と語っている。言ってみれば、サドのアナーキズムは「青空による地上の否定」であり、それは文学という虚構によってしか語りえないようなものである。澁澤龍彦のサド論について、「澁澤氏はアナーキズムがサド的殺戮の世界に至らぬかぎり、けっしてみち足りることはありえないのだ。サドの思想はこの地上に実現することはない」（「兇器のダンディズム」）と磯田は述べ、「現世秩序に背くすべての〝悪〟によって占められている澁澤氏の王国」は「それをストレートに語ってしまえば、ほとんど言論人として破滅をもたらさずにはいないであろう」（同前）と語っている。

ちなみにヴァイスの戯曲の結末はというと、マラーが殺害された後ナポレオンが登場し、大衆による皇帝賛美の歌が合唱されるというものである。このような物語について磯田は次のように語る。

> この大衆の独裁者賛美には、革命への作者のにがい幻滅が秘められている。サドがフランス革命をユートピア的に触発したにもかかわらず、サドはついに現世の〝政治〟に縁がない。そしてマラーは政治革命の論理をサド的におし進めながらサドに見放され、大衆からも裏切られるのである。大衆はつねに、サド的ユートピアを夢み、マラーを支持しつつも、結果的にナポレオンの支持者に転化するという宿命を『マラー／サド』の作者はにがい体験を通じて知っている。（「正統なき異端の時代」）

絶対性（革命）と相対性（現世の政治）の関係には不可避的な苦さ（幻滅）がつきまとうが、サドとマラーの関係には、すでに指摘したドン・キホーテとサンチョの対立の図式が見てとれる。磯田にとって、絶対性はそれ単独で運動してはならず、常に相対性との関係で運動しなければならない。「マラーの論理の前に、サド的な幻想を切らせて普遍化する」（同前）というように。だから磯田は絶対性単独で運動した白樺派を軽蔑し、第四階級との相対性の関係において自己の在り方を考察した有島武郎を評価するのである。

また磯田は、志賀直哉をはじめとした近代日本の文学者たちが、仮面よりも素顔を、秩序より内部の真実を、総じていえば現世への反抗という価値意識を持つプロテスタント型であったのに対して、第三の新人と呼ばれる作家たち（遠藤周作、島尾敏雄、三浦朱門）に、現世をあるがままに受け入れるカトリックが多いことに注目し、彼らはプロテスタントとは逆に家庭という日常的現実の重さを認識し、現実を引き受ける姿勢を身につけていると、彼らの存在意義を見出している（「現代小説の転位」）。とはいうものの、言わずもがなのことだが、磯田にとって、絶対性は放棄すべきものではなく執着の対象である。そのような磯田のメンタリティを、磯田自身、回帰衝動や日本的情動という言葉で表現している。

そのメンタリティとは冒頭で述べた「青空による地上の否定」に通じる精神の傾向である。磯田は、第三の新人ほどカトリックではなく、ベタなプロテスト・ソングを歌えぬプロテスタントといった趣がある。「青空」を回帰の場所とみなすことは、超越的な価値を解体し現世をすべてとみなす経済の発想に異を唱えることである。また、日本的情動とは「革命の原動力となると同時に、ファシズムの心情的基盤ともなり、超越的理念のために如何なる殺戮をも辞さない、最も危険なエネルギー源にほかならない」(「三島由紀夫と現代」)。

ともあれ、磯田の回帰衝動は現世とは異なる秩序を狂おしく求めるものであり、そのプログラムにおいては現世に属する自己を破壊して、彼方にある自己を取り戻せ、という運動というか、フロイト=ラカンなら死の欲動と呼ぶものを内包しているがゆえに、危険性を秘めている。そこには一般的な感覚からすれば、「狂信」と呼ばれる要素が含まれているかもしれない。現に花田清輝は、ドン・キホーテのことを狂信的なファシストと批判してサンチョを持ち上げたことがあり、それに磯田も半分は同意するのである。「半分は」と限定するのは、サンチョの合理主義の発動がドン・キホーテに対する解毒作用であると同時に、その反作用として戦後社会のマイ・ホーム主義と高血圧にしか行きつくほかないことを、戦後二十年の推移の中で体験として知っているからである。

戦後社会の安定と停滞の中で露わとなる超越的なものの不在がもたらす頽廃(例えばブヨブヨの肉体)への反感から、渇きの感覚が出現する。停滞の肉体を滅ぼし、祝祭の肉体を手にしたいという燃えるような飢渇の感覚が。その危険な感覚の原型を磯田が見出すのは日本ファシズムの根底にエロティシズムがあることに気づいた時であった。そこでは恐怖政治への屈服よりもはるかに、殉教というエロスの妖美の力が人を痺れさせる。最初の著作を書きながら「六〇年安保の急進主義のうちに、私はなかば無自覚的に日本浪漫派の心性を感じとっていたのかもしれない」と磯田はいう。磯田がそこに感受した心の動きとは、今・ここにある現実を超えてゆこうとする形而上的な欲望であった。それは日本浪漫派にも小林多喜二のような左翼にも共通する中世的な殉教の心というものであった。

★磯田光一「正統なき異端」(仮面社)

> 人間が現実を超えようとする志向を持った存在である限り、精神はたえず現実を滅ぼそうとする危険な性向をはらんでいます。(略)「悪」が人間の生の原質として存在する限り、その悪を内在的に対象化する機能を文学が怠るならば、文学はイデオロギー的裁断か日常性の再現に終始し、その本質的な魅力を失うだけでなく、むしろ逆に「悪」が現実の次元に蘇生するのを助けることになるでしょう。(略)人間は本質的にファシズムを待望する動物だということを認識し、しかも一方、いかなる「理想」も相対的だという透視力を持つこと、言いかえれば、「悪」の限界を見きわめる視点を持ちつつ、しかも「悪」こそ「生」だという人間的実感(敢えて人間的と言います)を見喪わぬこと、これが、「散華」の世代の最末端に位する私が、戦時、戦後を通じて得た「芸術」に対する「方法的自覚」でありました。(「戦後文学の諸問題」)

磯田光一が戦後日本において特異だとすれば、それは経済がすべてだとする形而下的な社会の価値観に背を向け、「道徳的な善悪とはちがう現実を否定し滅ぼそうとする精神の超越性」を擁護し続けたからである。晩年のジャック・ラカンが苛立ったのは、絶えまない消費活動を要求する社会のシステムが、現実を転倒させる邪悪な精神(死の欲動)の力を、巧妙に手なずけてしまうことであった。なるほどそうした環境は安定を保ちはするが、「悪」と表裏一体となっている「美しく偉大なもの」「遥かなもの」への憧憬を、人間から遠ざけ、ついにはそれの記憶すら失わせてしまう。

磯田光一を読むことは、崇高さや美を内包する悪の力の記憶を回復する体験といえよう。

悪魔と美意識

◎文＝釣崎清隆

人間の最高の価値は「真善美」だとされる。

私には異論がある。私にとっての価値は「真善」ではなく、唯一「美」のみである。これは幼少のとき芸術家を志して以来の直観であり、信念である。そしてその信念は私の半世紀にわたる旅路の中で確信へと変わっていった。

私はこれまで数々の血生臭い無法地帯、紛争地域を渡り歩いてきて、この世には善も悪もなく、真実さえもなくて、事実も捻じ曲げられて、ほとんどが嘘だという考えを深めた。

今までそれらしいものを見たことがないからだ。ひょっとすると、私はジャーナリストではないので、ことの真実や善悪の問題には過度に無頓着なのかもしれない。

さらにいえば、戦場においてインテリジェンス面を含めて非武装のジャーナリストはしょせんプロパガンダに加担させられるだけの虚しい存在なのだと痛感している。

私が世界のエッジで出会った人々は話の通じない者ばかりだった。世界は残酷だ。それでも世界はやはり美しい。私はただひたすら美に殉じたいと願うばかりだ。

美は信じることができる。

私は長い旅路の中で、この信条を裏書きするある思想に出会った。私が世界中でいわゆる「邪教」とされる異端、異教の取材を続けてきた中で出会ったのは、ほかでもない。悪魔教会の思想であった。

一九六六年にアントン・ラヴェイがサンフランシスコにおいて開闢し、ケネス・アンガーやマリリン・マンソンなど先鋭的アーティストを導師に迎えてきた悪魔教会は、人間の肉欲や魔性の是認の上で秩序付けられた教義に従い、闇に生きることに美意識を見出し、積極的に選んだ者たちである。

とはいえ、悪魔教会はいわゆる「神」と対決することが命題なわけではなく、サタンを友人ととらえ、多様な世界観の最先鋭を求道し実践する。つまりカウンターカルチャーの一断面、その思想化ととらえることができる。

悪魔教会の教理における九つの罪は次の通り。

「愚鈍」、「虚栄」、「唯我主義」、「自己欺瞞」、「群れに従うこと」、「見通しの欠如」、「過去の正統の忘却」、「非生産的なプライド」、「美意識の欠如」。

私はサタニストではないし、彼らの美意識や世界観に私の趣味と適わないところが多々あるが、悪魔教会がインチキでないことだけはよく理解できる。彼らはカウンターカルチャーが陥りがちな左翼的浅薄、唯物論の危険をよく心得ている。彼らは迫害されてきただけに教条的で、迫害されてきただけに寛容で、愚鈍で肥え太った戦後保守の豚に比べて、よほど崇高な矜持を感じることができるのだ。

誇り高き者は敬意を払い合うのが自然だ。

ただサタニストでない私には、悪魔教会が唱える「群れに従うこと」の罪に少々引っ掛かるところがある。私も群れるのが苦手な者のひとりだが、「群れ」には「群れ」の美があることを承知しているからである。

それでも「群れに従うこと」を罪とすることに一義的には同意する。それは無知の罪、偏見の大罪、無関心の恥に直結するからだ。

文明社会に生きる戦後保守派にはいわゆる「多様性」を重視するポストモダニズムを攻撃して、ある種の絶対原器がないと相対性の罠に陥ってやがて人間総体の危機にまで導かれるという論法を信じている者が少なからず存在する。それに対して私も同意する点も少なくない。恐らく政治的には正しいのであろう。

しかしながら、保守的現代文明社会の弊害に対して立ち上がるべき価値こそが「美」なのだと、私は思うのだ。美意識で下等な「正義」を打破すべきだと信じている。美は人類皆のものだ。価値転倒の罠に対抗すべき武器は美意識しかない。見た目の装飾の醜悪を見抜く審美眼をこそが、「過去の正統」を忘却しない美意識こそが、未来を輝かせるのである。

ポストモダニストでもサタニストでもない、「唯美論者」として私は、「美」ほど曖昧な尺度はないと言う美意識の低い愚鈍な連中を相手にするつもりはないのである。

この世界は美しいものだらけだ。死を怖れる現代のナルシストが思わず殉じてしまいそうなもので溢れている。特攻の大義に死ぬことができる未来もそう遠くない。死に場所を得る旅路こそが人生なのである。

本当に美しい人間とは、どんな過酷な環境下においてもそんな美を知覚できる感受性を持ったヒトなのだと、私は思う。

★メキシコの異端宗教、サンタ・ムエルテ
（写真：釣崎清隆）

★ウィリアム・ブレイク「サタンの栄光」(1805)

乱反射する悪魔崇拝《サタニズム》

◉文＝仁木稔

偽の記憶を植え付けるのは簡単だ。対象者に過去の体験を思い出すよう指示し、その際に偽の情報を与えるだけでいい。催眠状態ではとりわけよく効く。一九八〇年代から九〇年代、全米各地で悪魔崇拝《サタニズム》による幼児虐待の告発が相次いだ。告発者は幼児の親か、何年も昔の虐待を思い出した青少年や成人たちで、内容は判で押したように共通していた。近親相姦を含む乱交、幼児殺し、食人等から成る儀式への強制参加である。大規模な悪魔崇拝カルトが存在する証拠にほかならず、人々は恐慌に陥った。

もちろん事実は逆で、悪魔崇拝カルトの実在を信じるから、セラピストや捜査官は無自覚に誘導を行い、被害者そして時には加害者までもが悪魔的儀式虐待を思い出してしまったのだ。これは米国特有の現象ではない。一九九〇年代前半に英国で起きた二一一の悪魔的儀式虐待を調査したところ、実際に悪魔崇拝が関わっているものは一件もなかったという。これらもまた、迷信深い捜査官らによる誘導が原因だと結論付けられている。

悪魔崇拝《サタニズム》妄想は、欧米キリスト教文化の伝統である。恐怖ではなく願望の反映だ。あらゆる不幸にただ一つの元凶を希求する。災いを為す者たちが悪魔憑きではなく悪魔崇拝者なのは、前者は一応被害者だが後者は自由意志によるものと見做せるからだ。また悪魔そのものよりも、その信徒のほうが実在性は高い。

悪魔崇拝者《サタニスト》がそのような存在であるには、彼らは有史以前に起源を持つ組織でなければならない——ところがキリスト教の母体であるユダヤ教は、悪魔が存在する余地を許さない。全能の唯一神を想定する以上、自ずからすべての事象はその意志ということになる。この神の本質は、初期に書かれたダビデ王の物語によく表れている。不明の理由でイスラエルに怒りを発した神は、神罰の口実を作るために王を惑わし禁を冒させた。そうして三日間で七万もの民を殺した。

やがて人々は、このような神に耐えられなくなった。神の悪しき面を分離すべく、まず右の物語が語り直され、ダビデを惑わしたのは神ではなくサタンの仕業とされた。サタンは動詞〝敵対／妨害／中傷／告発する〟で、そのまま名詞〝サタンする者〟でもある。普通名詞であり、個人や集団をサタンする者は誰でもサタンだ。この語り直しにおけるサタンの出自は明らかにされていない。後にギリシア語に訳された時も、ただの敵対者《ディアボロス》だった。

次に敵対者《サタン》は神の息子の一員として天上の会議に列なり、義人ヨブの信仰を試すよう神を唆す。神の息子たち《ベネイ・エロヒム》はおそらく多神教時代の名残であり、初登場は『創世記』だ。彼らの一部が人間の娘の美しさに目が眩んで地上に降り、彼女たちとの間に子をもうけた。その後、人の世に悪がはびこり、神は大洪水を起こす。後世の人々はこの二つの出来事を結び付け、地上の悪は神の息子たちの堕天の結果だと考えた。彼らは肉欲に負けたばかりか、人類に知識と技術を伝授するという罪も犯したのだ。この新しい物語で、神の息子たち《ベネイ・エロヒム》と神の使い《マルアフ》という別個の存在が初めて同一視された。

使い《マルアフ》すなわち天使は元来、神自身あるいは神の力を指していたようだ。モーセの前に現れた天使は神自身でもあるように読める。しかしダビデの物語初期版ではすでに、民に直接手を下したのは神ではなく天使であり、エルサレムをも滅ぼそうとしたのを神が慌てて止める一幕まである。ここでは天使は神の代行者であり、ある程度独立した存在だ。この天使——ギリシア語訳アンゲロス——が神の息子たちと同一視されたことで、堕天使という概念が生まれた。

神の使い《マルアフ》と似た存在に、神の霊《ルーア》がある。創造の一日目に混沌の水面《みなも》を漂い、しばしば神が目を掛けた者に降臨し力を与えた。ギリシア語ではプネウマ、ラテン語ではスピリトゥスと訳され、キリスト教の聖霊《ホーリー・スピリット》となった。神の代行者となる点も天使と共通している。災いを為す場合は邪悪な霊《ルーア・ラーアフ》と呼ばれるが、神から発しているのは変わらない。これも天使と同じく自立性を高め、神罰の代行だけでなく、その手段の考案まで担うようになった。『創世記』を再解釈した『小創世記』に至って、神の悪しき所業はことごとく悪霊どもに帰された。悪霊は堕天使でもあり、彼らの王サタンは神と人類の敵として立ち現れる。

これら一連の変化には、ゾロアスター教の影響が見られる。善霊／天使の軍勢を率いる至高神と悪霊／悪魔の軍勢を率いる魔王との闘争、その果てに到来する救世主——ここに前四世紀以降のヘレニズム諸国家、前一世紀以降のローマによる圧迫が加わり、黙示思想が発展した。そうして再解釈された物語の多くはユダヤ教の正典と認められることなく、外典あるいは偽典と呼ばれるようになる。それらの悪魔観を継承したのがキリスト教だ。

ギリシア語で書かれた新約聖書では、敵対者《ディアボロス》は魔王《サタン》とその配下の総称となった。この語は時を経て著しく変形し、英語の悪魔《デヴィル》となる。デヴィル《ディアボロス》にはギリシアの下級神格を指すデーモン《ダイモーン》の名も与えられた。プネウマ・ポネーロンすなわち神から発せられる邪悪な霊《ルーア・ラーアフ》の概念は完全に払拭され、ディアボロス／ダイモーンの名の下に堕天使と異教の神々が統合された。ここでようやく、悪魔崇拝《サタニズム》の概念が誕生する。二千年にも満たない歴史だ。

秩序壊乱を目論み、乱交と殺人と食人の宴に耽るカルト——現代まで連綿と続くこの紋切型は、前二世紀初めに遡る。ローマで流行していた酒神《バックス》教に右の嫌疑が掛けられ、貴族から貧民まで、あらゆる階層にわたる夥しい数の老若男女が逮捕、処刑された。前一世紀には、旺盛な布教活動で信徒を増やしていたユダヤ教に同じ中傷が向けられた。そしてキリスト教も、当初はユダヤ教と区別されなかったのもあってこの烙印を受け継いだ。旱魃や地震など災害のたびに、彼らは生贄の山羊《スケープゴート》にされた。やがてキリスト教は多数派となり、紋切型は効力を失う。近親相姦の相手と生贄にする幼児一人を用意しなければ入信できないのなら、我々がこんなに数を増やすはずがないではないか——とは、二世紀末に改宗し高名な神学者となったテルトゥリアヌスの弁である。そしてキリスト教がローマ国教となった四世紀、今度は彼らが異端や異教に紋切型を適用するのである。

こうして完成した悪魔崇拝《サタニズム》妄想だったが、その後しばし歴史から姿を消す。復活したのは八世紀の東欧で、蔓延しつつある異端派が対象だった。西欧への導入は十一世紀初めだ。

冒頭で述べたように、この妄想を支えるのは単一の元凶への希求である。もう一つの支柱となるのが、世界を彼我に二分し我らにも彼らにも多様性を認めない不寛容だ。どちらもキリスト教の専売ではない。たとえば七世紀に興ったイスラムでは、すでに八世紀の段階で異教徒と異端者をまとめてザンディークと呼んでいる。原義はゾロアスター教における異端者のことで、特に三世紀に処刑された二元論者マーニーとその信徒を指した。イスラムに採用されたこの呼称は以後、あらゆる宗教的他者に適用され、やがて彼らはイスラム滅亡を目的とする単一の組織と見做されるに至った。単一である証拠として飲酒に偶像崇拝、乱交といった反イスラム的教義を共有していることが挙げられたが、言うまでもなくキリスト教での場合と同じく因果関係は逆である。

しかしイスラムでは、悪魔崇拝妄想は発達しなかった。少し前後するがキリスト教興隆後、ユダヤ教は二元論的傾向を修正して悪の力を削いだ。悪魔《サタン》は絶対的一者たる神の敵ではなく、その僕として人間に試練を与えるのである。堕天使／悪霊の総称としての悪魔《ディアボロス》という概念も育つことはなかった。そしてイスラムでも、サタン《シャイターン》の軍勢を率いる堕天使《イブリース》ディアボロスという構図はあれど、それらはやはり唯一神の僕に過ぎない。異端者《ザンディーク》／異教徒が拝むのは悪魔ではなく、偶像すなわち木石そのものである。『千夜一夜』などでは異教徒たちは偶像を操る妖霊《ジン》に誑かされているのだが、妖霊自体の崇拝者ではない。

二元論的悪魔観の起源であるゾロアスター教にも、悪魔崇拝妄想は見出せない。敵対勢力の首領はしばしば悪魔《ダエーワ》そのものと目され、アケメネス朝を滅ぼしたアレクサンドロス大王はその筆頭である。しかしこれら悪魔の配下については判然としない。悪魔ではなく人間ならば悪魔崇拝者だということになるが、明らかにその発想には至っていない。信徒獲得を前提としない民族宗教であることと無関係ではあるまい。

西洋では悪魔崇拝妄想がカタリ派やワルド派などの異端、古来の慣習を保持する農民といった他者に次々と投射された。狂信者が妄想を増幅させ撒き散らす一方、狡猾な者はこれを方便に用いた。たとえば十四世紀初め、フィリップ四世はフランス国内のユダヤ人共同体とテンプル騎士団を悪魔崇拝の廉で根絶やしにしたが、真の目的は彼らの富だった。のみならず敵対する教皇ボニファティウス八世にまで同じ嫌疑をかけ、憤死させている。細部に磨きを掛けながら拡大再生産を続ける妄想が最高潮に達したのは、西欧キリスト教そのものが彼我に分かたれた宗教改革の時代だった。

キリスト教内部の他者たる異端だけでなく、外部の他者たる異教にも妄想は投射される。偶像と悪魔を崇拝し、乱交と殺人と食人の宴に耽るムスリム――お互い様ではあるが――の脅威が後退すると、キリスト教徒は未知の大地《テラ・インコグニタ》へと出かけて行き、至る所で悪魔崇拝カルトを発見した。

悪魔崇拝妄想のうち、幼児殺しと食人は単に解りやすい悪というに過ぎない。乱交も社会秩序の根幹を成す家族制度を覆す悪だが、実際には恐怖を隠れ蓑にした欲望の投射である。思い描くだけで罪とされる快楽も、悪魔崇拝者の所業としてなら忌憚なく語ることができたのだ。デューラーをはじめ多くの画家が描く若く美しい裸体の魔女が、安価な版画に刷られて大量に出回った。また悪魔崇拝という瀆神が性的放縦と結び付いたことで、聖体を汚すといった行為だけでも興奮を呼び起こすようになった。現代に量産された悪魔崇拝の告発は、セラピストらによる性的欲望の投射でもある。投射され刻み付けられた被害者と加害者は堪ったものではない。

そもそも悪魔は誘惑者であり、その領分である快楽、富、地位と名声、美と愛と若さは、人間が本質的に欲するものだ。人間の欲望を否定する神と

★デューラー「四人の魔女」(1497)

肯定してくれる悪魔、どちらが本当の味方か？　早くも十三世紀の詩人が歌っている――天国は貧相な善人しかいないが、地獄はいろんな素敵な人たちでいっぱいだ、わたしは地獄へ行きたい。

悪魔的なのは魅力的。この真理は芸術において顕著だった。たとえば教会は早くから音楽の持つ強い情動喚起力に気づいており、これを独占しようとする一方、世俗の楽士を悪魔の仲間として迫害した。それでも教会の外で音楽が途絶えることはなかった。

熱病のような悪魔崇拝者狩りは、十七世紀に入って急激に鎮静化した。一般には理性の勝利と見做されるが、それだけでは説明がつかない。何より大きいのは、悪の再定義だろう。前世紀には悪漢小説《ピカレスク》の興隆があった。身分卑しいならず者の行動が、社会の偽善や独善を炙り出す。それらに比べれば彼の悪事は罪が軽いのだ。

十七世紀の放蕩者《リベルタン》は不信仰と放蕩を誇り、思想と文学に新たな方向性を与えた。しかし悪魔像の刷新をしてのけたのは、敬虔な清教徒ミルトンだった。壮大な叙事詩『失楽園』（一六六七年）における誇り高き堕天使《ルシファー》／魔王《サタン》は誤算の産物だ。しかし読者は魅惑され熱狂した――文字どおり悪魔に惑わされたのである。

後進地域では散発的とはいえ未だ悪魔崇拝者狩りが続いていた十八世紀、タルティーニは自らの楽才が悪魔に与えられたものだと吹聴した。またこの世紀には、悪名高い地獄の火《ヘルファイア》クラブが英国に設立された。金と暇を持て余した貴族の悪魔崇拝《サタニズム》ごっこだが、物質的な快楽だけでなく、既存の秩序に唾する自らの姿にも酔っていただろう。そして次の世紀に入るまでには、サタンは腐敗した教会と王権に対する反逆の象徴となっていた。彼は自由と情熱の旗手であり、至高神に背いて人類に知識と技術を与えた罪で永劫の責め苦を負わされたプロメテウスだった。画家はもはや伝統的な醜い怪物は描かなくなった（冒頭図版「サタンの栄光」参照）。

悪魔崇拝妄想は、内なる悪魔崇拝の他者化にほかならない。放縦や反逆といった悪への密かな欲望や憧憬、その大っぴらな自認が近代の悪魔崇拝である。そうした欲望や憧憬を権威付け正当化するためにも、古来の悪魔崇拝カルトの実在は必要だった。もちろん元凶の希求という中世以来の悪魔崇拝も滅びはしない。

斯くして投射の対象探しは続いた。たとえばイスラム神秘主義《スーフィズム》には、魔王《イブリース》を肯定的に捉える伝統がある。天使《マラク》だった彼は唯一神への絶対的な信仰ゆえに、その神からの最初の人間《アーダム》に跪拝せよという命を拒んで自ら堕ちたと解釈するのだ。これを一部の欧米人研究者は悪魔崇拝《サタニズム》と呼ぶ。悪魔崇拝カルトの実在を願えばこその曲解だ。

クルディスタンのヤズィード派《ヤズィーディー》については、近年のニュースで御存知の方も多いだろう。彼らの信仰は、悔悛して神に赦され孔雀天使《マラク・ターウース》となった堕天使《イブリース》を中心に据える。おそらく原形は古代イランの多神教で、孔雀天使はその主神だったのだろう。十二世紀に神秘主義者《スーフィー》によってイスラム化され、十三世紀には信徒を増やして一大勢力となった。しかし十六世紀以降、ペルシアとトルコの両帝国から異端として弾圧され衰退。その過程で異教に立ち戻ったと思われる。

一八四〇年に彼らを発見した西洋人は、もちろん〝悔悛と赦し〟は無視した。二〇世紀前半の米国では、ラヴクラフトをはじめとする数人の作家がヤズィーディーを悪魔崇拝カルトとして描いた。ただしそのいずれでも、この宗派は悪魔崇拝の名で括られる東洋《オリエント》や共産主義といった他者の一部でしかない。

悪魔崇拝者ヤズィーディーという烙印を決定的にした功績は、一九六六年に〝サタン教会〟を設立した米国人アントン・ラヴェイに帰せられるだろう。彼が掲げるのは人間の欲望を全肯定する哲学であり、悪魔の実在は認めない。悪魔崇拝妄想は信じており、〝古来の悪魔崇拝伝統の担い手〟ヤズィーディーを繰り返し紹介した。無論、悪魔崇拝カルトの実在を願う人々にとって高邁な哲学などどうでもよく、サタン教会は乱交と殺人と食人の宴に耽る闇の組織である。その首魁ラヴェイが自ら、ヤズィーディーを名指しているのだ。

世界的ベストセラーとなった英国人トム・ノックスの小説『ジェネシス・シークレット』（二〇〇九年）では、悪魔の正体は旧石器時代に人類を奴隷化していた亜人類である。世界各地に残る悪魔／邪神の信仰は、その記憶だそうだ。唯一、真実を知るヤズィーディーは亜人類を孔雀天使に偽装することで、トラウマとなる記憶から人類を護ってきた——錯乱した理屈だし、〝善良で穏やかなのに迫害される可哀想な悪魔崇拝者〟像はもっと錯乱している。当時すでに顕著になっていた迫害に配慮しつつ、でも本物の悪魔崇拝者であってほしいのだ。

★トム・ノックス『ジェンシス・シークレット』（武田ランダムハウスジャパン）

今も英語で〝ヤズィーディー〟〝悪魔崇拝〟を検索すると、文字どおり無数の記事がヒットする。大半は両者の関係を否定するが、一部は臆面もなく肯定する。〝善良で穏やかなのに迫害される可哀想な悪魔崇拝者〟像も見受けられた。否定記事の多さ自体、内実を物語っている。

ところで前述したように、イスラムに悪魔崇拝妄想の伝統はない。クルディスタンのムスリムは、ヤズーディーと長年にわたって共存してきた。身を挺してＩＳの攻撃から護った人々もいる。ヤズィーディーを悪魔崇拝者と見做すのは、若い世代の原理主義者だけだ。

彼らは生まれ育った国に関係なく、一様にイスラムの伝統から切り離されている。純粋なイスラムというその幻想も、首まで浸かっていた欧米文化の中に見出したものだ。そしてそこには、悪魔崇拝者ヤズィーディーがいる。

……ただの憶測であってほしいものである。欧米の妄想を真に受けた純真なムスリムたちが聖戦戦士《ジハーディー》として為すべきことを為したのを、欧米人たちはイスラム的蛮行と糾弾してナディア・ムラド氏にノーベル平和賞を授与し、自らの善性に悦に入りながら（でもほんとは悪魔崇拝者なんだよね）と思っている。そんな構図は、グロテスクにも程がある。

悪の時代に寄せて
——広まるネクロフィリア的悪の発想

◉文＝べんいせい

悪の観念

古代の悪の観念は、天変地異や疫病によってもたらされる安定（した生）の破壊、災禍一般を指していたが、その場合でも自然による災禍（自然的悪）と人の行為による災禍（倫理的悪）は漠然とであれ区別されていた。生かされているという倫理観の反省が、倫理学という形態で成立するが、倫理学にあっては、古来、善を問う精密さと精力に比べて悪の問題は「善の欠如」「善の否定」というかたちで、しかも古代では秩序への「混沌」の侵襲として、また近代では「環境」要因ゆえの人間性の歪曲として周縁化されがちであった。

「悪」と聞くと、倫理的というよりは宗教的な概念との印象をもつ人が多い。キリスト教的な考え方では、悪は原罪や悪魔、従って、不服従や反抗という概念、さらに暗黒の超人的な力による誘惑や憑依と避けがたく結びついている。「道徳悪」と「自然悪」の区別は、「罪」と「罰」の注解を通してこの文脈で生まれた。「道徳悪」と「自然悪」という言葉は世俗化されて、前者は人間の邪悪さとその結果、後者は他のあらゆる種類の災難を指すようになる。だが、罪と罰の体系の遺産は残り続ける。

世界を善悪二原理によって説明しようとする二元論（ゾロアスター教、マニ教など）にとって悪は実体的力である。これに対し世界の根源を唯一の善として一切を説明しようとする一元論（プロティノスの哲学）にとって悪は善の欠如・非存在と考えられた。

一方でアウグスティヌスは、悪は伝統的に「欠如」と定義している。欠如とは勿論、善の欠如を指すが、それはまた「存在の欠如」でもある。全知全能にして至善なる神は「無から」万物を創造したのであり、それゆえ、万物は存在する限りにおいて、存在そのものである神の善性にあずかっているとみなされるからである。要するに、存在＝善なのであって、したがって、善と対立するものとして、善の欠如である、悪または存在の欠如と規定されるというのが、キリスト教の思考法に強く規定されてきた西洋思想の土台にある。アウグスティヌスは「罪」の概念に基づき、神の意志とそれに反逆する「意志の逆倒」から悪の問題をとらえようとした。これによって被造物が創造主に背いて、人間の魂に与えられた自由を欲しいままにしようとした、いわば神の全能を真似る「驕り」を浮き彫りにし、悪の問題を人間に固有なものとみる根元悪への道が開かれることとなった。そして、「逆倒する意志の驕り」に悪の根元をみるキリスト教思想が、実のところ現代に至るまでの最も有力な思想となっていたのである。

カントによる悪の位置付け

近世においてもキリスト教的発想の影響が強く見られ、例えば、ライプニッツはすべての悪の根源を形而上学的悪、すなわち被造物たる人間の不完全性に求めた。そしてその不完全性は人間の本質でもあるが故に、完全なる神が造った世界に悪が含まれることも避け難いことになる。こうしてライプニッツの弁神論が展開される。キリスト教においては道徳的な意味での悪はアダム以来の人類の原罪と結びつけられ、人間の自由意志による神からの離反とされる。そしてこの罪悪からの解放は、キリスト教の贖罪の信仰によって可能になるとされた。近世ヨーロッパ思想史における悪の問題は、大体においてこのキリスト教的な立場からとりあげられる。

　このように、カントが登場するまで、悪の本質や起源の問題は神との関係にあると考えられてきた。近世になって理性の自主性が回復されると道徳的秩序の源は、神の意志から神の理性へ、さらには理性一般へと移行する。この変化と同時に人間の自由が神への反逆や驕りと見られなくなり、理性の自立によって道徳は宗教ではなく、独自の基礎が与えられることとなった。その端緒ともいうべき哲学者がカントである。

　カントにおける悪の原理とは、道徳法則に従おうとしない自己愛〈ナルシシズム〉であると考えられる。カントは自己愛を否定する実践理性の自律において道徳の立場を確立し、道徳の基礎を宗教に求めることを退けたのである。これによって悪の問題は克服したかに見えたが、理性による否定は自己愛の根を抜き得るものではなく、ここに至ってカントは『宗教論』において根源悪を語らざるをえなくなったのである。カントにとって悪の問題には、自身の哲学体系を揺るがす要素を孕んでいたからに他ならない。

自己愛における根元悪とは

　カントにおける根元悪とは、自己愛の衝動に従おうとする生まれつきの傾向を指す。一切の悪への性癖の根元をなすもので、道徳法則による善の原理によってこの悪の原理を克服しようとする戦いが宗教の立場とされた。

　さて、そもそも自己愛とはどのようにして成立するのだろうか。人間が善となるのは道徳法則に従って行為する場合であり、人間が悪となるのは、意志が自己愛の原理に従って行為する場合である。これは、人間には善への可能性と同時に、つねに悪への可能性も開かれているということである。まさに人間は自由であるが故に悪となり得るのである。この事態をカントは〈根元悪〉と呼んだ。こうしてカントは、自由意志と悪という古代からの問題を主体化の方向へといわば極限まで推し進めたのである。

　つまり、衝動や欲望といった自然的生が自我の内へと揚げられて自我の活動という意味に化す時点で我意と呼ばれるものとなり、我意と化した自然的生は自我の内に作用して、自我を自己愛的な自我に変容させるのである。

狂気とナルシシズム

　フロイトは外的世界からひき戻されたリビドーは自我に向けられ、かくてナルシシズムと呼びうる態度が生まれてくると考えた。ナルシシズムはその強度において多くの人の場合、性的欲求や生存欲求にも匹敵しうる熱情である。生物学的に生を保持するという見地からみて、人は他の何人よりもはるかに高い重要性を自分自身に付与しなければならず、目的論的に言えば、自然は人間が生存のため必要なことをなし得るために、多量のナルシシズムを与えずにはおかなかったと言い換えられる。

　すなわち、ナルシシズムが生存にとっては必要であり、それと同時に人を非社会的にするので生存にとって脅威でもある、という逆説的な結果に到達してしまう。

　つまり、質的に最適のナルシシズムが生存に役立つということは生物学的に必要な程度のナルシシズムは社会的協調と両立しうる程度のナルシシズムに還元される。一方で、個人のナルシシズムは集団のナルシシズムに変形され、個人の代わりに血族、国家、宗教、人種などがナルシスティックな熱情の対象となる。こうしてナルシスティックなエネルギーは個人の生存のためよりは、集団の生存のために用いられるよう保存されていく。エーリッヒ・フロムは個人へのナルシシズムが集団へのナルシシズムに変化し、それが全体主義・宗教などへ向かうと述べている。

ネクロフィリアとバイオフィリア

　フロムは社会心理学の立場から『悪について』を考察したが、自我の逸脱による破壊性という観点について考察する中で、破壊性とはネクロフィリアであり、生命を愛するバイオフィリアとは逆に、実際に死を愛するものであるため、悪の本性と、善悪を選択する本性とを論じた。

なお、フロムにおいて「悪」はネクロフィリアによって生じるとしている。フロムはネクロフィリアの特徴として「破壊性」を挙げており、シモーヌ・ヴェイユの定義を引き、「力とは人間を屍体に変貌させる能力である」と述べている。「人間を屍体に変貌させる能力」としての「破壊性」がネクロフィリアの本質というわけで、さらに「サディズムの目的は人間をモノに変えること、生命のあるものを、生命のないものに変えることにある。完全で絶対的な支配を受けることで、生命は生の本質の一つ、すなわち自由を失うのだ。」（エーリッヒ・フロム『悪について』渡会圭子訳、筑摩書房、32頁）と述べている。

ネクロフィリアとは「死者を愛する」（同42頁）との意味であるが、それに基づく人間観については次のような例を上げている。「女性や愛情や自然や食べ物よりも、スポーツカー、テレビ、ラジオ、宇宙旅行、あまたのガジェットに興味をもつ男性が多数いる。そういう人たちは生ではなく、無機的で機械的なものの操作に興奮する」「彼は車を見るような目で女性を見る」（同70・71頁）。フロムはネクロフィリアに基づく見方をする人間のことを「機械的人間」とも称している。

★エーリッヒ・フロム「悪について」（ちくま学芸文庫）

現在の日本社会に広がるオタク文化における恋愛ゲームやアダルトソフトを好む衝動は、まさにネクロフィリアな態度とみなしてよい。ダイナミックな人間的関係を求めるよりも、関係性が規定されている人間関係（＝機械的人間）を、ヴァーチャル空間において求める動きもそうだ。メイド喫茶やコンカフェなども、きまりきった関係を要求する意味でネクロフィリアな場だ。ネクロフィリアは人をモノ化し、「客体化」を施すのである。

ネクロフィリアの反対概念はバイオフィリアと呼ばれる。「生命への愛」というのが元の意だが、「バイオフィリアの倫理は、独自の善悪の原理を持つ。善は生に寄与するすべてのものであり、悪は死に寄与するすべてのものである。善とは、生を尊ぶことであり、生や生長、拡大を高めるものすべてである。悪とは、生を抑圧し、その幅を狭め、ずたずたに切り裂くものすべてである。喜びは美徳であり、悲しみは罪である」（54・55頁）とフロムは言う。生には死が内包されるが、死は無でしかない。すなわち、ネクロフィリアはバイオフィリアに依存するのである。

終わりに

フロムはネクロフィリアを悪であると言い切る。

現在広まるネクロフィリア的悪の発想も、実は時代がそれを要求する、あるいは次世代のエピステーメーが要求する結果であると考えることも出来なくない。生き永らえようとする組織・集団・社会では、その構成成員からナルシスティックなエネルギーを与えられることが大切である。その成員の多くに満足を与えないような社会は、成員に存在する不満を除去するため、悪性型のナルシスティックな満足感を彼らに与えなければならない。経済的・文化的に貧困な人びとにとっては、その集団に帰属するために生まれるナルシスティックな誇りこそが、唯一の満足感なのである。人生が面白くなくまた興味を持ち得る期待がないからこそ、かれらには強いナルシシズムが発達してくるのである。そのナルシシズムが何かということは、ここには書かない。

左利きの悪魔
——「右」と「左」の文化誌

◉文＝馬場紀衣

ドイツの女性作家リカルダ・フーフ（1864～1947）によると、現代人は悪魔と知り合う必要があるらしい。なぜなら悪魔と出会うことだけが、人を未来に正しく導いてくれるから。

とはいえ、悪魔が尻尾とツノをつけた姿でハロウィンよろしく街の中を徘徊しているはずはない。「民衆は、たとえ襟をつかまれていても、悪魔に気がつかない」（ゲーテ『ファウスト』第一部「アウエルバッハの酒場」より）のだとしたら、襟首にアクセサリーみたいに悪魔をぶらさげて歩く人間たちの姿はなかなか滑稽だ。それに、もしヘルマン・ロッツエ（1817-81）の言うように、もし悪が人生になくてはならないものなら、人間に害を加えることもありうる、この善と対立する西方世界の生きものについて、私たちはおおよその素性くらいは知っておいてもいいような気がする。

ということで、まずエピソードを一つ紹介したい。

ギリシア神話には、嫉妬にかられた女王ヘラに国々を追いまわされて、土地のどこにも出産の場所を与えられなかったレトの物語が出てくる。だから、レトは子供を産むための土地を求めて放浪しなければならなかった。ある時、レトがリュキアに立ち寄って池の美しい水を飲もうとすると、村人たちがそれを邪魔した。レトは水を飲ませてくれるよう村人に頼みこんだ。ところが村人たちは断った。村人は池に足を突っこむと、泥をこねまわして水を汚しさえした。こうした苦難にも耐えて、やがてレトはオルテュギア島でアルテミス（月・狩の女神）をデロス島でアポロン（太陽・芸術の神）を産んだ。アポロンとアルテミスの出産の経緯については諸説あるが、出産の際にレトは、右手で雄を表す棕櫚を、左手で雌を表すオリーヴを掴んだという。

右手に棕櫚、左手にオリーヴ。神話世界の美しい聖性のモチーフに心底うっとりするけれど、そもそも、「右」と「左」は世界のあらゆる地域で、それぞれ男と女とに関係づけられている。たとえば両性具有のシヴァ。華やかなシヴァの右半身は男の腿、肩、胸が強調されているが、左半身は女の腿、お尻、胸である。コーランでは、選ばれた人々は神の右側に、呪われた人々は神の左側にいる。ニュージーランドのマオリ族は、右は神の側で、左は悪霊に捧げられた邪悪な天使が支配している場所だと信じている。マオリ族にとって、右は生を左は死を表す。

興味深いことに、右を清浄で吉なるもの、左を恐ろしいものとするこうした共通性はどの民族にもある。私が想像するに、このような右側と左側の区分は、時に激しい恐怖感を信者に与えて、その畏怖によって信仰に帰依させていただろうし、例えば、キリスト教の伝統においても右手と左手には特別な意味が与えられている。

右と左の例はほかにもあって、アフリカ大陸でも、右は善を、左は悪を意味しているらしい。ある部族では、女性は料理の最中に左手を使うことすら許されていない。夫の顔に左手で触れたりしたら、散々たる目にあうことだろう。

英語やフランス語を話す方なら、その言葉の成り立ちを「右」にもつ語があることにとっくに気づいているだろう。フランス語・英語の right はどちらも【正しい】を意味し、upright（まっすぐの）、forthright（素直な）にも右を意味する right が含まれている。これは単なる偶然だろうか？

恐怖や嫌悪感を抱かせるオカルト的な左手は、人間を暖かく包みこむ右手とは対照的に、死を象徴する忌むべき魔法の力を宿しているようだ。ヨーロッパの吸血鬼が昼に眠り、夜に活動するように、幸せであるはずの恋愛が人の悪魔的

★（左頁）鏡文字で書かれたレオナルド・ダ・ヴィンチの手稿

な面を引き出すことがあるように、人間の右手と左手にしても、表があれば裏があって、いつも一方が他方を前提しあっている。どのようなものであれ、二面性をもたないものはない。善か悪か、両者のうちどちらだけがそこにあるのではなく、互いに対立しあい、関係しあっているという状況。私は世界をそんなふうに、時々考えてしまう。

「人間から悪を消去するなら、生の根本的な諸条件を破壊することになるだろう」とはモンテーニュの見解だけれど、哲学の見地からしても悪を退けることは難しそうだ。ライプニッツなら、人間に被害をもたらす災いの存在は、神の全知全能や善性を疑う理由にはならないと言うだろう。なぜなら神は間違いなく最善の世界秩序を選択しているはずだから。問題は人間の知が有限であるために、悪を含んでいるこの現実世界が最善の状態にあることを理解できていないことにあるのだ。悪をめぐる哲学者たちの考察は時代によって違うけれど、直接的にせよ間接的にせよ、人の苦しみに関わっている。

もっとも、私が考えるに善も悪も、もろもろの形態のなかに散らばっている互いの歪んだ像が目に見える形で再現されているにすぎないように思う。とはいえ、ここでの私の関心事は、悪魔はなぜか左に宿る、ということである。

ついでながら、左利きを矯正されそうになったなんて話は、私がわざわざここで語らなくても経験のある人はたくさんいそうだ。噂が本当なら、左利きには才能に恵まれた人が多いらしい。レオナルド・ダ・ヴィンチも、ベートーヴェンも、ニーチェも、チャップリンもポール・マッカートニーも『不思議の国のアリス』で有名なルイス・キャロルもまた、才能ある左利きである。彼らの左手が抑圧されていたかどうか知らないけれど、右利きを凌駕しているのはまちがいない。

そういえば、レオナルド・ダ・ヴィンチやルイス・キャロルは二人とも鏡文字を書くのが得意だった。鏡を覗けば右利きの私も左利きになり、難なく鏡文字を綴ってみせる。昔から「悪」そのものである悪魔（や吸血鬼など）が鏡にその身を映すことができないのは物語世界でよく知られた話で、もしかすると、鏡の中からこちらを見つめるもう一人の左利きの私こそ「悪」なのでは、と想像してみる。

とすると左利きの悪魔は、私を見つけるのではなくて、私を映し出すような仕方で私のところにやってくるのだろうか。あたかも私自身の中にいつだって悪意があるように。そして心の奥に棲むその生きものには、リカルダ・フーフの言うように、たしかに尻尾も角も見当たらないのだ。

凡庸で陳腐なのはどちらかといえば私たちの方だといえばいいのだろうか

◎文＝本橋牛乳

2018年7月6日、地下鉄サリン事件などにおける実行犯として、オウム真理教の教祖麻原彰晃こと松本智津夫をはじめ幹部ら計13名の死刑が執行された。一度にこれだけの死刑が執行されたことは、戦後初めてのことだった。用意周到に死刑囚を全国の拘置所に送り、一日で執行できるようにした。

なぜ、このタイミングだったのか。新しい天皇が即位する前に片づけておきたかった、と言われている。だとしたら、ただそれだけの理由で、13名の命が奪われたことになる。

国家が一方的に人の命を、罪状はどうあれ、命を奪う行為である「死刑制度」を、ぼくは認めない。反対、というだけではなく。認めない理由は、いくつかある。

もちろん、死刑囚に対してまで「健康で文化的な最低限度の生活」が保障されるべきだとは言わない。けれども、ではどのような権利があり、どのような権利が制限されるべきなのか、合理的な理由は何も示されていない。そしてそれは、死刑囚だけの話ではない。一般の人々にとっても同じことである。

例えば、松本智津夫の娘、松本麗華がどんな形にせよ、父親を奪われなければならない理由というのは、彼女自身にはないはずだ。

死刑執行された13名が、生きていたらこれから何を語るのか、そのことも、ぼくたちの手から永遠に奪われてしまった。なぜ、戦後最大のテロ事件が起きたのか、この13名が語ることはもうない。

別に、地下鉄サリン事件だけじゃない。京アニ放火事件の青葉真司容疑者には、刑務所ないし拘置所でずっと小説を書いていて欲しいと思う。そのくらいの権利は残されていると思うし、ひょっとしたらものすごい傑作ができるのかもしれない。その可能性は、ぼくたちの権利でもある。

でも、そうしたこととは別に、死刑執行には別の面がある。そもそも、政治的理由で執行されている、ということだ。

多くの人は簡単に、重罪を犯したのだから、死刑はあたりまえだ、と思う。あるいは、遺族の気持ちを考えたら死刑にするしかない、と思う。命を奪ったのだから命をもって償うべきだ、と言う。でも、ちょっと待って欲しい。そこには、論理的な説明も合理的なことも何もない。感情論でしかない。

政府が人々の感情を操作することは、政治的なことでもある。例えば、仮想敵をつくることで、政府そのものの支持基盤を固める。この国においても、ずっと行われていることだ。仮想敵としての北朝鮮であり中国、あるいは韓国、またはロシア。中国がいつ攻めてくるのかわからないから、軍事力を増強する、という。

絶対的な悪に対し、死刑制度を適用する。そのことで、人々の共感を得る。

絶対的な悪であるためには、その人となりはなるべく表に出さないようにする。死刑がどのように執行されるかも公開しない。ただ、見えないところで命が奪われ、そのことをもって、人々に共感される政府となる。

人々の想像力が奪われたところで、記号としての死刑がある。

ところで、ここでは2つの「悪」が接している。1つは、追い詰められた宗教団体における「悪」だ。そして、死刑執行によって人心を得ようという政府の「悪」である。

この2つはよく似ている。大きさこそ違うけれども、相似形ではある。

そう思うと、中村文則が『教団X』を書き、ついで『R帝国』を書いたのは、そうしたつながりがあってのことだろうと考えてしまう。


『教団X』は、宗教をめぐる善と悪の物語である。ストーリーは単純ではないけれども、同時に説明するものでもないかな。構造は単純で、対立する2つの宗教団体を軸に話は進む。松尾正太郎を教祖とする団体は、宗教というよりもゆるい人の集まりとして描かれる。宗教というよりも宗教学者に近い松尾は、奇妙な哲学を語る。しかし何よりも、松尾が語る中心は、戦争体験にある。不条理な第二次世界大戦の、戦場での経験こそが、教祖としての松尾のルーツとなっている。

一方、高原を教祖とする教団Xは、セックスをめぐるカルト教団だ。高原は若いころ、途上国で支援活動にあたっていた。そこで見たのは、貧しい国を使って公共事業を誘致して利益を上げる先進国の企業の姿であり、途上国の環境と生活を破壊して石油を掘削する企業の姿だった。その救われない姿が、高原を教団Xの教祖としていく契機となっている。

直接、オウム真理教をモデルにしているわけではない。というか、教団とは別にオウム真理教に言及されている。

小説は前半、松尾の団体を中心に語られ、後半は教団Xに焦点が移り、複雑でトリッキーな関係を含んだまま、テロにつながっていく。

そこで語られることは、本質的な悪というのは何か、ということではないか。オウム真理教を悪とするという以上に、人間一般が持つ悪ということになる。第二次世界大戦を起こした人たちを悪とすることもできるし、戦場で不条理な行動をとる人間の中にもまた悪があると指摘することもできる。安全なところにいるとわからないのかもしれないけれども、グローバル資本主義はそこにかかわる人を悪に導く。その絶望が、教団Xにつながっているとしたら、オウム真理教の教祖や信者はどうだったのだろう。

本書を通じて中村が指摘するこの世界の不条理について、ぼくはその通りだと思う。実際に、途上国の民主化はそれによる政治の混乱を含め、そこで事業を展開していこうとしている先進国の企業にとって、リスクでしかないし、それは当事者から実際に聞いた話でもある。だとしたら、独裁政治の方がどれほど安定しているか。

もっとも、そのように考えてしまうと、民主主義国であるといいながら、国民があまり民主主義を理解していない日本は、おかげでとても安定しているし、首相が政治を私物化したところで、あまり文句も言われない。


『R帝国』は、『教団X』の続編ではない。何となく、タイトルが似ているし、『教団X』においてRについての言及があるとはいえ。

R帝国は架空の国だ。帝国というだけあって、実態は民主主義国家ではない。建前は独裁国家ではないにせよ、圧倒的多数の与党が政権を握っている。少数野党は、国民の不満のはけ口として存在している。そのくらいなければ、一党独裁になってしまう。

そのR帝国が宗教国家である隣国と戦争を始めたところから始まる。この戦争に巻き込まれた矢崎、そして野党党首の秘書の早見の二人を軸に、ストーリーが進む。

戦争も、そもそも武器が売れればいいということで行われる。野党の存在もまた、仕組まれたものでしかない。

とはいえ、首相もまた、R帝国に巻き込まれた存在でしかない。主体的に悪を体現する存在ではない。

教団Xのモデルがオウム真理教を回避しているように、R帝国のモデルも日本を回避している。そうであるにもかかわらず、日本をデフォルメしたもののように思える。

何となく、田中慎弥の『宰相A』と比較したくもなってくる。Aというのは安倍晋三を想起させるし、米国に支配された日本というパラレルワールドも、現在の日本をデフォルメしたもののように思える。けれども、そこにあるのは悪などではなく、支配に従順である人々ということになるので、ちょっと違うかな。

悪を扱った『教団X』では、親切にも、アドルフ・アイヒマンにも言及している。アイヒマンといえば、ハンナ・アーレントの『エルサレムのアイヒマン』で描かれている。その副題は「悪の陳腐さについての報告」とある。

アイヒマンは、戦前のドイツにおいて、ユダヤ人を次々と事務的に強制収容所に送った役人、といえばいいだろうか。多くのユダヤ人が彼によって殺された、ということになる。

戦後、アルゼンチンに亡命していたが、1960年に逮捕、イスラエルに送られ、そこで裁判の結果、死刑判決を受け、そのまま絞首刑となった。

アーレントによるこの裁判の記録が『エルサレムのアイヒマン』であり、彼女の代表的な著作の1つでもある。

多数のユダヤ人を「処分」してきたアイヒマンは、極悪人というイメージではなく、むしろ職務に忠実なノンキャリアの官僚であり、それでもなお可能な限り出世するという欲を持っていた、というものだ。そのことは、間接的に、さまざまな著作でも言及されている。

そもそも、『エルサレムのアイヒマン』を読んだきっかけは、ジュディス・バトラーの『分かれ道』。ユダヤ人であるバトラーは、けれども現在のイスラエルによるパレスチナへの迫害には異議を申し立てる。それはそもそも、シオニズムではない、と。

そうした中で、凡庸なアイヒマンの姿が、アーレントの著作を通じて引用される。凡庸なイスラエル人が、パレスチナ人を迫害している、ということになる。

けれども、『エルサレムのアイヒマン』で描かれる陳腐さは、アーレントにとどまらない。裁判の過程で示されてきたのは、当時のドイツのユダヤ人政策と、周辺国の対応であった。多くの国は、ユダヤ人を排除することに協力したという。その中には、裕福なユダヤ人さえ含まれていた。その先には、救い難さがある。もし、ユダヤ人の排除が終わったらば、次はポーランド人が排除されることになる、アーレントはそのように指摘する。

イスラエルによるパレスチナ人への迫害において、ヨーロッパ人は無罪ではない。当時パレスチナは英国の委任統治領だった。そこに、ユダヤ人問題を押し付けていった。

たぶん、世界征服を目指す悪の秘密結社なんて存在しない。アーレントに指摘されるまでもなく、悪は陳腐なものだ。人々の心の中に悪がある限り、ブラックゴーストは存在する、というのが、石ノ森章太郎が「サイボーグ009」で繰り返し描いてきたことだったけれども、それが悪の本質なのだろう。そんなことも、今さら言うまでもない。

中村の『R帝国』のリアリティ、田中の『宰相A』のリアリティというのは、現在のこの国の政治のリアリティのないリアリティにつながっていることなのだろうと思う。安倍晋三が辞任を表明したとたん、安倍内閣の支持率が急上昇し、ノーマークだった菅義偉がからっぽのまま首相になってしまうことについて、どのように説明したらいいのだろうか、と思う。

2005年、当時の小泉純一郎首相による郵政民営化総選挙は、それこそ人々は仮想敵さえ与えれば簡単に踊ってくれる、そんなことを証明したし、そこから少しも進歩していないこの国がある。もっとも、それも日本だけの話ではなく、例えば崩壊したユーゴスラビアの、ボスニア＝ヘルツェゴビナの内戦をそのように語ればいいのだろうか。その文脈で、ヨーロッパにおけるユダヤ人排除を位置付ければいいのだろうか。

『エルサレムのアイヒマン』は出版当時、いろいろと批判されたという。例えば、アイヒマンの人物像が凡庸であるということ。そこには、大悪人に対して最後に死刑が執行されるようなカタルシスは描かれていない。戦争犯罪ではなく、ユダヤ人に対する罪として、ユダヤ人によって裁かれたという違和感。迅速な死刑執行。

けれども、凡庸で陳腐である悪という指摘は、戦勝国の人々にもふりかかってくるものではないか。

米国は後に、朝鮮戦争、ベトナム戦争に参戦していく。国内では学生運動が拡大していく。アーレントが『暴力について』では、こうした問題を取り上げていく。

そこにあるのは、暴力を独占する国家の姿ではないか。そして、独占した暴力のひとつの形が死刑執行ではなかったか。

第二次世界大戦後、ニュルンベルグ裁判と東京裁判という3つの軍事裁判で、戦争犯罪が裁かれた。平和に対する罪を問われたA級戦犯はさておいて、一般戦争犯罪に問われたB級戦犯、人道的罪に問われたC級戦犯もまた裁かれ、日本ではおよそ１０００名の死刑が執行されている。大日本帝国の軍隊という組織の中で職務を忠実に実行するしかなかった人たちも、やはり凡庸な存在ではなかったか、と思わずにはいられない。

その一方で、明らかに人道的罪であるにもかかわらず、戦勝国に対しては裁かれることはない。例えば、広島と長崎への原爆投下であり、これをはじめとする民間人への攻撃である。

では、悪というのは、暴力を独占する国に対する距離で決まる、ということなのだろうか。

バトラーは『触発する言葉』で、暴力と表現の自由について語っている。ひとつは、黒人宅前での排斥運動への異議申し立てであり、もうひとつはポルノグラフィーに対する排斥である。

バトラーの言い方はまわりくどくて、うまく理解できないのだけれども。黒人排斥は暴力である一方、ポルノグラフィーそのものは暴力ではないというのがバトラーの指摘だ。言うまでもなく、日本におけるヘイトスピーチは暴力だけれども、問題のひとつはまちがいなく、その暴力を行政が容認し、場合によっては行政が支持してしまうことだろう。

ポルノグラフィーは男性による女性への暴力ではない。もっと豊かなものだとバトラーは言う。ポルノグラフィーを暴力だとして排除を求めるキャサリン・マッキノンを批判する。反ポルノグラフィー運動は、政府による表現の自由への規制につながっていく。おそらく、それこそが、政府による人々の内面に対する暴力なのではないかと思うのだが。

でも、ポルノと表現の自由はさておく。むしろここで指摘すべきは、ヘイトスピーチを容認するような政治家を人々が選んでしまうということではないか。そもそも、暴力のボールは人々の側にあり、マジョリティの側にある。

現在の米国において、ユダヤ人が何らかの権力を持ち、イスラエルという国の存在を支えている、というときに、では宗教はどうなっているのか。キリスト教福音派とよばれる宗派の人々が、それを支えている。

宗教の是非を問うつもりはない。そうではなく、人の心を支えるはずのものが、支えるしくみにおいてマジョリティとなったときに、そのことが暴力に転換しやすいということではないか。暴力を独占する政府が誰によって選ばれているのか、ということだ。

オウム真理教がどれほどチープな宗教であったとしても、それが宗教である限りにおいては、地下鉄サリン事件は3・11同時多発テロと相似形をなす。それは、暴力を独占する者に対するテロ事件であった。

　そのことを前提として、悪としてのオウム真理教というのをどのように考えればいいのか。その信者もまた、凡庸な人々であり、それが悪に落とし込まれていく。

　村上春樹の『１Ｑ８４』のＢｏｏｋ１とＢｏｏｋ２（どうしても、Ｂｏｏｋ３は別の小説としか思えないので）は、オウム真理教とヤマギシ会がモデルとして落とし込まれている。農業共同体であるヤマギシ会のモデルはイスラエルのキブツだということはさておいたとして、小説の中では、麻原彰晃をモデルとする人物が、主人公のひとりである青豆によって殺される。けれども、そこで彼は青豆に自分を殺せ、という。それは、教祖によってコントロールできなくなった悪を殺す、という命令に他ならない。それは、村上がこれまで描いてきたやみくろとも近い存在だ。

　その対局にあるのが、田口ランディの『逆さに吊るされた男』だろうか。そこでは、作者らしい主人公が、獄中にいる死刑囚のＹと交流する。Ｙが語るオウム真理教は、最初こそ、ヨガの道場という姿だったものが、しだいに麻原の変化によって、団体そのものが変質していく。それは麻原個人にとどまらず、村井秀夫らが麻原の暴走を助長していく。何だか、経営者に気に入られようとして不正をはたらくナンバー２みたいな感じもしてくる。Ｙもまた、一方でそうした暴力をふるうことができる、すなわちサリンを製造できるような団体ではないと思いつつ、結果として地下鉄サリン事件に加担していく。他の実行犯がサリンの袋２つを地下鉄に持ち込んだのに対し、Ｙは３つも持ち込む。最初から11個の袋があったため、実行犯の誰かは余分に袋を持つ必要があった。Ｙが３つ目を自然に引き受けるシーンは、Ｙにとっても、それまでの流れ、他者との関係、引き受けてしまうやさしさから描かれる。

　とはいえ、死刑囚として主人公と交流するＹの姿は、暴力性は少しもない。ごく一般的な人間として描かれる。オウム真理教の内部は、どこぞのごたごたした経営が困窮した会社と変わらない。麻原は、宗教団体としての行き詰まりと視覚の喪失の中で、自身の暴走を止められない。同時に麻原は自身が神輿であることに気付いていたのだろうか。『１Ｑ８４』における彼はそのことを知っていたからこそ、自分を殺せ、と命じた。

　実際のオウム真理教の教えがどのようなものだったのか、詳しくはわからない。『逆さに吊るされた男』では、僧侶がオウム真理教の修行をなぞってみた経験が紹介されている。たしかにその経験は、人を違う次元に連れていくが、そこに何か意味があるわけではない、という感じだった。

　オウム真理教が出版した本は、今でも古書で手に入る。ぼくの手元にあるのは、『亡国日本の悲しみ』という本で、１９９５年５月に刊行されたものだ。地下鉄サリン事件の後の刊行ということになる。

　この本の中にあるのは、自己中心的な世界観である。自己中心的なものが自己の内にあるうちは問題ない。結局のところ、何らかの世界観をよすがとしてぼくたちは生きるしかないのだから。けれども、その世界観がぶつかり、否定されたらどうなるだろうか。新興宗教はしばしば社会一般では受け入れられない社会観を持つがゆえに、排除される。その世界観から一般社会に戻りにくいがゆえに、新興宗教の信者となった肉親を救い出そうとする人たちがいる。信者が自分の資産をすべて喜捨して出家したら、肉親はどう感じるだろうか。そうした断絶が問題となる。

　本の内容をもう少し説明しておく。全体は５つの章で構成されていて、それぞれ「神々の怒り」「死について」「憲法論」「オウム真理教の実態」「日本の運命」となっている。このうち「憲法論」のボリュームが最も多い。

　主に、おそらくは実在しないであろう聖典の翻訳、法話のようなもの、的中した預言とそれに対応する新聞・雑誌の記事などで構成されている。法話では、アイザック・アシモフの『ファウンデーション』まで引用されている。

聖典で描かれているのは、特に根拠もないけれども、聖なる存在をぞんざいに扱うと罰が下る、という話が多い。この点を指して、自己中心的な世界観ということだ。宗教団体を迫害する者に対して罰が下る、という話もある。法話は、自分たちが信仰しているだけなのに、なぜ迫害されるのか、といったこと。憲法論で扱われる根拠として、信教の自由がある。そして、浅い認識に基づく日本の終末。大川隆法や江川紹子についても言及されている。江川紹子は犬に生まれ変わり、子犬をたくさん産むのだとか。大川隆法の前世は四国の狸だそうである。

予言というのは、経済的なことや政治的なことに及ぶ。円高の進行や自民党の大勝・大敗など。こういうのは予言ではなく予想というのではないかとは思うが。自然災害や社会風潮も予測されている。右傾化する日本というのは、まあ、予測以前に、そうなっていたとは思うけれども。

そしてすでに事件化していたさまざまな事件に対する反論。後に、オウム真理教が起こした事件だということは立証されるわけだが、同時に彼らが違法捜査を指摘していたことは、その通りだったとも思う。

それでも思うのは、1995年当時、どれほど底の浅い思想であったとしても、「亡国日本」と言われてしまうような状況の一端はあったと思う。25年後の現在、当時よりましになったとは思えない。

麻原に「迷妄の魂よ、大悪業の恐怖を知れ」と言われて、まあそうだよな、と思う人は少なくないのではないだろうか。


人は簡単に何かにのめりこんでしまう。かつての自己啓発セミナーがそうであり、ネットワークビジネスと称される、いわゆるネズミ講も同様だ。かつてあった、「富士山一生懸命塾」では、企業の社員を対象に「地獄の特訓」を提供し、従順な社員をつくり、企業に提供してきた。オウム真理教の修行にも、そうした効果があったのだろう。『逆さ吊りにされた男』を読むと、麻原自身もまたのめりこんでいったのではないか、と思ってしまう。そうだとしても、ある程度、第三者の視点で物を見ることができ、アイデンティティを得られるのであれば、宗教は悪いものではないとは思う。逆に、宗教ではないにせよ、アイデンティティを与えてくれる「ウヨク」的な考えは、宗教のように強い。そこに第三者的な、俯瞰するような視点がないことが問題なのだが。

『教団X』と『R帝国』を対の物としてみたとき、宗教と国家はどこか相似形ではないか、というところがある。教祖を信じるのか、政党という虚構を信じるのか。民主主義というルールを理解できないと、もっと単純なものに真実を求めてしまうのかもしれない。

オウム真理教においては、その暴走はとうてい許せるものではない。それでも、そこには明確な悪ではなく、凡庸な悪しかない。自己中心的というのは、他者の痛みを想像できないということだ。そのことが引き起こした事件なのではないか。

けれども、死刑制度もまた、他者の痛みを想像できない人によって支えられている。死刑制度が全てではないにせよ、その制度が残る限りは、その背後には他者の痛みを想像できない人たちがいることになる。誰かにアイデンティティを与えられなければいられない弱く凡庸な存在が、他者の痛みを想像できない自己中心的な世界観にひきよせられる限りにおいては、そこに「悪」があるのではないだろうか。

行き過ぎた宗教活動を展開したオウム真理教は、そうした世界の縮図だし、死刑執行そのものが、そうした構図を覆い隠してしまう、悪を隠してしまうものになっている、というのは皮肉というほかないのだが。

みだらで汚らわしい恥知らずな欲望

——エルヴェ・ギベールの文学と悪

◉文＝渡邊利道

フランスの作家エルヴェ・ギベールは、一九九〇年に刊行した小説『ぼくの命を救ってくれなかった友へ』で、みずからがエイズに罹患していることを公表し、フランスを代表する知識人ミシェル・フーコーの当時秘匿されていた死因を暴露したスキャンダルで多くの非難を集めた。

だがギベールは、次のように反論した。

「ぼくは自分が書いた本が意地の悪いものだとは思わない。確かに、この本にはなによりも真実と虚構、意地の悪さというテーマはあるが、根底では意地の悪いものだとは思わない。良い作品に意地の悪いものはない。これはサドによる繊細さの定義だ。ぼくは、粗野でありながら、しかも繊細な作品を書いた」（『憐みの処方箋』）

もともとギベールは病気になる以前から、自身の文学的信念としてモンテーニュの「みずからの裸の姿を曝け出す」ことを強く意識し、自身を素材にして作品を書き、そのことで踏み込んでいかざるをえない〈悪〉の領域があるのに自覚的だった。

「裸の姿を曝け出す」ためにギベールが並々ならぬ情熱で利用したのが、日記と写真である。

若くして「ル・モンド」紙で写真批評を担当し、自身もアマチュアの写真家だったギベールには、八一年に刊行した『幻のイマージュ』という写真にまつわるエッセイ集がある。その中でギベールは、ゲーテの『イタリア紀行』が日記や手紙をもとに再構成されたものであることを指摘し、その文体が「写真的即時性」を備えていると語っている。

「それは記憶の最も新しい痕跡であり、記憶になるかならないかの瀬戸際にあるもので、いまだ網膜のうえで震えている何かに似た印象であり、ほとんどスナップ・ショットに近い」（『幻のイマージュ』）

この「写真的文体」の例として同時にあげられるのが、カフカの日記だ。ギベールは書く。

「死を間近に控えた頃の描写的な覚書は、身体が麻痺しながらも、なお視覚がなにかしら光の変異を、ごく近い範囲内でなんらかの動きを感じつづけている男の、心の中で写した写真にいくらか似ている」（同）

これらの文章から、ギベールが日記と写真について、それが人生の「裸の姿」を、もっとも純粋に捉える表現形式であると考えていたことがわかる。そして単に「即時的記憶」をそのまま書くのではなく、繊細に構築した虚構の枠組みに日記や写真を嵌め込む方法を選んだ。

七九年に制作され、作者の死後出版された『悪徳』は、形式においてその特異性が際立ち、かつその創作活動を象徴するような作品である。文章部分が二つのパートに分かれ、その前半のパートは「身辺雑貨（旅行者ブーゲンヴィルの携帯品目録）」と題され、爪切りや手袋といった日用品や、死児のダゲレオ写真などといった奇怪なオブジェなどの、十九の物品について書かれた章から成る。後半は「旅程」という題で、蝋人形館や墓地などの蠱惑的な場所について同じく十九の章立てで語る。そしてその前後の文章パートの間に、美術館や博物館の内部を撮影した十九枚の写真が挟まるという構成である。前半と後半の文章、および写真はそれぞれ必ずしも関連するものではないが、細部や連想において、ギベールのあらゆる物事から快楽を汲み出そうとする資質（それは「悪徳」というよりはむしろ「悪癖」というべきものだ」によって深く結びついている。この「みだらで汚らわしいちょっとした断片」は、日記から抜粋されたもので、それを断章形式の虚構の枠組みで統合しているのだ。

この作品では、ギベール自身はほとんどすべて事物や情景の影に隠れている。文中に「私」、時には「彼」と三人称の形で登場しても、それはただの視点に過ぎず、もっぱら作者を取り巻く外的現実が描かれるだけだ。

しかし例えば「身辺雑貨」の一章「綿棒」では、まるで医療器具のようにその材質と用途を説明しながら、同時に楽しげに耳の穴をほじくる快感に溺れて聾者になる危険を書きつける。ここには明らかにみずからの欲望の虜となることで生み出される身体の破壊が予感されている。「旅程」の「欲望する怪物宮」の章では、実験などによって生みだされた畸形の怪物たちの小屋が立ち並ぶパビリオンが描かれ、この書物自体の見世物小屋的「恥知らずな欲望」が暗示されている。また最後から二番目に位置する「ポアタール博士の新屍体防腐処理法」では、三歳の幼児の屍体を、存命中の父親と一緒に埋葬できるように防腐処理する方法の緻密な解剖学的記述が延々と続くのだが、そこには、冒頭から二つ目の章である「綿棒」の予感と呼応するように、若くして死ぬ人間を保存する技法が描かれているわけだ。ここで死にゆく病身の自分を執拗に小説で、日記で、写真や映像で残したギベールの創作活動を想起しないでいるのは難しい。悪徳（悪癖）とは、この恥知らずな自己露出の欲望こそそう呼ばれるべきだろう。

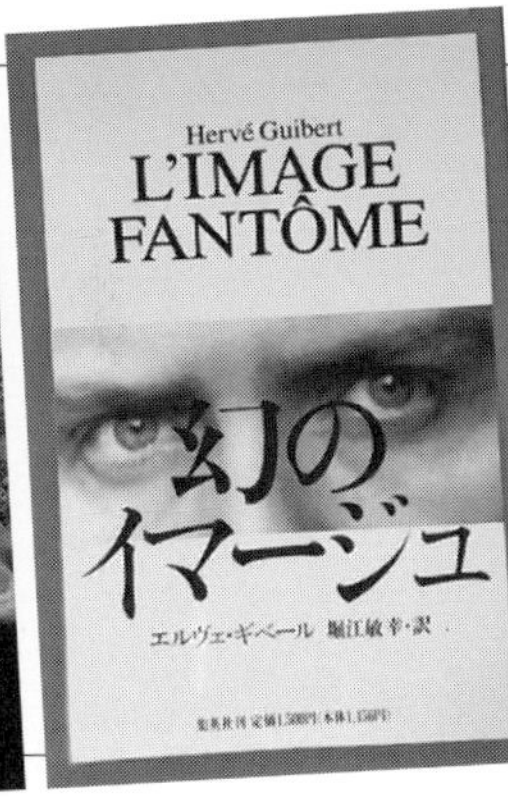

文学作品を書くことそのものに〈悪〉を見出す作家は少なくない。例えばジョルジュ・バタイユはその著作『文学と悪』で、文学の使命は極限的な〈悪〉を描くことにあり、そこには「自由と禁制への背反と至高の消費」があると断言している。バタイユは同書のジュネ論で、裏切りと卑しさを徹底して排除しようとしたが、しかしギベールにおいては、むしろその裏切りや卑しさこそが重要なテーマとなる。

「日記に書きとめられた（中略）ほとんどすべてのエピソードには、どこかありふれたところ、大切なものとされながら、どこかくだらないところがある」（『ヴァンサンに夢中』）

それは、ギベールの目指すところが、人間の自由や解放といった崇高さにあるのではなく、むしろその場限りで過ぎ去っていく愛の瞬間を再現したいというごくごく個人的な感傷にあるからだろう。

「きらきら光る魚のように、一晩中身体のまわりに光を発していた彼は、事が終わると、ぼくの愛撫を逃れて光を消してしまう。ぼくはその暗闇にむかって唇を突きだす」（同）

九一年十二月、ギベールはその暗闇に身体ごと飛び込むように服毒自殺をはかり帰らぬ人となった。

黒木實は『悪徳』の訳者後書きに、ギベールの第一作品集である『死のプロパガンダ』の一節を、まるで作家を慰撫するように訳出している。「死が彼を穏やかなものにしていた」と。

●引用元
▽エルヴェ・ギベール
『憐みの処方箋』 菊池有子訳（集英社・一九九二年）
『幻のイマージュ』 堀江敏幸訳（集英社・一九九五年）
『悪徳』 黒木實訳（ペヨトル工房・一九九四年）
『ヴァンサンに夢中』 佐宗鈴夫訳（集英社・一九九四年）
▽ジョルジュ・バタイユ
『文学と悪』 山本功訳（ちくま学芸文庫・一九九八年）

「黒い幽霊団《ブラック・ゴースト》」には、悪意がない
——『サイボーグ００９』の問題提起

◎文＝宮野由梨香

石ノ森章太郎の代表作『サイボーグ００９』における敵の組織「黒い幽霊団《ブラック・ゴースト》」は、死の商人つまり武器産業である。彼らは自らの組織の利潤を求めて、戦争を起こさせ、激化させようとする。

主人公の島村ジョーは、その組織に誘拐されて人間兵器としてサイボーグ００９に身体改造された。同じ境遇の仲間八人と、彼らを改造したギルモア博士とともに組織を脱出し、その陰謀を暴き、組織の解体を目指して戦う。

雑誌連載は、一九六四年（昭和三九年）に始まった。東京オリンピックが開催された年である。東海道新幹線も開通し、風景も人々の生活も価値観も、それまでとは変わっていった時期である。

第二次世界大戦終結から十九年が経っていた。

朝鮮戦争がもたらした特需によって、戦後の日本経済は立ち直った。生産する兵器の品質安定の必要から、米国は工場製品の品質管理のノウハウを日本に伝授した。

★石ノ森章太郎「サイボーグ009」（秋田文庫）

「高度経済成長」が始まった。その陰には、泥沼化するベトナム戦争があった。一九五五年に始まったこの戦争は、東西冷戦を背景にして、えんえんと二十年間も続いた。

『サイボーグ００９』の中で、作者はこの戦争がなかなか終わらない理由を三つ挙げる。一つ目は「戦場が湿地のおおいジャングル地帯であること」。二つ目は「おなじ民族のあいだのたたかいであるため、政府軍の内部からアメリカの武器をもったままベトコンがわににげだしていく兵士がおおかったから」。そして、三つめは「うしろにかれらを利用する黒い幽霊団《ブラック・ゴースト》がいるから」ということで、戦争を長引かせるために活動する黒い幽霊団《ブラック・ゴースト》の姿が描かれる。

ベトコンの隊長と、彼に兵器の提供を申し出る黒い幽霊団《ブラック・ゴースト》の配下とのやりとりは、次のようなものだ。

隊長「いったいなにをたくらんでいるんだ？　きさまは　いったいなに者だ？」

配下「ふふふ　おれはただ　よわい者に味方をするのがすきでね　それじゃいけないかね？」

（『サイボーグ００９』⑦　秋田文庫、三七頁）

双方に武器を売って儲けつつ、負けそうな方にはこのような無償提供を行う。「よわい者に味方」とは、何とも素晴らしいではないか。

かくて、戦争は終わらない。その間に多くの人命が失われていく。それが人類絶滅に至る道であることも、核兵器の存在を通して描かれている。

作品の根幹にあるのは、このような状況への不安と怒りである。

こういった「悪」を何とかできないものか？　問題意識はそこにある。作品の出発点は、そこなのだ。

○　○　○

「悪の組織」の目的や資金集めの方法を分析する文章の中で、この「黒い幽霊団《ブラック・ゴースト》」について岡田斗司夫は次のように述べている。

　うまいなと思ったのは『サイボーグ００９』のブラックゴースト、――中略――この世の中で戦争を絶えずつくり出すことによって延々と儲ける。これは現実的にいかにもありそうな話で、少年漫画誌の「悪」の設定としてはかなりリアルでした。

（岡田斗司夫『「世界征服」は可能か？』ちくまプリマー新書、九六頁）

どうして「現実的にいかにもありそうな話」「かなりリアル」と思えるのだろうか？

それは、「黒い幽霊団《ブラック・ゴースト》」には悪意がないからだ。人をたくさん死ぬのは、結果であって目的ではない。この悪意の不在こそが我々にとってリアルなのである。

需要をつくり出して供給するのは、経済活動として当たり前のことだ。

当時、他国の戦争で日本は「延々と儲け」ていた。それも、悪意をもって為されたことではない。

物語はこの種の「加害意識のない加害者による、悪意のない悪」に対する告発から出発している。

ストーリーが進むにつれて、００９たちの戦いの相手は人間の内なる「黒い幽霊団《ブラック・ゴースト》」となり、最終的には天使や神になっていく。

天使や神とは、かつて人類を造り出した存在である。

このことについて、宇野常寛は次のように解説している。

　神々はあくまで理性的で平和的な人類を望み、現状の愚かで攻撃的な人類には不満を抱いている。だからこの「失敗作」を滅ぼす――そう設定せざるを得なかった。

　それはなぜか。

　それはもちろん石ノ森自身が人類に「こうあって欲しい」と強く思っていたからだ。平和的で、人を愛し、愚かな争いは理性で解決できる存在であって欲しいと真に願っていたからだ。そんな純粋な願いが生む現実の人類への絶望が、たぶん「神々」となって彼の作品の中に現れてきたのだ。「天使編」「神々の闘い編」は他ならぬ石ノ森自身の、人類に対しての絶望（神々）とそれに抗う希望（サイボーグ戦士）の内面の戦いを描いたものだったと言える。

（宇野常寛「解説　サイボーグたちはなぜ神々と戦わなければならなかったか」『サイボーグ００９　完結編Ⅲ』角川文庫、三〇四頁）

そうだろうか？

むしろ、「黒い幽霊団《ブラック・ゴースト》」という存在のあり方をさらに徹底させたのが「天使」であり「神々」ではないだろうか。「悪意がない」という点で、「神々」と「黒い幽霊団《ブラック・ゴースト》」は同じものなのだ。

自らを創り出した組織との闘いが、最終的には、人間という存在を創り出した神との戦いになっていく必然というのとも、少し異なる。

悪の組織「黒い幽霊団《ブラック・ゴースト》」は悪意がないからこそ問題なのだが、娯楽作品としての説得性を保ちながら、そこを伝えるのは難しい。

しかし、人間を造り出し、「理性的で平和的」であることを望む神々に悪意がないことは伝わりやすい。そして、「失敗作」として滅ぼされる側にとって、それが紛れもなく「悪」であることも理解されやすいだろう。

作品が問いかけているのは、最初から最後まで「加害意識のない加害者による、悪意のない悪」なのではないだろうか。

○　○　○

『サイボーグ００９』のＴＶアニメは三回制作されたが、その最初のもの（一九六八年）には、原作のエッセンスを汲んだかのように、この「悪」を告発したものがある。

　例えば、第二二話・二三話の「復讐鬼」（脚本＝辻真先）は、次のような話だ。

　ロープウェイの中で、若者が老人を暴行し刺し殺す。老人の娘は周囲の客に助けを求めるが、巻き添えになるのを恐れてか、誰も何もしようとしない。

　老人の娘は、復讐を思い立つ。犯人を殺すだけにとどまらず、居合わせた客すべてを集め、閉じ込め、武器を与え、ただひとり残った者を助けるという条件のもとに、殺し合いをさせようとする。

　戸惑い、「何もしていないのに」と抗議する客たちに、「何もしなかったからだ」と復讐鬼は応じる。

　一人が生き残りをかけて武器を振り回し始めると、全員が身を守るための争いを始める。

　辻真先は、一九三二年（昭和七年）の生まれである。これには彼の第二次世界大戦に対する思いがこめられているのかもしれない。

　あるいは、一九六四年にアメリカで起きたキティ・ジェノヴィーズ事件が踏まえられている可能性もある。帰宅途中に暴漢に襲われた女性が周囲に助けを求めたが、有効な救助は行われず、死亡した。周囲の人間に悪意などなかったし、加害意識ももちろんなかった。

　また、最終回「平和の戦士は死なず」（脚本＝辻真先）は、次のような内容だった。

　兵器開発競争を続ける二つの大国、パブリックとウラーがある。両国の間で緊張が高まりつつある時、００９は００３とともに広島の平和公園を訪れる。その際に、幼い娘を連れた外国人の男を見かける。

　この男はパブリックの軍人だった。彼は次のような問題で苦しんでいた。

「ここが私の職場、ミサイルを発射する指令センターだ。この16のランプが全部つき、ガラスに覆われたブザーが鳴ったとき、私は発射ボタンを押さなければならない」

「あのヒロシマの祈念碑に刻まれている『あやまち』が何百倍もの規模で繰り返される。平和を守るためには、こんな恐ろしい方法しかないのだろうか」

　物語が進行し、その瞬間が来てしまった時、彼には発射ボタンをおすことができない。

「いくら義務だからと言って何千何万という罪の無い人々を犠牲にすることはできん！　それが我々の義務だと言うならそれはおかしい！　何かが間違っている、何かが！」

おめく彼は、その場で射殺される。そして、発射のボタンが押される。押した人物は、不気味に笑うマスコット人形を身につけている。

　一方、パブリックとウラーの緊張状態の裏には、ある存在の意志が働いているらしいことを、００９たちは察知する。００９は大気圏外を回る人工衛星上でその存在と対峙する。

「００９、よく来てくれたねぇ」

★「サイボーグ009 1968 DVD-COLLECTION」（1968年版アニメのDVD）

「きさまは誰だ!」

「誰でもない、私さ。君と私はずうっと前からお馴染みじゃないか」

揶揄口調で語る相手は、かのマスコット人形の姿をしている。この人形は人間のある部分の象徴なのだ。

「そう、私は人間のいるところなら、どこにだっている。あるいは君の心の中にも住んでいるかもしれんなぁ」

「なんてったって一番楽しめたのは、エノラゲイとかって爆撃機にとり憑いてヒロシマへ行った時さ」

マスコット人形の形相は、語るごとに邪悪になってくる。

この邪悪さこそが、人間の内なる「黒い《ブラック・》幽霊団《ゴースト》」なのだろう。

「あの時は、さすがの私も驚いた。これほど人間ってやつが残酷になるとは思ってなかったよ。やつら原爆のスイッチを押しちゃったんだよ。四十万人の非戦闘員、そう、女、子供、生まれたばかりの赤ん坊の上でだよ。しかも、そのパイロットたち、平然としてるんだよ。その理由がまた最高に傑作なんだよ。大統領が許可して、司令官が命令したからなんだって。その一瞬間で、私は今までの千倍も強く大きくなれたんだよ」

ここで問題になっているのは「何も考えずに命令に従うことの悪」である。ハンナ・アーレントが『エルサレムのアイヒマン――悪の陳腐さについての報告』(一九六三年)で指摘した種類の悪である。

原爆を投下したパイロットたちは、「大統領が許可して、司令官が命令したから」という理由で、スイッチを押した。悪意も加害意識もない。「その一瞬間で、私は今までの千倍も強く大きくなれた」と人形は笑う。

さて、放映から約半世紀が経過した今、この告発は我々の胸に響くだろうか?

「このパブリックの軍人の苦悩は、あまりにもプリミティブで子供っぽい」とか、「こんな軍人いるわけない」と感じてしまう人の方が多いのではないか。

無理もない。この種の悪を前提として、我々の社会は成り立っているのだ。

○ ○ ○

『サイボーグ009』という作品が根強い人気を保っているのは、サイボーグ戦士たちを我々現代人の象徴として読むことが可能だからだろう。

現代日本に生きる我々は、誰もが「サイボーグ」としての側面を持つ。教育や訓練は、効率よく利益を生み出すための身体改造だ。その上で勤労に励む。原初からつながる生命体としての身体は、かくて疎外されていく。

石ノ森章太郎が一九七〇年頃からサイボーグたちの生殖問題を描き始めたのは、そのあたりの問題意識を突き詰めるためでもあったのだろう。ゼロゼロナンバーのサイボーグたちの何人かは、身体を兵器として改造される際に生殖機能を失っている。悪意をもって失わせたわけではない。ただ、もっと必要なことがあっただけだ。

「黒い幽霊団《ブラック・ゴースト》」は、大昔から人類と共にあったに違いない。しかし、それが「今までの千倍も強く大きくなれた」世界に、我々はいる。

グローバル化した世界は、複雑かつ密接にからみ合う。自分の経済活動がどこかの国の戦争と無縁である確証なんて、今や誰にも持てまい。

「黒い幽霊団《ブラック・ゴースト》」の一員としてサイボーグ化された身体で、加害意識を持たずに、悪意のない悪を日々ふりまいて、我々は今日を生きている。

「黒い幽霊団《ブラック・ゴースト》」の世界征服は、既に完了したのである。

悪いヤツはだいたいイケメン
――少女漫画におけるモラルとエロス

◉文＝馬場紀衣

十代の恋愛経験は重い

　恋をした。「良い男」と「悪い男」がいることを、私はそこではじめて知った。学生の頃も何度か恋をした。昔から年上の男性にどきどきさせられるので、時間にもお金にも余裕を見せる大人の男性は素敵だ、と思った。そして、好きになるなら、ちょっと悪い相手が望ましかった。悪い男というおよそ自分と縁のない生き物に憧れていたせいもある。なにしろ、真面目な学生にとって、背徳的とか堕落という言葉は、永遠の愛とか運命の相手という言葉同様に甘美に思えたのだ。私はこれからも恋をするだろう。そしてやっぱり、恋をするなら悪い男がいいのだ。

　「私が結晶作用と呼ぶのは、我々の出会うあらゆることを機縁に、愛する対象が新しい美点を持っていることを発見する精神の作用である」という一節をスタンダールの『恋愛論』に読んで、少女漫画に登場する「悪い男」がヒロインに与える恋愛作用を、それとなく思いだしていた。

　乙女の（乙男しかり）ロマンチシズムを満たしてくれる読み物を求めるこちらとしては、やはり少女漫画の男の子は格好良くあって欲しい、と望むのは私だけではないはずだ。じっさい、悪いヤツはだいたいイケメンなのである。それは女の子の恋愛話によくある「でもイケメンはたくさんのガールフレンドを侍らせているから性格が悪い」とかではなく、その「悪さ」ゆえに人を誘いこむ魅力のことだ。もの言いたげな目が（ほんの少し悲しみを湛えているとなおよし）、黙ったまま危険な匂いを漂わせている。そんなキャラクターがヒロインにだけ心を許し、窮地を救う。そして読者の心をぐにゃぐにゃにする。

　たとえば『極妻デイズ～極道三兄弟にせまられてます～』の主人公は、人望に厚い長男、腕力のある次男、IQ200の三男とモテ要素満載な極道三兄弟に求婚される。同じようなことは『極婚～超溺愛ヤクザとケイヤク結婚!?～』の借金を肩代わりするかわりに結婚してほしいとの稀有なシチュエーションでもそうで、顔面偏差値が高いうえに優しい若頭に、ヒロインたちはなんだかぼーっとしてしまうのだ。主人公を大切に思うあまり高校に裏口入学してしまう過保護な若頭も、主人公をたびたび不安にさせるほどのイケメンだ（『お嬢と番犬くん』）。

　突き抜けた設定をさらりと描ける少女漫画にはいつも楽しませてもらっているけれど、顔以外にも悪い男になんらかの魅力があることは分かる。しかしその理由がどうもうまく掴めない。それに、どうやら最近盛り上がりをみせているらしいのだ。極道・任侠ものといった、悪いヤツとの恋愛漫画が。

ヒロインの善性

　イケメンたちの「悪さ」が物語で姿を現すのは、ヒロインのいない場所であることがほとんどだ。『恋と弾丸』の若頭は主人公の目の届かない場所で敵対勢力との抗争を片付けようとするし、『お嬢と番犬くん』の過保護な若頭もまた、血なまぐさい場面をヒロインに見せまいとする。とはいえ、彼らこそが危険を持ちこむ張本人なのだけど。

　ここで改めてヒロインの恋愛環境を考えてみると、彼女たちの胸には常に死への恐怖がある。愛する人を失うかもしれない不安だ。それも仕方ない、相手は危険と隣り合わせの（という設定）極道だから。対するヒロインは個人の葛藤をひとりで抱えこんでいるがゆえに儚く、傷付いた者に寄り添うほどに優しく、強い。そのせいか、極道との恋愛を描いた少女漫画では、主人公である少女の善性と、極道である男の「悪」の対比が顕著だ。

　たとえば、極道一家の孫娘に生まれたために友達ができず悩んでいる一咲（『お嬢と番犬くん』）がそうだし、組長を助けるために飛び出したオタクで小心者の桜（『極妻デイズ』）がそうだろうし、敵対勢力に狙撃される恋人の帰りを心配しながら待つ『恋と弾丸』のユリがそうだろう。『極婚』の澪が、恋人の辛い過去を受けいれる場面にしてもそうだ。しかも女の子たちは、どこか危険な香りを放つも奥深い快楽の享受を予感させる関係性に向かって、不安でも、怖くても、どこまでも走っていくように見える。それは一体どうしてだろう？

暴力と、恋と、それからエロス

　そもそも動物は自らの住む場所と食料が確保され、安心して子育てできる環境さえあれば満足して生きていける。ところが厄介なことに、人間は平凡な日常に耐えられずに新しいものを求めてしまう生き物だ。既にあるものを乗り越えて新しいものへ、という過剰な欲望はどこか破壊的で、暴力的でさえある。この暴力的な傾向は、過剰な欲望と結びついた人間の本質だ。フロイトはこれを「死への衝動」と呼び、その対極には「エロス原理」がある。恋愛がひとつの欲望である以上、それはほかのすべての欲望とも重なる点がある。そして恋愛には、ほかのどんな欲望にも見られない特質がある。

　極道という特別な相手との恋愛では、組同士の抗争という暴力行為がヒロインを巻きこんで、しばしばお決まりのパターンとして起こる。極限状態で愛を育んでいくのは恋愛漫画の定番で、不安や恐怖を共有すると、人間は深くつながりあう。暴力性とエロはしばしば交錯して描かれ、外の世界から二人をほんのひととき守ってくれるのだ。

　バタイユの『エロティシズム』を読んでいると、『恋と弾丸』で危機を乗り越えたユリと恋人の若頭とが全身全霊で愛し合わなければならなかった理由が見えてくる。

「死の不安は必ずしも肉欲に傾かないが、しかし死の不安の中では肉欲はいっそう烈しくなる」

「エロチックな活動はいつもこのような不吉な様相を呈しているのではない。そしていつもこうした割れ目をのぞかせているのではない。しかし、深く、秘かに、この割れ目は人間の官能の固有のものであって、快楽の源である」

　死や暴力といった危険を伴う極限の状態でヒロインの恋愛の純度は高められていく。ここでは、性行為が必ずしも物語のメインなわけではない。主人公は、常に危険と隣り合う極道

★（右から）
長谷垣なるみ「極妻デイズ～極道三兄弟にせまられてます～」（講談社KCデラックス）
桜井真優「極婚～超溺愛ヤクザとケイヤク結婚!?～」（講談社姉フレンドコミックス／電子版のみ）
はつはる「お嬢と番犬くん」（講談社コミックス別冊フレンド）
箕野希望「恋と弾丸」（小学館Cheeseフラワーコミックス）

の恋人と「これが最後になるかもしれない」と体で応える（『恋と弾丸』）。一方で「苦しいって分かってて自分で選んだ恋だ」「どんな現実が待ってても 逃げずに受け止めるんだ」と自分の境遇を受け入れる強さもみせる。

愛したいという気持ちや、愛されたいという欲求には、ほかのなにより も生を意味あるものたらしめる人間的な様式が含まれている。このことに自覚的になったとき、ヒロインたちの恋心は加速し、大きな喜びが与えられる。実際、ヒロインたちは恋を通してさまざまなことを学んでいくのだ。

命がけで生きる悪い男の求愛を描いた物語は一見すると、エッチな性愛の物語に思えることもあるが、その奥底には純粋な愛の物語世界が流れている。とはいえ、その恋愛心理をどの程度描けるかは漫画家の力量にかかっているのだけど。

自分をフル発揮させる恋の力

スタンダールは4つの恋愛形式（①情熱恋愛 ②趣味恋愛 ③肉体恋愛 ④虚栄恋愛）を示していて、なかでも情熱恋愛だけが唯一「結晶作用」が起こる恋愛だとしている。「結晶作用」とは、塩抗で廃墟の奥に枯れ枝を投げこんで数ヶ月もすると、枯れ枝がダイヤモンドのようなきらめく枝に変身することから、恋する相手がどうしようもなく輝いて見えること。スタンダールは恋する者の心理を見事に捉えているが、相手に結晶作用を引き起こすような恋愛は、人生にそう何度も経験できるようなものではない気がする。まあ、恋愛には数多のバリエーションがあるから、恋愛の本質を肉欲にすぎないと考えたトルストイのような極端な場合もあるし、ごく一般的に友達に自慢したくて恋人を作ることだってあると思う。しかし、それと情熱恋愛の喜びはまた別なのだ。なんであれ、自分の心的な回路が働かなければ、どのような恋愛感情も生じない。しかし、いったんこの回路が動き始めれば、人は素晴らしい力を発揮する。

愛とはそもそも無償であるのが本当で、恋愛に関していえば、自分を他者へと向かわせる中で、人は喜びや驚きを再発見し、世界の広がりを計っていく。たとえば友達を作ろうと奮闘する『お嬢と番犬くん』の大人しいヒロインは、過保護な若頭の力を借りてクラスメイトとなじんでいく。そして自分にとってのただ一人の男のためになら危険な場面でも「あのとき こわくなんか なかった 啓弥のコト 守りたかたから」と力を発揮するのだ。

彼女たちの変化は、一体誰から、どこから、なにをきっかけにもたらされるのだろう。悪い男がそのすべての契機になっているとは思わないけれど、どの男よりも過激な暴力性をもつ悪い男はその性質のためか、恋した相手を過激に愛し、過剰に求め、秀でた身体能力でピンチに現れては女の子たちを飽きもせずにときめかせるのである。

アイスキュロスが『アガメムノン』の結びで「苦難によって学ぶ」と記したように、ヒロインたちが受苦によって学び、苦しみのなかでこそ自己の生きた存在感を強化するのだとしたら、こうした変化へ向かわせやすいのが、どの男よりも過激な欲望と暴力性をもつ悪い男なのではないだろうか。

悪いヤツは、やっぱりイケメン

悪は善よりも直接的かつ支配的で、分かりやすい。そのため嘘や偽りがなく、明確だ。こういう態度は、恋愛においてもけっこう重要だったりする。分かりやすくて、打算がない付き合い方というのは。

しかし、悪には危険がつきものだ。だけど、こうも言えるかもしれない。悪に向かう力をもつ悪い男は、善に対しても有能である、と。ヒロインを救おうとする行為は愛であり、激しい暴力性の内側には判断力と冷静さを兼ね備えていると。心の最奥に優しさをもっているのだと。悪い男との恋愛はそれだけで背徳的だし、激しくてまったく安心させてくれない。それでも、それゆえに、そうであるからこそ、極道モノに代表されるような悪いヤツは、やっぱりイケメンなのだ。

【参考文献】
『恋愛論』スタンダール、大岡昇平（訳）
『アガメムノン』アイスキュロス
『エロティシズム』バタイユ

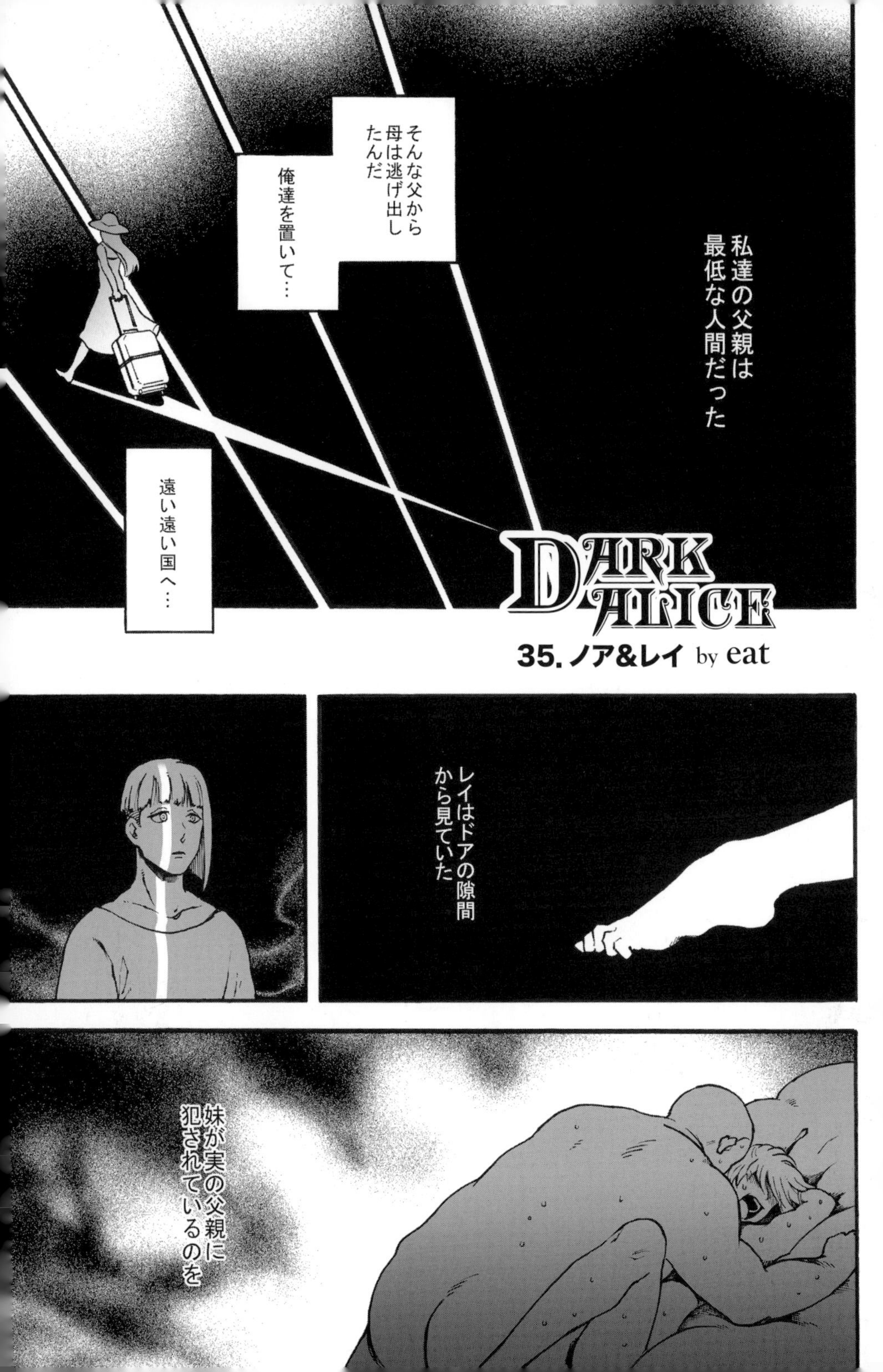
私達の父親は
最低な人間だった
そんな父から
母は逃げ出し
たんだ
俺達を置いて…
遠い遠い国へ…
DARK ALICE
35. ノア&レイ by eat
レイはドアの隙間
から見ていた
妹が実の父親に
犯されているのを

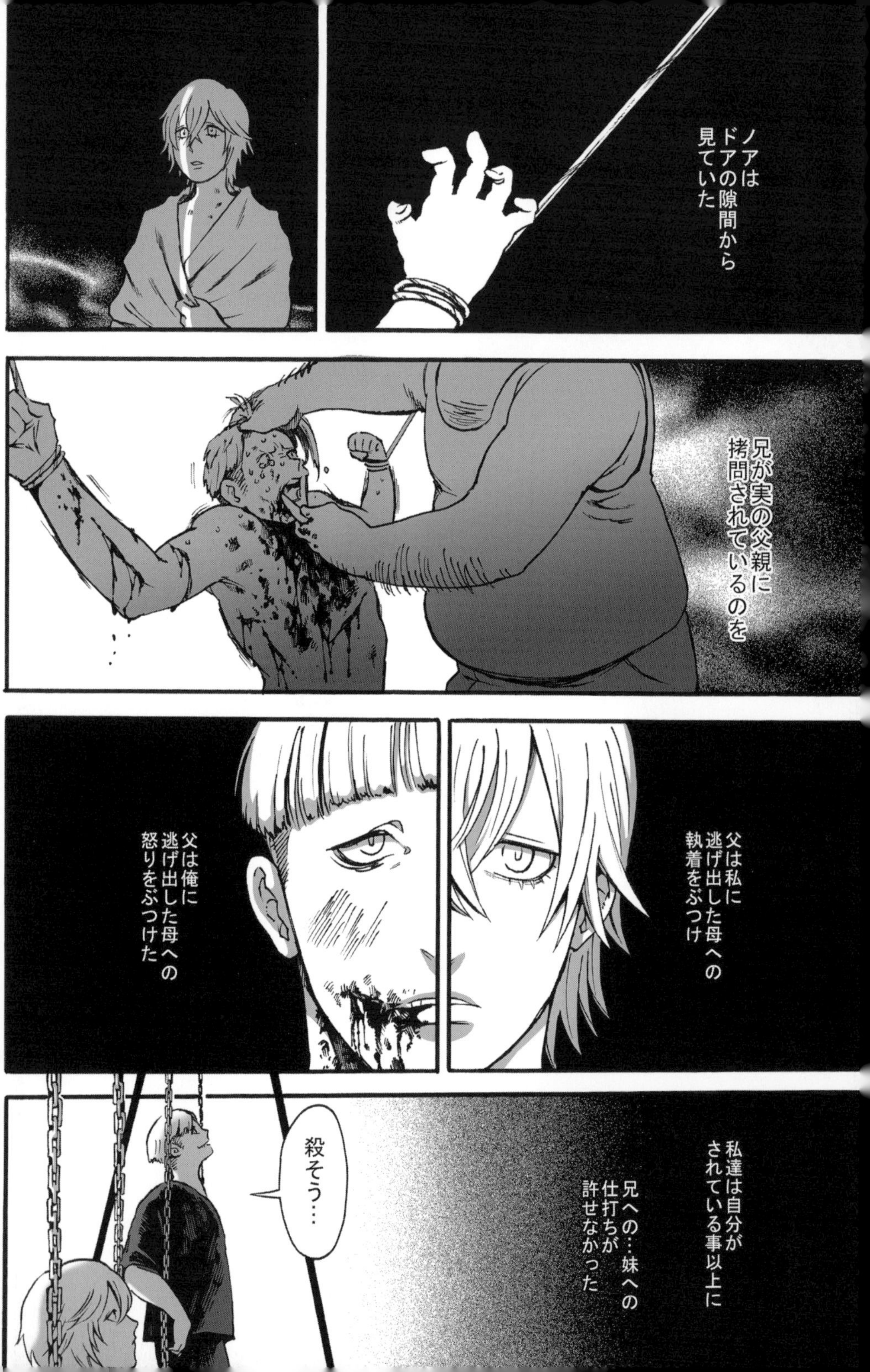
ノアは
ドアの隙間から
見ていた
兄が実の父親に
拷問されているのを
父は私に
逃げ出した母への
執着をぶつけ
父は俺に
逃げ出した母への
怒りをぶつけた
私達は自分が
されている事以上に
兄への…妹への
仕打ちが
許せなかった
殺そう…

それとも
あの女みたいに
俺らも逃げるか？
……
殺そう！
逃げたってあいつは
追いかけて来ちゃうよ
それに私は
あいつが生きてる
ってだけでも
堪えられない…っ！
…そうだな
キィ
んで
父さんを殺したら
旅に出ようか
二人で
そんであの女も
見つけ出して
殺しちまおう
それ
いいね
こうして
翌日―…

私達は初めて
殺人を犯した
ハァ
ハァ
ハァ…
ハァ
ハァ
ハァ
ハァ
ハァ
ハァ…
ハァ
く…
ひっ
ひ…
ハァ
ふ…
ひっく
ひっく
ふっぐ…
う…
うぐ
く…

悲しいやら
悔しいやら
どうしようもない
思いと
鉄の臭いと
赤い足跡を
そこに残して
私達の旅は
始まった
あれから
何年経った
だろう…
ピンポ〜ン
すみませ〜ん
警察の者
ですが
……
どんな御用
ですか？
ガチャ…
カサ…
今この子を
捜索中でして…
見た事
ありません？
…さぁ
あー…
そうですか…
ポリ
ポリ

いえね
こう見えて この少女 連続殺人犯 らしいんですよ
見かけたらすぐに 通報をお願いします
まだこんなに 幼いのに…？
よっぽどの 理由があるの かしら
同情は 危険です！
注意して くださいね！
はい
わざわざ どうも
失礼します
ふー
ボソ
タイミング 悪いのよ
でも あの女の子
気になるわ
親近感って やつかしら

おう
大丈夫そうか？
うん
そいつしゃべった？
こいつ…母さんの元彼って割には役に立つ情報を
持ってなかったぜ
……
待ち合わせはいつも同じレストランだったって話くらいだな…
だいぶ昔の話らしいが…
じゃあ次はそこね
それより
早くこいつをバラさなきゃ
警察が他の事件で警戒してて
そこら辺をウロウロしてるよ
はっ
そりゃヤベェな
O・K
まかせな
肉屋のバイトでつちかった早技を見せてやるぜ

母親を探す旅はとても困難だった
目的の為に沢山殺し…
これからも沢山殺すんだろう…
みんな汚れてる
それを一つ一つ消していく事で
私達は浄化されていくように感じていた
あの少女も
同じ思いなのかな…？
私達は悪くない

〈アート〉と〈革命〉は常に悪である
——テロ的アートの系譜

◉文＝石川雷太

1 「自爆テロ」という誤謬

「自爆テロ」という言葉がある。注意しなければならないのは、「自爆テロ」という言葉が予め価値評価を含んだ言葉だという点だ。日本で一般的に使われるこの訳語は「無差別殺人を行う犯罪」というニュアンスがあるが、現地では「スーサイド・アタック」＝「自殺攻撃」と言う。こうしたテロは、多くの場合、武器を持たない弱者が強い敵に立ち向かう最終手段として、決して無差別ではなく、ターゲットを定め、ある目的のために行われる。「犯罪」ではなく「レジスタンス」なのである。

しかし、例えそれが正当なレジスタンスであったとしても、その正当性・必然性を認めたくない者たちが、それらを「悪」と断じ「犯罪」と断じ、「自爆テロ」というレッテルを貼りたがるのである。「自爆テロ」という言葉を疑問なく使っている私たちは、そのマインド・コントロールに既にやられているのかもしれない。

「自爆テロ」という言葉が日本で一般化したのは、2003年のイラク戦争からではないかと思う。2001年、グローバリズム経済の中心であるニューヨークのWTCビルにハイジャックされた航空機が突っ込み、程なくしてビルは崩壊、2000人余りが死亡したとされる「9・11同時多発テロ」が起こる。事件後すぐにブッシュ米大統領は「これは戦争だ」と宣言し、報復として「テロとの戦争」の準備を進める。大した論拠もないまま、イラク、イラン、北朝鮮を「悪の枢軸国」と断定し、見せしめのように始められたのがイラク戦争だ。日本政府もこの戦争を支持した。

しかし、アメリカが開戦の論拠とした大量破壊兵器はイラクからは発見されなかった。「同時多発テロ」の犯人とされるテロ組織アルカイダの最高指導者ビン・ラディンもイラク国内には居なかった。かねてからアメリカの軍事力による覇権主義に異をとなえていたフセイン大統領は、拘束後に米主導のスピード裁判の判決直後に絞首刑となった。この戦争で死んだイラク人は、民間人を含め50万人以上、大半が市街地への爆撃による女性と子供の犠牲者だった。その後、イラクにはアメリカの傀儡政権が作られ、治安維持を理由にアメリカ軍が十数年にわたり駐留することになる。

こうした状況の中、イラクでは米軍を狙ったテロが頻発することになる。当然だ。テロはレジスタンスであり、民衆の怒りの表現に他ならないからだ。

2 西ドイツ赤軍派、赤い旅団

ドイツでは、1970年に「RAF／西ドイツ赤軍派」が結成される。民衆の武装蜂起による「世界同時革命」を提唱し、後に世界中で様々なテロを成功させる日本赤軍にインスパイアされ、前身である極左地下組織「バーダー・マインホフ・グルッペ」が「赤軍派」と改名した。「日本赤軍」と同じくレバノンの武装組織PFLPの施設で戦闘訓練を受けており、様々な武器や爆発物の技術を身につけていた。反帝国主義、反資本主義、反米をスローガンとし、西ドイツ各地で資金獲得のための銀行強盗、警官の射殺、駐留米軍、政治家を狙った爆破行動など、多数のテロ活動を行った。これらの活動に政治家たちは震え上がり、ベトナム戦争に協力する政府に疑問を持つ多く人々も彼らを支持したため、政府も彼らを無視できなくなっていった。

1972年5月に中心人物のアンドレアス・

★RAF／西ドイツ赤軍派のロゴ（左）とそのメンバー（右）

バーダーとウルリケ・マインホフたちは逮捕され投獄されるが、彼らの思想に共鳴した見も知らぬ若者たちが、同じような事件を繰り返し、政府の対応に影響を及ぼした。これはテロが社会を動かしたポジティブな実例であり、こうした思想が単なる個人的妄想や単なる犯罪として切り捨てられない証左とも言えそうだ。

同時期にイタリアでは、「赤い旅団」が結成される。1969年の結成当初は、極右勢力に対峙する労働組合の支援が主な活動だったが、次第に過激になり、資本者側の工場長の誘拐や、1978年にはモーロ元イタリア首相誘拐殺害事件を起こし世界的に知られるようになった。

★赤い旅団に誘拐されたモーロ元イタリア首相

日本においては、世界的に活動していた「日本赤軍」が有名だが、他にも、あさま山荘事件で壊滅した「連合赤軍」や、三菱重工爆破事件を起こした「東アジア反日武装戦線」などが知られている。

彼らの活動の結果だけを切り取れば凶悪犯罪との評価は免れないと思う。しかし、彼らの活動が「戦争のない世界を作り、人々を救うため」という良心から始まっているということは看過すべきではないだろう。そして、彼らを裁くなら、同じように、犠牲者の総数が500万人を越えるベトナム戦争を始めとする、数多の戦争の首謀者をこそ裁くべきなのではないだろうか。

赤軍結成時の声明「世界革命戦争宣言」の中の一節、「我々はもうそのかされだまされはしない／君達にベトナムの民を好き勝手に殺す権利があるなら／我々にも君達を好き勝手に殺す権利がある／君達にブラックパンサーを殺し／ゲットーを戦車で押しつぶす権利があるなら／我々にも　ニクソン・佐藤・キッシンジャー・ドゴールを殺し／ペンタゴン、防衛庁、警視庁、君達の家々を爆弾で爆破する権利がある／君達に沖縄の民を銃剣でさし殺す権利があるなら／我々にも君達をナイフで突き殺す権利がある」、この言説に反論する言葉は私には思い浮かばない。

3 アンダーグラウンドのラディカリズム、風の旅団

「風の旅団」は、1980年10月に日本で劇作家桜井大造によって旗揚げされたテント劇団である。もちろん直接の関係はないが、前述の「赤い旅団」を思わせるネーミングだ。だからという訳ではないが、彼らは演劇における言葉の暴力性、身体の暴力性に立ち返り、それを武器とし、60年代当初のラディカリズムを忘れ、商品のように劇場制度に回収されつつあった形骸化した演劇文化に対するアンチとして、自作のテント劇場を引っさげて日本国中を旅することになる。

野外テントで展開するその舞台では、火や水は当たり前、役者の肉体、血塗られた日本の歴史や在日朝鮮人問題、天皇制をもダイレクトに取り込んでいく。その表現は、演劇やアートの虚構性を暴き、私たちを否応なく現実に直面させるも

★風の旅団（写真提供：桜井大造）
上は、朝日新聞の20世紀の芝居で上位にランクインした「クリスタルナハト」1984年
左下は、「東京マルトゥギ」1983年／右下は、反天連デモ後、池袋路上にて

のだ。私たちを甘く安全な演劇空間の中に止どまることを許してくれない。

公演中のテントを機動隊に取り囲まれるという場面も何度もあったという。戯曲のラディカルさもあるだろうが、メンバーは演劇以外でもヤクザが牛耳る山谷で困窮する日雇い労働者への炊き出しを行うなど、常に社会の暗部にコミットしており、そうしたことも危険視されたのかもしれない。そのような現実の不条理、現実の体験を、さらに自らの劇空間にフィードバックさせて生まれる「風の旅団」の舞台では、常に既に「アート」と「現実」の境界線そのものが崩壊していたと言えるだろう。それ自体が体制にとっては脅威である。

4 都市空間を破壊する エロス、ゼロ次元

日本のテロ的アートとして外せないのは、1960年代に加藤好弘らによって結成された「ゼロ次元」だ。全裸にガスマスクの集団が街頭をねり歩くというその特異なスタイルは衝撃的であり、裸体そのものが安定を求める都市空間に対する破壊的な武器となることを証明した。加藤は自分の芸術・

★「ゼロ次元 全裸防毒面歩行儀式」（1967年12月9日）
写真：金坂健二／提供：ゼロ次元・加藤好弘アーカイヴ

★糸井貫二（ダダカン） 糸井宅付近／仙台
1970年9月20日、撮影：羽永光利
Photo: Mitsutoshi Hanaga Estate
Courtesy of Mitsutoshi Hanaga Project Committee. (Taro Hanaga, Gallery Kochuten and Aoyama Meguro)

★「万博破壊共闘派　反戦のための万国博（ハンパク）におけるパフォーマンス」（1969年8月10日）
写真：平田実／提供：HM Archive, Taka Ishii Gallery Photography / Film

パフォーマンスを「テロだ」と言ってはばからなかった。

1969年、加藤は当時反芸術的活動をしていた数人の芸術家とともに「万博破壊共闘派」を結成し、政治色を強めていく。「ゼロ次元」にとって闘争と芸術の境界はますます曖昧なものとなっていった。東京、名古屋、大阪を反博キャラバンし、更にはバリケード封鎖されていた京都大学の屋上で全裸パフォーマンスを行った。翌年、加藤らは学生運動家との関連を捜査していた警察により、猥褻物陳列罪容疑で逮捕された。また、1971年には、三里塚闘争の最中に空港建設予定地で開催された「日本幻野祭」に、頭脳警察、加藤登紀子らとともに「ゼロ次元」も出演している。

1971年、仙台の自宅「鬼放舎」前で行われた「殺すな」パフォーマンスが少年サンデーに載ったことで多くの人々に知られることとなったダダカンこと糸井貫二も、初期の「ゼロ次元」に参加していた。2012年に仙台のギャラリー・ターンアラウンドで行われた「ゼロ次元　加藤好弘展」の際に、加藤と糸井は40年振りの再会を果たしている。「殺すな」は、現在各地で行われている反戦デモでも有志のプラカードなどで使われている。主体的であろうとする表現者に対する、時代を超えたエールである。

5 闘争と芸術の合致、若松孝二

1971年、若松孝二は『赤軍―PFLP・世界戦争宣言』を完成させる。この映画は、後に「日本赤軍」に加わる足立正生とともに武装組織PFLP（パレスチナ解放人民戦線）に取材したニュース・フィルムで、若松の作品の中でも極めて重要で特異な作品だ。映画の中で、パレスチナのPFLPのメンバー、当時既に日本で活動していた赤軍派のメンバー、日本赤軍の重信房子などが武装闘争による「世界同時革命」の可能性について語っている。赤バス上映隊が結成され、新宿を皮切りに全国上映運動も行なわれた。ここでは映画と闘争が矛盾なく一体化した実践そのものとして立ち上がっている。この時代、〈革命〉はリアルであり、未来への希望だったのである。だが、皮肉にも、これに前後して連合赤軍が群馬県の山岳ベースで同志殺害とあさま山荘事件を起こす。

若松孝二は、後に「連合赤軍」の映画も撮っている。きっかけは、あさま山荘事件の現場指揮にあたった元警察官佐々淳行原作による映画『突入せよ！あさま山荘事件』（2002）だ。この映画は危機管理に従事する警察官の英雄談でしかなく、連合赤軍に対しては「国民の敵」という断定から始まる。あまりに一面的な酷い映画だったことに若松が憤り、「もうオレが撮らなきゃダメだ！」と作り上げられたのが『実録・連合赤軍　あさま山荘への道程』（2008）だ。

★若松孝二監督
「実録・連合赤軍 あさま山荘への道程」

★若松孝二・足立正生監督
「赤軍-PFLP・世界戦争宣言」

『実録』では、『突入せよ！』で全く省かれていた重要な要素、すなわち、全共闘から始まる新左翼運動の流れ、ベトナム戦争などの時代背景、そうした時代の中での若者たちの葛藤、高い理想と無謀な夢、孤立し追い詰められ自壊していく過程までが、学生や若い労働者など連合赤軍のメンバーの視点からつぶさに描かれていく。リアルな集団リンチの場面などはトラウマになりそうなレベルだ。あまりにも能天気なエンターテイメントでしかない『突入せよ！』と鬼気迫る『実録』を並べて観ることによって、本当の意味での映画芸術が担うべき役割とは何か、アートが伝えるべきものが何かも見えてくるだろう。

私たちには物事を自由に感じ自由に考える権利がある。私たちに価値の規範を押し付けてくる言葉や情報は危険である。「自爆テロ」もそうだ、「天皇制」もそうだ、「赤軍は国民の敵」という言葉もそうだ。私たちが生きる世界は、実はそのようにして刷り込まれた「言葉」の総体だ。私たちは誰かが作った「物語」の中に、「虚構」の中に押し込められて生きている。だから、善悪の彼岸から降り立つ、〈幻想へのテロル〉が必要なのだ。

〈写と真実……8〉

嗤い声を高らかに

●写真・文＝タイナカジュンペイ

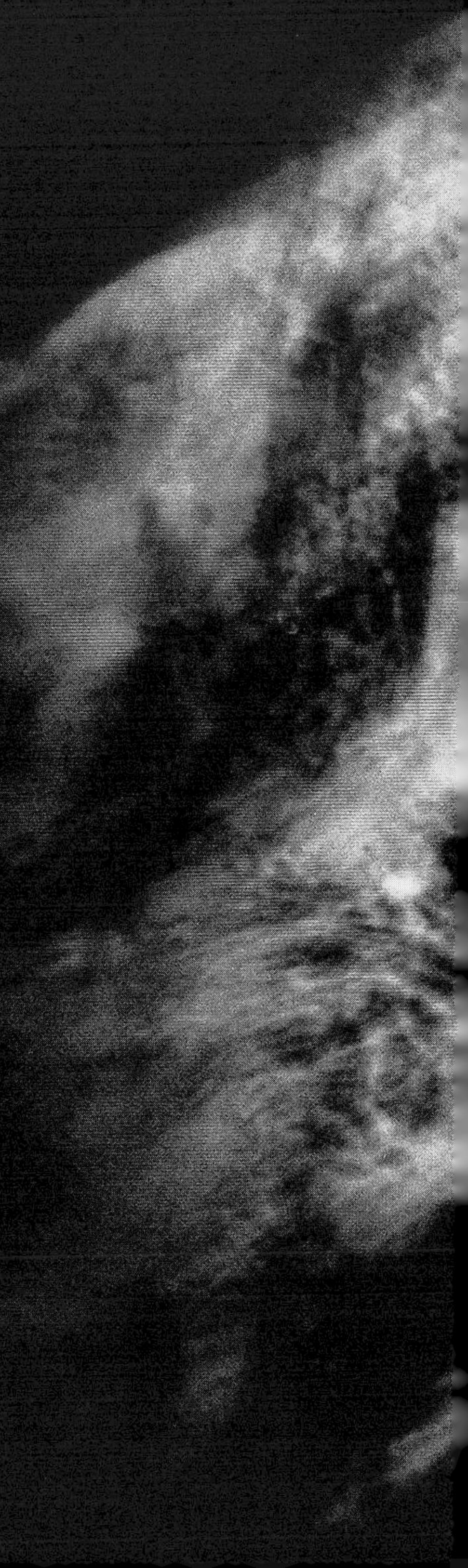

悪を嗤え
自由でいたい
自由で　いたい
自由意志の決意は　善くないこと
自発的に忠誠を誓わせる
自由を決意した　ものたちは
さようならと追放される
ゆく先が楽園だと　伝わらない
「とまどい」

悪を嗤え
あっ　と生まれて
うん　と死ぬ
その間のことは　どうでもいいさ
いろいろ　あった
いろいろ　なかった
善とつくやつが　騙す
そんなことがあっただけさ
「くるしみ」

悪を嗤え
思いも　しないだろう
善しと吐いた　言葉が
まっさらだった心に
鏡のごとく言葉たち
すっかり誕生　していることに
狙いだったの　かしら
念いもしていなかったのに
「かなしみ」

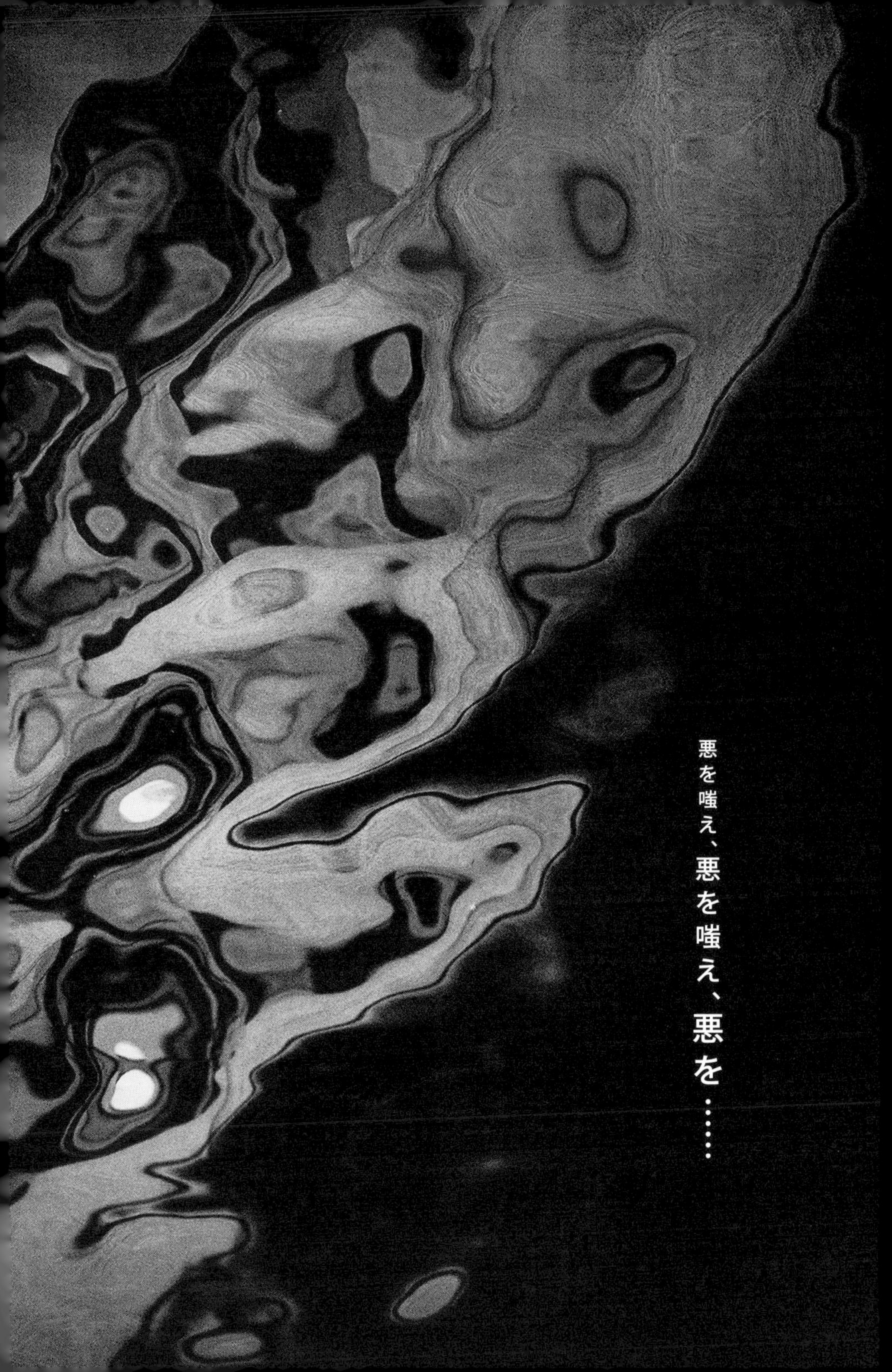
悪を喰え、悪を喰え、悪を……

★「チャップリンの悔悟」(1916)

警官を蹴るチャップリン
——映画はなぜ警察を敵視するのか

◉文＝高槻真樹

敵は警官

映画の創成期、喜劇王チャールズ・チャップリンはなかなかのワルだった。ムスッとした不機嫌そうな顔でスクリーンに現れ、やたらと人を蹴る。相手は、政治家、金持ち、貴婦人など、お高く止まった面々だ。ズカズカと現れた場違いな放浪紳士は、何の理由もなく、いきなり蹴りつける。だが一番の標的は、制服姿の警官たちだった。

これはチャップリンに限ったことではない。近年修復が進む初期喜劇映画の中で、一貫して小突き回されるのは、制服警官なのだ。殴られたり、パイをぶつけられたり、穴に落とされたり、とにかく散々な目に遭う。

「敵は警官」と決めつけたのは、初期喜劇映画だけではない。一九一〇年代の犯罪活劇でも、「ジゴマ」(一九一一)「ファントマ」(一九一三〜一四)などの怪盗が、大いにもてはやされた。主人公には道徳的信念などなく、欲望の赴くままに犯罪を繰り返し、超常的な力を発揮して、警察の無能をあざ笑い、悠々と逃亡した。むろんこれらのアンチモラル的な表現は批判を呼び、弾圧と規制の対象になった。

映画表現のアナーキーな傾向に気付いた日本の権力者たちは、映画の中で「警官を殴る」行為を厳禁とした。だが諾諾と命令に従っている映画人たちではなかった。時代劇の世界に活路を見出し、御用提灯をかたっぱしから切り捨てるやくざ者たちを、アンチヒーローとして讃えてみせたのである。

映画の世界では、「正義の執行者」を名乗る警官が、敵役として定着していく。その一方で、警察の敵対者としての犯罪者たちが、ヒーロー視されるようになっていく。

映画は、巧みに表現の形を変えながら規制

★「ジゴマ」(1911)

をかいくぐり、「悪」を讃えることをやめなかった。トーキー導入後、欧米で人気を呼んだのは、ノワール映画と呼ばれる暗黒街活劇だった。マフィア・ギャングなど犯罪組織を舞台とする映画も盛んで、フランシス・フォード・コッポラ監督「ゴッドファーザー」(一九七二)で、ひとつの完成形にたどり着く。

日本でも、戦前から戦後まで一貫して、やくざ映画は人気のジャンルだった。特に、高倉健を主役とする戦後の任侠映画では、左翼学生運動に没頭する若者たちが飛びついた。政治的には正反対のはずの、昔かたぎのやくざ者に共感し、「ナンセンス」と敵役をヤジる歓声が、満員の映画館に飛び交ったという。

ニヒルな殺し屋やスマートな詐欺師も主人公になり得たし、男たちを手玉に取る悪女も格好の題材だった。早川雪洲を世界的スターにしたセシル・B・デミル監督「チート」(一九一五)のように、女の肌に焼きごてを押し当てるサディスト貴公子に、女性観客が熱狂した例もある。

映画表現の中で描かれた「悪」は実に多様で、それを受容したのは必ずしも男たちだけではない。小説にせよ演劇にせよ、ピカレスクな表現は珍しくはないが、ここまで大きな割合を占めることはなかった。

いったい映画にとって「悪」とは何か。犯罪者をヒーローとして讃え、警察を敵役として蔑む。それを当たり前として共有する空間は、旧弊な保守層からは、反社会勢力の巣窟にしか見えなかったに違いない。日本でも一九八〇年代までは、映画館への立ち入り自体を禁じる中学・高校の校則が、当たり前に存在した。

★「チート」(1915)

だが、薄汚れた場末の小屋が消え、ミニシアターやシネコンに取って代わられると、映画館自体を「犯罪の温床」として排除する声は嘘のように消え失せる。当時その激変ぶりに、唖然としたものだ。

ところが今でも、犯罪者が警官を打ち倒す映画は、普通に上映され、観客の喝采を浴び続けている。状況は何も変わっていないのだ。アメリカの人種差別反対デモや沖縄への弾圧を見ればわかる通り、警察は今でも粗暴な顔を捨てていない。その一方で、イメージ管理はうまくなった。街に出て警察への印象を聞けば、政治家や官僚よりは信頼できる存在、と答える人が多いだろう。にもかかわらず、警察を敵役とする映画を、誰も疑問も持たずに受け入れる。これはどういうことだろうか。

イメージの起源

そもそも映画が警官を敵役として描くようになったはじまりの時代、一九世紀末～二〇世紀初頭に立ち返って検証してみる必要がある。第七芸術、と言われることもある映画は、もっとも近代になって表れた表現手段である。知的エリート層の表現としてスタートした演劇や小説とは違い、高コスト体質のため、システム維持のためには、大量の観客を必要とする。まさに、当初から「大衆」のための表現だった。そこに特定個人の意思は介在させようもない。売れたものが生き延びる。つまり警察を敵とする映画は、よくヒットしたのである。それも繰り返し繰り返し、現在まで継続して使われるほどに。

このころの警察とは、どういう存在だったのだろうか。そうした疑問に答えてくれる資料は決して多くないが、ここでは決定版と呼べる一冊『近代ヨーロッパの探究⑬警察』(林田敏子・大日方純夫編、ミネルヴァ書房）を取り上げてみよう。
本書で紹介されているのは、ドイツ、フランス、イギリス、アメリカ、日本の事例である。制服を着用し日常の治安維持に特化した、現在の警察に近い組織が整備されたのは、多くが一九世紀後半と、意外に最近である。つまり、映画創成期は、警察にとっても、まだまだ誕生から日が浅い時期だったのである。

そして、どの国でも、警察官は低学歴で人材に乏しく、市民を邪険に扱って嫌われがちだった。イギリスでは、しばしば警察解体を求める運動まで起きている。フランスでは第二帝政のクーデターに組織ぐるみで関わり、共和派から不信の目で見られた。ドイツではストライキ破りにしばしば投入されたし、アメリカでは政治家との癒着・腐敗がひどかった。

日本では、明治維新とともに警察制度がスタートしたことはよく知られている通りだ。創設時には、地域住民の信頼を得ることを求めるなど、強権に頼らない工夫が模索されたが、自由民権運動、大正デモクラシーと市民意識が高揚する中で、対抗手段として「皇室・国体」が前面に出され、思想統制機関としての役割を強めていくことになる。

★林田敏子・大日方純夫編著『近代ヨーロッパの探究⑬ 警察』（ミネルヴァ書房）

市民と警察が対立した背景にあったのが、人口の流動化と都市の拡大だ。個々人が平凡な幸福を追求しようとしたときに、旧来型のモラルと対立する事態が増え始めていたのだ。農村から都市への移住や、人種・身分を超えた結婚、ストライキなどである。国家や宗教は、秩序維持を口実に、それらをしばしば「悪」とみなし、弾圧した。

「悪」はにわかに身近になったのである。もちろん、人々は自らの信念＝善に基づいて行動しているのに、「悪」とそしられる。人々はモラルを独占してきた国家と宗教に疑問を抱き、対立する存在である犯罪者への関心と共感が広がっていく。

実際、「ジゴマ」や「ファントマ」などの初期犯罪活劇でも、「悪」の賛美は意図して生まれたものとは言えない。怪盗を追いかける探偵や警官は、十分優秀な存在として描かれている。だが、そんな有能な追手を打ち負かすなんてすごい！ と、観客の人気は怪盗に集中した。現実世界では、炭鉱労働者は果敢にストライキに挑んでいたが、連戦連敗。その絶望感を癒してくれる犯罪者は、観客の希望の星になった。

「敵の記号」を超えて

そうした表現が今日まで生き延びた背景には、「イメージの裏切り」という、映画独特の話法にうまくはまったということもあるだろう。善良そうな人物が邪悪にふるまったり、ワルぶった人物が純朴だったりと、観客の思い込みを利用して意外性を発揮し、物語に深みをもたらす。サスペンスなどでおなじみのスタイルだ。

映画表現は、長い期間をかけて、少しずつ観客とのイメージの共有を図ってきた。悲劇を予兆する場面では暗雲が垂れ込めるし、大団円には青空が広がる。私たちは特に疑問を持たないまま受け入れているが、実はリアルではない記号表現はとても多い。「敵役の警官」もそうしたアイコンのひとつである。相変わらず国家は邪悪だが、官僚や政治家は「アクション」に乏しい。だから警官が格好の「敵の記号」となった。

とはいえ、惰性で警官を叩いてばかりでいいのだろうか。

田舎の警察官の人情あふれる日常を描いた、久松静児監督「警察日記」（一九五五）は、数少ない例外だ。破防法が導

★「警察日記」（1955）

入され逆コースが吹き荒れる時代だったからこそ、戦後生まれた「民主警察」の一瞬のきらめきを慈しむように描くことができた。

つまり、時代に背を向けた逃避的な表現では、新しい何かは生まれない。低コストなデジタル時代を迎えた今、映画はより身軽に作れるはずだ。従来の記号に依存しないやり方が、求められているのではないだろうか。ひとつの指標を示しているのが、絶頂期にある韓国映画だ。

ポン・ジュノ監督「殺人の追憶」（二〇〇三）は、黄金時代の幕開けを飾った作品のひとつである。一九八〇年代に実際に起きた連続殺人事件をモデルとし、窒息しそうな独裁政権下で、真相が歪められていくさまが描かれている。主人公は証拠を勝手に捏造する悪徳刑事だが、情熱は人一倍強い。まず犯人を決めつける自分の誤りに途中で気付き、真相の究明に没頭するのだが、それだけでは真実にたどり着けない。改心と熱意だけでは、まだ何かが足りないのだ。

チャン・ジュナン監督「一九八七、ある闘いの真実」（二〇一七）は、学生拷問死事件から六月民主抗争に至る歩みを描いた。アル中のワルぶった反体制派検事など、いかにも映画好みのキャラクターも出てくるが、ここに万能の英雄はいない。すべての登場人物は凡人で、国家に歯向かって惨めに敗れていくのだが、それぞれに一矢を報いる。そして、その叛逆のうねりが一点を超えた時、一気に世界が変わる。無数の叛逆者がいれば、万能の悪人など不要である。本国では、公開一か月で観客動員七〇〇万人を超えたという。

オム・ユイ監督「マルモイ」（二〇一九）は、日本統治下で、ハングルの辞書づくりに奔走した人々の物語である。主人公が無学なスリで、仕事にしくじったことから、ハングルの研究者たちと出会う、という仕掛けが面白い。小悪党である主人公が、自身のネットワークを駆使して、支配者たる日本帝国を出し抜き、辞書づくりをサポートする。つまり犯罪者ヒーローの系譜も踏まえつつ、その先へ進む。警官による逮捕・拷問・弾圧の表現はむしろ抑制的だ。硬軟織り交ぜて、親日派に転向せよと囁きかけてくる、総督府の精神的な攻撃こそが恐ろしい。母国語を失わないために、いかに心折れずに戦い抜くか、試される一人一人の内面が、重要なテーマとなっている。仲間と支え合い知恵を出し合い、いかにしてバトンを明日へ繋ぐか。時代を超えて共感できる、普遍的な表現に成功し、日本でも上々の反響を得たのは、うれしい限りだ。

ここまでの三作品では、表面的で身近な小悪と、背景に隠れた巨悪＝国家が対比的に描かれている。巨悪と闘うエネルギーとして、小悪がうまく配置されている。だが、「悪」の力に頼ることは、「悪」に呑まれる危険もはらむ。先述したポン・ジュノ監督の新作「パラサイト」（二〇一九）は、そこに踏み込み、さらなる出世作となった。貧困からの脱却を目指す一家が富裕層の家庭に入り込み、富を奪おうとする物語だ。カンヌ映画祭・米アカデミー賞など各賞を総なめにした。貧乏家族の悪行に共感しようとする観客の衝動は、最後に手ひどく裏切られる。本作における警察の存在感はひどく希薄で、父は逃げおおせるし、息子はあっけなく釈放される。だが、それは何の勝利も達成感ももたらさない。「敵は警察」ではないのである。袋小路のラストは、逃避に溺れる危険性を観客に悟らせ、ひとつ上のステージへと導く巧妙な仕掛けを備えている。家族の結末は苦いが、観客の「希望」はある。だからこそ、世界中でヒットが続いているのではないだろうか。

★（上）「マルモイ」（2019）
（下）「パラサイト」（2019）

人間的な、あまりに人間的な善悪の彼岸

——映画『ルー・サロメ』『ソドムの市』『神々のたそがれ』を中心に、人間の業について考えた

◉文＝浦野玲子

ルー・ザロメとニーチェの場合

40年以上ほど昔、こんな歌が流行った。

「♪ソ・ソ・ソクラテスかプラトンか、ニ・ニ・ニーチェかサルトルか、みーんな悩んで大きくなった……」

当時の売れっ子作家、野坂昭如が歌うサントリー・オールドというウイスキーのCMソングだ。作詞はこれまた当時の花形職業だったコピーライター、仲畑貴志が手掛けた。

ウイスキーの宣伝に、世界の哲学者を列挙するあたり、新宿ゴールデン街あたりでオダをあげてクダを巻いてる進歩的文化人や似非インテリの言動をからかっているようにも思える歌詞だ。これは頭の回転が速すぎて、ちょっと吃音気味になる野坂昭如の口調をそのまま取り入れたのかもしれない。

ともあれ、この歌は、高校や大学の一般教養課程でちょこっと哲学をかじり、その難解さにギブアップした凡百の徒にも、偉大な哲学者も「にんげんだもの」的なシンパシーをもたらしてくれた。

同時に、ニーチェやサルトルなどの哲学者の「悩み多き」プライバシーにも興味をもつようになった。中二病や青年期特有の生と性の悩みである（フロイトではないが、この時期の人間は生と性の悩みが不可分かもしれない）。

ニーチェについては、梅毒にかかり発狂して死んだ……というザクっとしたバイオグラフィーを知り、ちょっとがっかりした。高邁で深遠な哲学的概念を構築しながら、私生活は娼館通いやアヘン乱用と悪行の数々。ドラッグや不倫でタレント人生を絶たれる今どきの芸能人よりタチが悪いじゃん！

しかし、ニーチェは肉体の喜びを知ることで、四角四面で空疎な観念論を脱し、人間本来の生存感覚としての哲学を構築したといえるのかもしれない。

サルトルの場合はどうか。俗にいえば内縁の妻であるシモーヌ・ド・ボーヴォワール女史との関係はどうなっているんだ。どちらも愛人を持ち、性的に放縦（サルトルは性的不能だったという俗説もあるが）。アタマがよくてカネがあれば、何をやってもいいのね、結局。

ただし、ボーヴォワールについては、女性の間では評価が高かったと思う。１９７０年前後の若者の反乱の時代、フェミニズム運動も「ウーマンリブ」として盛りあがり、『第二の性』は当時の（一部の）若い女性の必読の書でもあった。

このボーヴォワールの先駆者ともいうべき女性がいる。それが、ルー・ザロメだ。ニーチェをはじめ、詩人のリルケ、精神分析のフロイトら、19世紀から20世紀初頭に活躍した知識人や芸術家を虜にした才色兼備のロシア系ユダヤ人である。彼女こそニーチェを「善悪の彼

岸」に導いた決定的人物といえるのではないだろうか。

そんなニーチェの生と性と死の顛末を描いたのが『ルー・サロメ　善悪の彼岸』という映画だ。監督は『愛の嵐』で有名なイタリア人のリリアーナ・カヴァーニ。当時売れっ子だったフランス人のドミニク・サンダがルー・サロメを演じた。

ちなみに、ルー・ザロメというのが本来の発音に近いようだ。日本でルー・サロメと表記されたのは、ザ行の語感の悪さに加え、たぶん妖婦サロメのイメージで観客を呼び込もうとしたのだろう。

そのせいもあってか、日本初公開当時、わたしはケン・ラッセルの『サロメ』を先に見てしまった。退廃的エロスを撮らせたら天下一品のラッセル作品だけあって、こちらもドタバタながら官能的で面白かった。

『ルー・サロメ　善悪の彼岸』は、簡単にいうと、ファムファタル的なルーと、梅毒罹患後のニーチェと、ニーチェを敬愛するパウル・レーという青年の三角関係の物語。それをルーは「聖三位一体」と称するのだが、客観的に見れば女性の願望丸出しの少女趣味的な自己満足にも思える。

★パウル・レーとニーチェに対し、
鞭のようなものをかまえてポーズをとるルー・ザロメ（左）（1882年）

ルーと知り合った当時、ニーチェはすでに病が進行し、ひどい頭痛に悩まされていた。それを緩和するためアヘンを常用していたようだ。その幻覚と覚醒時の明晰な頭脳のはざまで既存の男女関係や性の問題やらについて思いを巡らし、自殺願望にとりつかれながら、『ツァラトゥストラはかく語りき』を完成させたらしい。

いわく「愛によってなされたことは、つねに善悪の彼岸にある」。

「キリスト教はエロスの神に毒を飲ませた。エロスの神はそれで死にはしなかったが、堕落して悪徳になった」。

映画の中でも、ニーチェはアヘンを吸っては娼婦と戯れ、自堕落な生活に耽っている。そんな折、インテリや芸術家が集うサロンでルー・サロメとパウル・レーが知り合い、ニーチェを

★「ルー・サロメ――善悪の彼岸」

含めて奇妙な共同生活が始まる。

　主導権を握るのは、二十歳そこそこのルー。セックスも三人共同でわかちあおうということらしい。年長者のニーチェは、ルーとパウルをけしかけ、その行為を覗き見るのが快楽というエロ爺のような体たらく。

　だが、恋多き女性にしてラジカルで知識欲旺盛なルーは、そんな生活には飽き足らず、新たな知的冒険を求めて旅立ってしまうのだ。

　そのなかで、哀れなのはパウル・レーだ。ルーに振り回されたあげく、哲学の試験に落ち、一介の町医者となる。だが、ニーチェの病が進行し、馬に話しかけて発狂した（発狂して馬に話しかけたのか？）ことを知らされて絶句。その瞬間、自分の真の欲望、願望を知る。

　これは、あくまでも映画の中での話だが、パウルはニーチェを愛していたことに気づいたようなのだ。自分こそニーチェに愛される「女になりたかったんだ！」と。パウルはサロン仲間たちからもルーの女官、侍女などと呼ばれていたようで、もともと女性的な心性があったのかもしれない。

　パウル・レーは、通説では川に身を投げて自殺したと伝えられるが、謎も多いという。映画では、ニーチェ発狂を知ったレーが放心し、町をさまよう。そして場末の居酒屋で汗臭い野卑な労働者（ホモセクシュアルか、穴があれば男女問わずという輩か）に酒をふるまい、半ば自らを犯すように男たちをけしかける。挙句、その野卑な男たちに凌辱され、溺死させられたのではないか……と想起させるのだ。

　このシーンを見て、カヴァーニと親交があったというパゾリーニの無惨な死の結末に重ね合わせているのではないかと思った。パゾリーニは『ソドムの市』完成後、パゾリーニが買春を迫ったというチンピラ少年に暴行され、車で轢き殺されている。

　パウル・レーを演じたのは、端正な顔立ちのイギリス人俳優ロバート・パウエル。ケン・ラッセルの『マーラー』が代表作かもしれないが、その前に『ナザレのイエス』（フランコ・ゼフィレッリ監督）でイエス・キリストを演じている。そのキリストが鞭打たれ、苦悶の表情を浮かべるシーンと、パウル・レーが暴漢に凌辱されるシーンがオーバーラップしてしまう。

　また、ニーチェ役のエルランド・ヨハンソンはスウェーデンの名優だが、後にタルコフスキーの黙示録的作品『サクリファイス』でも無神論者のアレクサンデルを演じることになる。そこでは、核戦争勃発の日に誕生日を迎えた息子のために、人類の生存を賭けて神と対峙し、ついに発狂する姿が描かれている。

　だいぶ前にも書いたが、『サクリファイス』で荒涼とした風景の中で1本の松に手を添えて佇むアレクサンデルの姿。この画像と、東日本大震災の津波により壊滅的被害を受けた陸前高田市の名勝・千本松原で、たった1本だけ残った「奇跡の松」が酷似していると話題になった。タルコフスキーの予言だろうか、シンクロニシティだろうか？

パゾリーニの『ソドムの市』

　リリアーナ・カヴァーニが『ルー・サロメ　善悪の彼岸』で、パウル・レーに「女になりたかった」と言わせていること。また、発狂したニーチェのもとを訪れたルー・サロメが彼を抱きしめ、憐憫の情を込めつつも、挑発的な眼差しで「これからは私たちの時代よ」とつぶやいたこと。これらのセリフはまったくの脚色だろうが、女性監督ならではの想いが込められていたのではなかろうか。

　道徳も哲学もアートもセックスも、男性原理がまかり通ってきたが、19世紀後半から20世紀にかけて、ルー・サロメのように、男社会のしがらみからするりと抜け出した「自由な」女たちが相次いで出現した。カヴァーニは、ドミニク・サンダ演ずるルー・サロメを通

して「男ってバカよね」、「地位や名誉や組織や因習にとらわれず、女は自由にしたたかに生きるわよ」……というようなことを表現したかったのではないか？ と女性である筆者は思いたい。

ただし、映画としてはニーチェという偉大な哲学者とインテリ女のエピソードが題材だけに、こなれ感がなく生硬なイメージで、前作『愛の嵐』のような善悪の埒外にある男女の不条理な愛憎、被虐・加虐の倒錯的なエロス、痺れるような官能性…というものがうまく描出されていないような気がする。

余談だが、ルー・サロメを演じたドミニク・サンダは、ベルナルド・ベルトリッチ監督の『1900年』でも、大地主の青年とその幼馴染の小作人の青年のミューズ的女性を演じている。同じくベルトリッチの『暗殺の森』でも、似非ファシストの青年が憧憬する妖艶かつクールなインテリ美女を演じている。彼女の夫は、青年の恩師である大学教授（サルトルを想起させる風貌）だ。

さらに、イタリアのムッソリーニ政権下、ナチスに迫害されるユダヤ人大富豪の家族の悲劇を描いた『悲しみの青春』（ビットリオ・デ・シーカ監督）でも美しく聡明なヒロインとして主演。彼女を慕う青年と、その近親相姦的な兄（ヘルムート・バーガー）との危うい関係とユダヤ人の悲劇が描かれている。

ちょっと受け口でおでこが広く、日本の能面のようにも見えるドミニク・サンダ。『愛の嵐』のヒロイン、シャーロット・ランプリングと同様にやや貧乳で、中性的とさえ思えるのだが、倒錯的な世界、非日常的な世界では、危うく妖しいエロスを醸し出すのかもしれない。

★「ソドムの市」

前置きが長くなったが、ピエル・パオロ・パゾリーニの『ソドムの市』について。ご存知、マルキ・ド・サドの原作をファシスト政権下の20世紀イタリアを舞台に置き換え、架空の設定ながら、大貴族や宗教者、法律家、大統領という権力者の悪逆非道をこれでもか、これでもかという具合に描き出す。見ていて胸糞が悪くなるほどだ。

この『ソドムの市』に比べれば、同じスカトロ・鬼畜系でもジョン・ウォーターズの『ピンク・フラミンゴ』のほうがアヴァンギャルドで実験精神にあふれ、スラップスティックコメディのように軽やかで、後味がいい。たとえ、主役のドラァグクィーン、ディヴァインがサービス精神たっぷりに本物の犬糞を食らったとしても。

『アポロンの地獄』や『王女メディア』、『豚小屋』、『テオレマ』、さらにキリストの生涯をドキュメンタリータッチで描いた『奇跡の丘』と、宗教や道徳や既存の価値観を揺さぶり、人間本来の「業」（としか名づけえないと、わたしが思うもの）について深く深く考えさせてくれる映画人としてリスペクトの対象だったパゾリーニ。それが、こんなスカトロジーとサディズムの極致のような映画を作ってしまうなんて！ あまつさえ、この呪われた映画が完

成した直後に惨殺されてしまうなんて!!

パゾリーニは、善悪なんていう抽象的な概念、価値基準、自然環境や人間の心性によって変動するモラルや行動規範、それらをはるかに凌駕する人間の業の深さ、闇の深さを身をもって知らしめたのか。はたまた、王女メディアのいけにえの儀式さながら、一種のサクリファイス(供犠)として自分の肉体を提供したのか?

無神論者のコミュニストであるパゾリーニの作品は、当時のイタリアではいろいろ物議を醸していたという。また、政治的な問題やマフィアもからみ、右翼に謀殺されたのではないかという説もある。

さて、『ソドムの市』は、件の4人の権力者の慰み者として、イタリア各地から美貌の少年少女が誘拐され、家畜のように調教される。しかつめらしい顔をした権力者たちが女装したり、糞尿を飲食したり、果ては少年少女を人間狩りの標的にする始末。

この地獄絵図をみて、だれもが(スカトロジストやサイコパスを除いて)ナチスの蛮行、アウシュビッツに代表される強制収容所を想起したのではないか?

ドイツ人哲学者アドルノは「アウシュビッツ以降、詩を書くことは野蛮だ」と言った。言葉という抽象的なツールでは語りつくせないこと、まさに筆舌に尽くしがたいことがあったのではないだろうか。

だからこそ、この時代を体験、体感したヨーロッパの映画作家たちは、善悪という空疎な観念論やモラルを吹き飛ばすナチスやファシストの蛮行、戦争の不条理、ホロコースト、ひいては人間の愚かさ、卑劣さ、だれもが加担しうる「凡庸な悪」(アンナ・ハーレント)をエロ・グロ・ナンセンスな映像を通して描き出さずにはいられなかったのではないだろうか。

サルトルの教え子にしてボーヴォワールの愛人だったという、クロード・ランズマン。彼もまた、ホロコーストを描いた大長編ドキュメンタリー『ショア』(タル・ベーラの『サタンタンゴ』より2時間も長い!)を制作した。

A・ゲルマンの『神々のたそがれ』

人間の業の深さ、愚行、蛮行を描いた映画としてトドメをさすのは、現時点では、アレクセイ・ゲルマン監督の『神々のたそがれ』ではないかと思う。

モノクロの凍え切ったような映像だが、雪中のぬかるんだ泥道、絞首台にぶら下がり、半ばミイラ化した死体、肥溜めに突っ込まれた死体、ところかまわず吐き出される唾や痰、全編に糞尿と饐えた汗の臭い、血腥さが漂っている。

舞台は、地球より八百年ほど進化が遅れている惑星のある王国。その首都アルカナルに惑星の住人たちを観察するため地球の学者が派遣されるというSF映画なのだ。しかし、これはどう見ても中世のヨーロッパ。ピーテル・ブリューゲルの「雪中の狩」や「絞首台のかささぎ」、「農民の踊り」といった有名な絵を想起させる。

さらに、糞尿や人間狩りのような虐殺、干した魚の頭、死体を啄むカラス、拷問や股裂き用の車輪などを見ると、ヒエロニスム・ボスの「愚者の舟」や「七つの大罪」、「最後の審判」などの絵を想起せずにはいられない。

なによりも人間の身体の醜悪さの描き方がすごい。垢じみた薄汚い服を纏ったぶよぶよの肉体、あばただらけの尻、痴愚のような愚鈍な顔つきの老若男女……。規格外の人間を集めた人間動物園というか、言動も含めて人間とはこんなに醜い生き物なんだっけ?と絶句してしまいそうな映像が延々と続く。

この惑星では、地球でいうところのルネッサンスを前に足踏み状態が続き、大学破壊や知識人狩りなど反動化が進んでいる。観察者

たる地球人は、タイムトラベラーの宿命として歴史に介入することはできない。だが、主人公の地球人ドン・ルマータは現地の人々からは異教神の子として畏れられており、その地位を利用して知識人たちを匿ったりしている。だが、それも焼け石に水。権力者たちの蛮行、愚行を傍観するしかない。

しかし、ついにドン・ルマータの怒りが爆発し、権力者もろともアルカナルを破壊しつくしてしまう。やがて、地球人調査団は任を解かれ（こんな惑星、救いようがないから放っておけということか）、地球に帰還することになるが、ドン・ルマータはなぜかこの惑星にとどまることを選択する……。というような内容だったと思うが、奇々怪々かつグロテスクな映像に圧倒されて物語はあまり記憶にない。

『神々のたそがれ』の原作は、ストルガツキー兄弟のSF小説『神様はつらい』。邦訳が1970年に出ている。旧ソ連当時の小説としては、ノーベル文学賞を受賞したソルジェニーツィンの『イワン・デニーソヴィッチの一日』や『収容所群島』が日本でもベストセラーになっていたこともあり、わりと早めに翻訳されたのだろうか？　タルコフスキーの『ストーカー』の原作もストルガツキー兄弟の作品という。

★「神々のたそがれ」

SF小説とはいえ、『神様はつらい』は明らかに旧ソ連への体制批判、粛清の嵐が吹き荒れたスターリニズムの時代への風刺と批判が込められているのだろう。

なにしろ、スターリンが政権を握った1930年代の恐怖政治で粛清や強制収容所送りになった人々、机上の空論的な計画農業政策によりウクライナなどで餓死した人々は3千万人に及ぶという。これはナチスのホロコーストの死者より多いではないか！

アレクセイ・ゲルマンには、スターリンの死の直前の政権内部の混乱を描いた『フルスタリョフ、車を！』という作品もある。個人的には、躍動感のある映像、作品の強度という点で、こちらのほうに軍配をあげたい。

これは、旧ソ連で起こった「医師団謀殺事件」が元になっているという。ユダヤ人医師たちが旧ソ連指導部の暗殺を企てたという反ユダヤ的陰謀論にユダヤ人の著名な脳外科医が巻き込まれ、収容所送りになったり、オカマを掘られたり、悲惨な事態に陥るが、突然解放され、死の床にあるスターリンの診察を命じられるというようなあらすじ。

『神々のたそがれ』も『フルスタリョフ、車を！』も、権力者の恣意によって、善悪も真実もモラルも糞くらえといわんばかりの理不尽な世界に突き落とされるということを余すところなく描いていると思う。圧倒的な熱度と強度で、独裁政治の恐怖、思考停止をした人間の悲惨、「わかっちゃいるけど止められない」的な人間の業を描き続けたゲルマン。13年の歳月をかけた『神々のたそがれ』の完成直前に心不全で亡くなった。映画に殉じ、憤死したのではないかと思う。

これらの映画を見ていると、映画館でもしばし立ち上がれなくなってしまうことがある。だが、現実を見よ。スターリンやヒトラーと肩を並べるような〝人材〟は、いま歴史に逆行するように世界中で増え続けている。単純化・硬直化した善悪論にがんじがらめになっていると、目の前の事実が見えなくなってしまう。

新型コロナウイルスのパンデミックという歴史的大災厄の渦中に放り込まれたわたしたち。油断すると、精神や身体の自由を自ら権力者の手に差し出し、「凡庸な悪」の手先になりかねない。ご用心、ご用心。

ダークサイド通信 no.3

優しい悪魔

最合のぼる　文・写真

カウンター席だけの小さなバーだ。メロウなジャズ曲が流れ、正面の壁に並んだボトルは最低限の照明を受けて静かに輝いている。店内には今のところ、カウンターの中にいるバーテンダーにくだけた口調で話しかけている四十絡みの男性客しかいない。男は仕立ての良さがひと目でわかるスーツを着ていた。

「――とにかく、とびきり旨いのを頼むよ。最高のヤツをね」

「おや、最高のもの以外にお出ししたことなどございましたっけ?」

バーテンの軽口に、男は人の良さそうな笑顔を浮かべる。

「もちろんわかってるさ。でも今夜は特に――」

男は化粧室のドアが開いたことに気づくと、口をつぐんだ。出てきたのはひょろりと痩せた背の高い青年だ。二十代半ばくらいだろうか、青年は緊張した面持ちで所在なげに視線を泳がせている。

「さあさあ君、そんなところに立っていないで」

男はすかさず席を立って青年をエスコートする。自分の隣に座らせると、俯いた青年の顔をしげしげと覗き込んだ。

「やっぱり少し腫れてるな。本当に申し訳なかった」

青年の口元は微かに紫色に変色し、彼が着ているグレーのパーカーにも薄く血の汚れがあった。

「お詫びというわけでもないけど、とにかくこの店のカクテルは素晴らしく美味いんだよ。バーテンの彼とも長い付き合いでね。見た目は冴えないとっちゃん坊やの呈だけど、腕だけは――」

「あの……」

青年は俯いたまま、消え入りそうな声で呟いた。

「ん？　どうかした?」

「僕、やっぱり帰ります」

立ち上がろうとする青年の前に、音もなくショートカクテルのグラスが出された。霜をまとう華奢なグラスに、バーテンは優雅な手さばきでシェイカーの酒を注ぎ入れる。

「お口に合うと良いのですが」

バーテンの言葉に呼応するかのように、グラスの酒が煌めいた。

「帰るなら、ひと口飲んでからでもいいだろ?」

青年は促されるまま、口をつけた。

青年は小さく声を上げる。

「あ……」

「あれ、好みじゃなかったかな?」

「……そうじゃなくて」

「ん?」

「……びっくりしたんです、美味しいから」

「それは良かった。アルコールは強い方?」

「……弱くはないけど」

「だったら色々試してみるといい。この店には、他では飲めない酒も沢山あるからね」

「でも……」

「遠慮しないでいいんだよ。私が連れて来たんだから」

男はカウンターに頬杖をつき、青年を見やる。

「例えばだけどさ」

「……」

「このカクテル、どのくらい美味しかった?」

「え……」

「今まで飲んだ酒の中で順番つけるとしたら」

「……一番です、たぶん」

「人生にはまだ君が経験したことのない楽しみが溢れている」

「……やっぱり説教ですか」

「まさか。わざと気に障ることを言ったんだよ」

「……」

「でも逆も然りって話さ」

男は愉快そうに自分のグラスを揺らした。


「君は私のこと、どう思っている?」

「……どうって」

「お節介なおじさん?」

「よくわからないですけど、セレブって感じ」

「そんなことはないよ」

「でも服とか時計とか……」

「ああ、これは仕事用だから」

「仕事用?」

「ある意味ハッタリさ。依頼人の代わりに様々な交渉事を成立させるのが私の仕事、エージェントと言えばわかりやすいかな」

男と目が合ったバーテンが会話に加わる。

「彼はやり手ですよ。報酬は恐ろしく高いそうですけど」

「おいおい、個人情報の漏洩だぞ」

男とバーテンは笑い合うが、青年の表情はまだ固い。

沈黙の後、青年は口を開く。

「どうして引き留めたんですか?」

「どうしてだと思う?」

男の顔から、笑みが消えた。

それは数時間前の出来事だ。男は帰宅ラッシュで混み合う地下鉄のホームで、青年のことを見かけた。虚ろな目でホームの端を歩くその姿に嫌な予感を覚えた。思った通り、青年はホームに滑り込む電車に向かって身を躍らせる。男はすんでの所で彼の腕を掴んだ。振り向いた青年は狂人のように慄き、男を振り払って人混みの中へと走った。男は青年を追いかけた。改札を強引に突破し、エスカレーターを駆け上がる。雑踏をかき分け、車道に飛び出そうとする青年と掴み合いになった。勢い男は彼の顔を数発殴り、歩道に倒れ込んだ青年は子供のように泣きじゃくる。男の耳に、集まった野次馬の誰かが警察に通報している声が届いた。男は運良く通りかかった空車のタクシーを掴まえると、青年を押し込んだ。サイレンを鳴らしたパトカーとすれ違う頃には、青年はすっかり大人しくなっていた。裏通りでタクシーを停め、支払を済ませて先に降りた男は、後ろも振り返らずに歩いて行く。青年が後をついてきていることは、男にはわかっていた。

男は語る。

「私はね、自殺ほど罪深いことはないと思っているんだ。だって、放っておいても人間は必ず死ぬだろ。逃れようのない運命を操作しようなんて、正に神をも恐れぬ行為、傲り以外の何物でもない。とは言っても、時には生きる意味を見失うこともあるだろう。問題はそこさ。例えば君は、自分よりも遙かに酷い状況にいる人たちを想像したことがあるかい？　この世には、ありとあらゆる悪がはびこっている。身近なことだけじゃない、世界規模でもね。つまり上には上があるように、下にも果てしなく下があるのさ。想像してごらんよ、もっと悲惨でもっと最悪な状況を。死にたくても死ねない、いつ終わるとも知れない連綿と続く苦しみに、身を落とすしかない人間たちのことを。どんな理由にせよ、君より苦しんでいる彼らにしてみれば、君の方がまだマシかもしれない。さっき人生には未知の楽しみが溢れていると言ったけど、逆も然りとは、そういうことさ」

青年は呟く。

「もっと悲惨で最悪なこと……」


「それに君、自殺なんかしたら天国に行けないぞ」

「え、天国とか信じているんですか?」

「天国も地獄も存在した方が面白いじゃないか」

「ロマンチストなんですね」

「そうでもないさ」

「何だかすっきりしました」

「それは良かった」

「だって、死ぬのはいつでも出来ますもんね」

「おいおい」

「下には下がいるって思ったら、気が楽になったっていうか」


男と目が合ったバーテンが口を挟む。


「だいぶ悪知恵を付けられましたな」

「人聞きの悪いことを言うなよ」

「褒め言葉ですよ。お代わりをお持ちしましょう」

「お二人、仲良いんですね」

「ただの客と世界一のカクテルを作るバーテンダーだよ」

「いいえ、ただのバーテンと世界一のお得意様です」

「ほら、仲良いじゃないですか」


青年は初めて笑顔になった。

吹っ切れた様子の青年は本来の明るさを取り戻し、男に勧められるままに杯を重ねた。次第に夜も更け、気がつけば終電間際の時刻となっていた。青年はチェイサーの水を一息に飲み干し、慌てて出口に向かうが、飲み過ぎたようで足元がおぼつかない。

「おいおい、大丈夫かい？　タクシー代くらい出してあげるよ」

「いいえ、これ以上ダメですよ。あの、ちゃんとお礼がしたいんで、連絡先とか聞いてもいいでしょうか」

「そんなのいいから。それより階段から落っこちるなよ」

男は上機嫌で青年を送り出し、出入り口のドアにもたれて手を振った。青年は、店のある地下から地上へと続く階段を上る途中、何度も頭を下げながら帰って行った。


青年を見送った男は、再び店に戻りカウンター席に腰を下ろす。先程までとは打って変わって、浮かない顔でため息をついた。

バーテンはそんな男に新たなグラスを出しながら話しかける。

「一体どういう風の吹き回しですか？　人助けなんて、らしくないですなぁ」

男はグラスを口に運びながら上目遣いにバーテンを見やる。

「人助けなんてしてないさ」

男は「君も飲めよと」ウイスキーのボトルを指し示し、バーテンは自分のグラスに氷を用意した。

「実はさ、このところこっちはずっと定員オーバーなんだ」

「ほほう、ご盛況で何よりじゃないですか。お言葉に甘えて頂きます」

「冗談じゃないよ、悪人ばかりが好き勝手に増えて。とにかく今月はこれ以上自殺されたら困るんだ」

「なるほど、嫌な世の中ですな」

「俺が自殺を踏み留まらせるなんて世も末、善悪の均衡を保つのも一苦労さ。そもそも天国はどうして頑なに自殺者を受け入れないんだろう、千年前じゃあるまいし。あ～あ、手当たりに誘惑して奈落の底に突き落としていた時代が懐かしい」

男はやけ気味にグラスを煽った。

「まあまあ、今宵は結果オーライで良かったじゃないですか」

「しかしあの若造、そうとう飲みやがったな。いくら必要経費とはいえ――」

つと出入り口のドアが開き、バーテンが「これはこれは、いらっしゃいませ」と声をかけた。

振り返った男の鼻先に、ふわりと白い羽根のようなものが舞う。

「ふん、噂をすればなんとやらだな」

男は鼻先をくすぐる白い羽根を、うっとうしそう手で払いのけた。

「あら、何の噂？　また悪巧みしてたんじゃないでしょうね」

男の隣に座ったのは、胸元が深く切れ込んだ真っ白なロングドレスを纏う物凄い美人だった。

女がピンヒールを履いた足を組みながら煙草を口にくわえると、男は渋々ライターの火を差し出した。女は深く吸い込んだ紫煙を美味しさそうに吐き出しながら、階上を顎でしゃくる。

「すぐそこで酷い事故よ。男の子が乗用車に跳ねられちゃって、かち割れた頭がまるで柘榴だったわ」

「男の子？　子供？」

「こんな夜中に子供がいるわけないでしょ。二十四、五くらいの、もやしみたいな若者。きっと飲んだ帰りね」

思わずバーテンと目が合う男の胸に不安が広がる。

「まさかそいつ、自分で車道に飛び出したんじゃないよな？」

「心配しないで、自殺じゃないわ。車の方が歩道に突っ込んだのよ。居眠りか飲酒運転か、両方かもね」

男は考える――事故で死亡したのは先の青年のようだが、自殺でなければ天国に行くはずだ。しかしこの女が呑気に酒を飲みに来ているのは一体どういうことか。もしかしたら件の彼は、元々悪事に手を染めていたのだろうか。そうだとしたら今まで費やした時間と経費が無駄に――男は何食わぬ顔で探りを入れた。

「ところで君は、こんなところに来てていいのかい？」

「職務放棄はしてないわよ。今日はもうアガリ、他の子が対応に来てたわ」

男がほっと胸を撫で下ろしたその様子に、女は顔を顰めた。

「もしかして貴方、彼の死に方を変えたわね」

人間の寿命はほぼ決まっているが、その死因を操作できるのは――天使か悪魔だ。

「いやぁ、それにしても再び生きる希望に満ちた若者が、一瞬にして天に召されるなんて素晴らしいじゃないか」

すっかり気の緩んだ男の上着の裾から、先の尖った長い尻尾がだらしなく垂れ下がった。

「善人面した悪魔って、タチが悪いわね」

「だったら悪人ばかり増える世の中をどうにかしてくれよ。そっちが満員になったら遠慮なく自殺に導けばいい」

死に際の善人を悪人に仕立てるのは極めて困難だが、自死へ誘惑するのは不可能ではない。

「私がそんな悪事に手を染めると思う？」

「じゃあ僕が代行してあげるよ。死期の迫った人間を更に絶望させて自死に追い込むなんて、最高にやりがいのある楽しい仕事だ。あ、もちろん報酬はたっぷり頂くけど、悪い話じゃないだろ」

「悪魔って本当に最低ね」

「――商談成立ですな」


バーテンの言葉に、悪魔と天使はグラスを合わせた。

END

岸田尚一コマ漫画 ◉コラージュ&文＝岸田尚

REVIEW

悪がなければ美もない―悪の倫理を突き詰めた名作

★三島由紀夫の『金閣寺』で、筆者が好きなシーンが二つある。ひとつは「私」が女を抱こうとすると、たちまちのうちにその乳房が金閣へと変貌してしまい、不能のまま終わってしまうシーン。そしてもうひとつは、いよいよ金閣に火をつけた「私」が、死のうとしていたにも関わらず、裏山で煙草を吸っているうちに「生きよう」と決意するシーンだ。日本近代文学史上でも屈指とされるこの二つの名場面は、いかにして生まれたのか。

一九五〇年七月二日未明、京都市上京区の鹿苑寺（通称・金閣寺）庭園内の国宝・金閣から火が出て、四六坪が全焼した。現場検証の結果、警察はこれを放火と断定。翌日には同寺の徒弟であった林養賢（当時二一歳）を逮捕する。

「青年が火をつけたのは、金閣の美しさに嫉妬したからにちがいない」

そう考えた三島によって、多くの脚色を交えながら事件の小説化として発表されたのが、一九五六年の長編『金閣寺』だ。

三島由紀夫
金閣寺
新潮文庫、670円

「金閣ほど美しいものはこの世にない」

僧侶である父から繰り返しそう聞かされて育った「私」は、吃音による意思表示の困難さや社会からの疎外感に苦しめられるうちに、まだ見ぬ金閣に完璧な美の理想を投影するようになる。やがて「私」は父の勧めで金閣寺へと入り、修行生活を始めることとなるが、実物の金閣は心で思い描いていた金閣ほど美しくもなく、運命的でもなかった。それでも金閣のもつ美への執着を捨てきれず、戦争による大破壊に悲劇的な望みを託すようになる「私」。しかし何事もないまま戦争は終わってしまい、寺の住職や母親との関係に悩まされるなかで、「私」はノイローゼ的に金閣に対して憎しみにも近い感情を募らせていくが……。

本作はあくまで三島による創作であるため、実際の事件との相違も多い。その最たるものが、放火後の犯人の行動だろう。犯行のあと、実際の事件の犯人である林は逃げ延びた先の裏山で割腹自殺（ただし未遂）を図っているが、作中の「私」は破滅的な未来しか待っていないにも関わらず、その世界で生きる決意をする。そこには戦時下の「英雄」として死ぬことのできなかった三島自身の鬱屈や、どこまでも空虚な戦後社会を生きていかねばならないことに対する反感も、おそらく重ねられている。

「金閣」への「放火」という行為による幻想との一体化を通して、はじめて完成される人生。歴史上の多くのテロリストがそうであったように、「私」もまたいつしかそのように考えていたと思しい。だから「私」が女を抱こうとすると、そこには常に幻想の金閣が立ちはだかる。「私」のような種類の人間にとって、異性と愛を交わすことは人生の目的の達成から身を遠ざける、邪魔なものでしかないからだ。

金閣に火をつけた「私」の行為は悪か。それはもちろん、悪だと思う。だが悪と美とは決して相反するものではなく、悪がなければまた美もない。悪の倫理を突き詰め、観念の域にまで高めて結晶化させた、日本文学史上に燦然と輝く名作である。（梟木）

「放心」状態の中で進められていた人体実験

遠藤周作
海と毒薬
講談社文庫、500円

★一九四五年、大戦末期の日本で発生した九州大学生体解剖事件は、いかに戦争が人びとを狂気に駆り立てるか、という紋切り型を超えて、集団の中での「悪」がどのように生まれるのかを示した、優れたモデルケースである。

その年の五月、九州方面を爆撃するために飛来したアメリカ陸軍航空隊のB―29が日本の戦闘機によって撃墜され、生き残りの米兵九名が囚われの身となったことから、すべては始まる。九州を統括していた西部軍司令部は、裁判を行うことなく機長を除く搭乗員八名を死刑とすることにしたが、これを知った九州帝国大学（現・九州大学）医学部の外科部長が「医学発展のため」という名目で、彼らを生体解剖に供することを提言。五月一七日から六月二日までの間に、八名の米兵が肺の切除手術や心臓の停止実験など回復の見込みのない人体実験の犠牲となった。この事件をモデルとして小説化し、

「神なき日本人」の罪意識の不在について徹底的な追究を試みたといわれているのが、遠藤周作の長編『海と毒薬』だ。

物語は戦後十数年が経過した八月の暑いさかり、西松原の住宅街に引っ越してきた会社員の「私」が、気胸の治療のために勝呂《すぐろ》という医者のもとに通うようになったところから始まる。勝呂は寡黙で風変わりな男だったが、医者としての腕は確かで、「私」もまた彼のことを信用していた。しかし九州のF市へと出張したとき、「私」はたまたま、勝呂がかつての生体解剖実験に参加していた人物であったことを知ってしまう。小説の記述はそこから現在にいる「私」を離れて一九四五年の時点へと遡り、実験に関わった周辺人物らによる手記の告白を経て、いよいよ事件の核心へと迫っていくが……。

いったいなぜ、当時の日本人医師たちはそのような残虐な行為を平気な顔をして行えたのか。小説の実作者でありカトリックの信者でもあった遠藤の興味は、およそその一点に集中していたといっていい。そして遠藤は、生体解剖実験が医者たちの良心の麻痺したある種の「放心」状態の中で進められていたことを突き止め、その背景にキリスト教のような絶対的な倫理規範の不在が関わっていたことを明らかにしてみせる。

もちろんそこに、日本人を「特殊な」民族と見なそうとする作者の思惑や、あるいはキリスト教を美化しようとする信者としての心理が働いていなかったとはいわない。しかし作中に表された大学内での人体実験に端を発する「同調圧力」や「隠ぺい体質」、あるいは誰かに命令されたことによる「責任の所在の曖昧化」といえば、それはそのまま政権の特質として当てはまるものであり、典型的な日本企業による組織犯罪（三菱自動車工業によるリコール隠し事件など）に関わってきたものだ。生体解剖事件から七十五年、良心という判断基準を組織の中でいとも簡単に放棄してしまう日本人の「放心」は、今もまだ続いたままなのかもしれない。（梟木）

悪人のレッテルを貼られた江戸の流民たちの苦悶

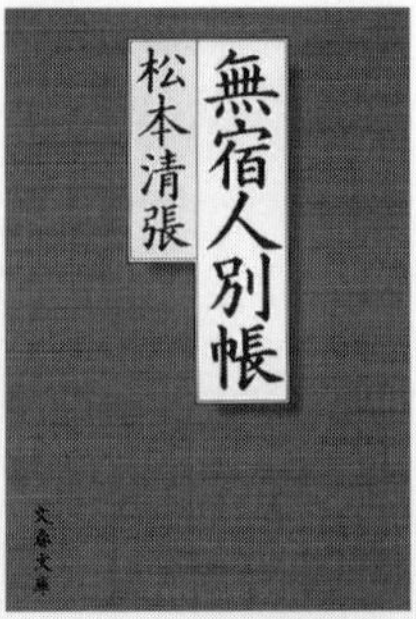

松本清張
無宿人別帳

文春文庫、693円

★松本清張の不死者《アンデッド》的な物凄さは、『黒革の手帖』や『砂の器』など、現代版のリメイクドラマが今なお作りつづけられていることにある。作品の核にある事件の構図や人間の苦悩に時代を超越した普遍性があるからなのだろう。ならば、多くの松本作品に通底するテーマは何かと考えるとき、「悪」は人間社会のどこから生じるのか？――そんな問題提起も答えのひとつになるかと思うがいかがだろうか。

「無宿」とは勘当や流亡、軽犯罪などを理由に人別帳から抹消され、故郷とのつながりを断たれた百姓や町人のこと。つまりは無戸籍の流民であり、江戸に流れ着いても五人組制度の枠外に置かれて正規の借間も就労もままならない。八百八町の片隅に息を潜めて生きるしかない彼らを見舞う災難の数々をとりどりに描き出す松本の筆は一九五七年から翌年にかけて〈オール讀物〉に連載され、十篇を揃えて作者初の短篇連作集となった。

無宿者に世間が向ける眼の冷たさは、「悪」を身に宿して徘徊する輩という偏見に起因するものだ。第一話「町の島帰り」から早くもこの構図が浮き彫りになる。無実の罪で遠島になった野州無宿の千助は幸運にも二年後に赦免されて江戸に戻り、情婦お時と再び仲睦まじく暮らすようになる。しかし板前の手伝い、風呂屋の三助、屑拾い、とお時のツテでありついた仕事はどれも落ち度もないままに解雇されてばかり。千助に無実の罪を着せて遠島にさせた張本人である目明かし（十手持ち）の仁蔵が関係者に「あいつは無宿者だぜ」と耳打ちして回ったからだ。仁蔵はお時に横恋慕して執拗につきまとってきたが、どれだけなだめすかしても一向になびかない女が千助にはまめまめしい世話女房ぶりをみせることが頭にきたのだ。やがて千助は賭場通いに転落し、お時が夢見た夫婦暮らしは届かぬ夢のままはじけ飛ぶ。そして仁蔵は、ふたりの怨念が凝結したかのような因果の報いを叩きつけられる。

続く二話以降にも伝馬町の牢獄での新入りしごき、人足寄場の群像劇などと、無宿の諸相が描かれる。その筆致はさすが松本清張で、彼らは時代の犠牲者などという書生論的青臭さとは真逆に人間のどす黒さをこれでもかと強調する。若い牢役人が帳簿整理を早く切り上げて遊びに行きたかったというだけの理由で赦免候補の名簿から書き漏らされ、さして重罪でもないのに八丈島から永遠に還れないと悟った男の絶望。ついに島抜けを果たした彼との別れが切なくて泣く島女の純情。

無宿の境遇が人を「悪」に陥れるのか？ いやそもそも「悪人」だからこそ無宿になるのか？ 最終話ではこの究極の問いが伝馬町の牢抜けを果たした対照的なふたりの男に仮託され、その片方の末路に、恋仲を引き裂かれた男女の壮絶な復讐が重ねられる。

住民票や就労ビザの保護を失った者の苦境は現代にもある問題だ。松本清張ならではの普遍性はこの作品にも息づいている。（待兼音二郎）

みるみると悪に染まっていく誉れ高い僧院長

マシュー・グレゴリー・ルイス

マンク

井上一夫訳、国書刊行会、3800円

★ゴシック・ロマンスにおいて、悪の存在は欠かせない。時としてそれは悪漢の姿を取って、ヒロインの少女を震え上がらせ、苦しめる。だが、『マンク』が扱うのは、悪が主人公自らに内在する問題である。この小説では、主人公がみるみると悪に染まっていく。

スペインの修道院の誉れ高い僧院長アンブロシオは、幼い頃にこの修道院に拾われ、三十歳になるまで禁欲的な生活を貫いてきた。そこに見習い僧のロザリオがやってくる。だが、ロザリオは実は女で、名はマチルダという。マチルダから熱烈な言葉をかけられるも、誘惑と戦うが、ついには彼女と官能のひと時を過ごす。

その後のアンブロシオの悪への転落ぶりは凄まじい。やがてマチルダとの関係に飽き、新たに別の女性アントニアに魅せられ、欲情を募らせる。これをマチルダは黒魔術を使って助力するが、果たしてアントニアの正体とは。

修道僧の名声と裏腹な真実は、アンブロシオ中心のプロットとは別のプロット、青年ロレンゾとレイモンドの物語と接続することによって暴かれ、最後は凄惨な結末を迎える。（市川純）

分離された内面にうずく悪の暴走

ロバート・L・スティーヴンソン

新訳 ジキル博士とハイド氏

田内志文訳、角川文庫、400円

★ジキルとハイドの物語は既によく知られている。が、今一度、心の中に巣くう悪という観点から読み直してみるのはいかがだろうか。ヴィクトリア朝の怪奇小説は、現代人の誰しもが抱える内面の相克を描いた作品として、身近に迫りくる。

ロンドンを舞台に、弁護士のアタスンが、謎めいた遺言状を託してきた友人のジキルの真相を究明し、また、名状しがたい嫌悪感を抱かせる風貌のハイドを追い詰めていく本作は、さながら推理小説のように進行する。

ジキルとハイドの自己同一性が解明される中、富と教養、社会的名声に恵まれたジキル博士の内面にうずく強い欲望が、自らの体面を保つ上で支障となる悪の塊となっていたことが明らかになる。

世間にはあまりにも高潔な人物として通って、これを崩すことはできない。それと裏腹に、自分の名声を潰してしまうほどの快楽を求めてしまう本性がある。ジキルは後者を悪として己から分離し、禁欲的な善人としてのジキルを維持しようとする。だが、潔癖に抑え込もうとした悪は却って肥大化し、暴走し、ジキルを乗っ取るのだ。（市川純）

思考することすらなく行われる無数の「陳腐な悪」

ハンナ・アーレント
エルサレムのアイヒマン 悪の陳腐さについての報告

大久保和郎訳、みすず書房、4400円

★ハンナ・アーレント。二〇世紀に猛威を振るった全体主義について分析した思想家であり、世界的にも重要な哲学者のひとり。

一九〇六年にユダヤ人としてドイツに生まれたアーレントは四一年にナチスの迫害を逃れてアメリカへと渡り、その十年後には代表作ともいえる大著『全体主義の起源』を上梓する。ところが彼女が一九六三年に連載を開始したアドルフ・アイヒマンの裁判記録は現代的な「悪」の形式への鋭い考察が多く含まれていたにも関わらず、世界中で大バッシングを巻き起こすこととなった。いったい、そこには何が書かれていたのか？

事の発端は一九六〇年五月、ナチスの元中佐でありホロコーストの中心人物として逃亡生活を続けていたアドルフ・アイヒマンが、潜伏先のアルゼンチンでモサド（イスラエルの諜報機関）によって拘束され、イスラエルへと強制連行されたことから始まる。後述のように、それ自体がアルゼンチンの主権を侵害する問題のある行為だったことは疑いないのだが、大量虐殺の執行者への憎悪の中でそのような声はかき消され、翌年にはエルサレムの法廷でアイヒマンを被告とする裁判が開始。すべての訴因に対して有罪が認められ、死刑の判決が下されることとなった。この裁判を欠かさず傍聴し、全体主義社会における「良心」や「道徳」の解体について考察したのが、一九六三年のハンナ・アーレントによる著作『エルサレムのアイヒマン――悪の陳腐さについての報告』だ。

これでもし、法廷へと引き出されたアイヒマンが良心の呵責に喘ぐ小悪党だったら。もしくはユダヤ人の虐殺に荷担したことに対して何ら悪びれもしない粗暴なヒトラー信者だったら、話はもっと簡単だったのかもしれない。しかし実際に彼が法廷で見せた態度は、多くの聴衆を――そしてアーレントを――戸惑わせるものだった。裁判が始まってから死刑が宣告されるまで、アイヒマンはあくまで自らを「法を遵守する市民」と規定して振る舞い、虐殺の実行についてもただ上からの命令に従っただけだと主張し続けたのだ。

「自身の昇進に熱心ということのほかに、彼には何の動機もなかった」と、アーレントは結語近くの文章で述べる。「まったく思考していないこと、それが彼があの時代の最大の犯罪者の一人になる素因だったのだ」と。そこからアーレントは「陳腐な悪」という、全体主義の中での特殊な「悪」の形式について素描していくが、ヒトラーのようなわかりやすい「悪」の姿を求めていた当時の読者にとって、その結論は到底受け入れられるものではなかった。さらに本の中で、イスラエルで裁判を行うことの正当性についても問題にしていたことから、アーレントは「裏切り者」のように扱われ、謂れなき誹謗中傷の的となってしまう。

ヒトラー的な「悪」と比べて、アーレントが俎上に載せた「悪」の問題はいかにも読者に対して伝わりにくく、フィクションのテーマとしても採用しづらい。しかし今日の世界を悪くしているのが二〇世紀的な悪の独裁者ではなく、思考することすらなく行われる無数の「陳腐な悪」によってであることは、もはや明らかだろう。ならば私たちはせめてアーレントに倣い、「悪」について思考し続けることを止めないようにしたい。（梟木）

キリスト教が生み出した悪をめぐる精神史

★人々を唆して悪の道へと誘う存在、悪魔。本書は、その表象を様々な文学や絵画に辿って考察し、また、悪魔が実在して人間世界に悪影響を及ぼしているという信念、すなわちデモノロジーを宗教的・哲学的議論の系譜の中で論じる。時には私たちの時代の問題にも注意を引き付けながら、脈々と流れる悪魔学の理解を深める。

デモノロジーに対する著者のスタンスは批判的で、デモノロジーは「虚偽」であるという。西洋の歴史において、悪魔と手を結んでいるとされた者たちには凄惨極まる迫害や戦争が繰り返されてきた。十字軍や魔女狩り、ナチズムなどがそうで、これはキリスト教が初期の段階で犯した大きな誤謬に由来するという。

著者によれば、西欧精神史には二つの系譜があり、その一つがこのデモノロジーの系譜であり、暴力と恐怖の系譜でもある。もう一つの系譜はフマニスムス（人文主義）の系譜であり、普遍的な愛の系譜であるが、主流派にはなれなかった。

高橋義人
悪魔の神話学

岩波書店、5300円

西欧ではキリスト教が広まる以前に土着の信仰が広まっていた。そこでは神と悪魔が兄弟的な関係にあり、キリスト教のような敵対関係にはなかった。やがてキリスト教が勢力を強めると、土着信仰は異端視され、これを信仰するものは悪魔を信仰するものとみなされるに至る。しかも、キリスト教において神は絶対的善であり、対する悪魔は絶対的な悪となった。

キリスト教には神と悪魔の二元論的な構図が見られる。その点で善悪二元論のグノーシス主義と通じてしまう。この問題は克服されないまま、キリスト教は表面的には一元論であるものの、実質的に二元論の性格を持つに至る。

グノーシス派を異端視しながらも二元論的性質を持ってしまう正統派キリスト教であるが、これを隠すために堕天使の神話を作り出したという。堕天使は元来神に仕える天使であるため、悪魔も神の手中にいると言うことができる。こう主張することで、二元論を免れようと試みたのだ。

キリスト教の歴史においてはこのように神話化されている虚構が他にもあり、原罪、処女マリア、魔女がそうであるという。アダムとエヴァが禁断の木の実を口にし、性に目覚めたという原罪はアウグスティヌス以降確立するが、アウグスティヌス自身が性欲に負けやすく、これを原罪のせいにしているという。さらに、聖母マリアが処女受胎してイエスを生んだとしなければ、イエスも原罪を背負うことになるので、処女降誕という嘘が生まれたという。

マリア信仰の反動として存在するのが魔女である。魔女のレッテルを貼られた者が魔女狩りに遭い、火あぶりに処される。だが、魔女は本当に実在するのか、唯名論の問題をウンベルト・エーコの『薔薇の名前』と絡めながら著者は論じていく。

その他、「トリスタンとイゾルデ」の物語、自由意志をめぐるエラスムスとルターの論争、人間の本性が善なのか悪なのかをめぐるカントとヒューム、ルソーの立場など、悪をめぐる西洋精神史が重厚に展開されていく。（市川純）

「悪」を名指すことが難しい現代の雇用問題

ケン・ローチ監督
家族を想うとき

★いま、この世界でなにが起きているのか。

イギリスで広がり、日本でも宅配ドライバーなどの業務を中心に取り入れられつつある〝ゼロ時間契約〟の問題を考えるとき、筆者はつい率直に、そう漏らさざるをえない。

ゼロ時間契約とは、平たく言えば雇い主が労働者と直接的な雇用関係を結ぶことなく、個人事業主として就労時間を定めずに働かせる制度のこと。雇用主からすれば従業員を正社員として抱える必要がなく、労働者も受ける仕事を任意に選べるなど双方にメリットのある制度として宣伝されているが、実態は「社畜」と呼ばれた平成のサラリーマンも真っ青なブラック労働であり、世界中の労働者を蝕み続けている。二〇一九年の映画『家族を想うとき』は、イギリスの名匠ケン・ローチ監督が、現代の一般的な労働者階級の家庭に焦点を当てて、ゼロ時間契約の闇に切り込んだ一作だ。

主人公のリッキーは、妻と子ども二人の生活を支える一家の大黒柱。もともとは建築労働者だったがフランチャイズの宅配ドライバーとして独立し、過酷な現場で時間に追われながらもマイホーム購入の夢のために懸命に働いている。そんな夫を見守る妻のアビーもまた、パートタイムの介護福祉士として時間外まで一日中働いていた。それぞれの仕事に追われるうちに、いつしか一緒に顔を合わせる時間も失っていく家族。やがて子どもたちの幸せを願った父親の行動によって、高校生の息子セブは非行に走るようになり、小学生の娘もまたある問題を抱え始める……。

リッキーの仕事はある事業所に集まる荷物を一日に百個以上（一日十時間働くとしても、六分に一個以上！）も配送用のバンで配って回らなければならないという、相当に過酷なもの。だがあくまで個人事業主という立場での契約になるため、車両費を含めた必要な経費はすべてリッキーが負担しなければならず、病気になっても会社からの保険はない。そればかりか「仕事に穴を開けた」としてペナルティー（制裁金）を課せられることから、無理をして働くほど借金がかさんでいくという、地獄のような状況に追い込まれていく。

恐ろしいのはこれがフィクションではなく、いまの世界で広がりつつある雇用問題の現実だということだ。

かつてこのような「プロレタリアート」の問題が起きたとき、真っ先に槍玉に挙げられてきたのが労働者階級を〝搾取〟しそこから多額の利益を生み出す大企業であり、献金によって企業と繋がる政治家だった。だが現代の世界ではそうした「悪」を直接に名指すことが極端に難しくなっており、たとえば配送ドライバーの過酷な労働環境は、究極的には大手通販サイトを頻繁に利用しながら送料を負担することを望まない、私たち消費者の声によって作られている。

いま、この世界でなにが起きているのか。

映画の原題は『Sorry We Missed you』。

「ご不在につき失礼」といった意味の宅配用語だが、明らかにサービスの利便さの向上の陰で悲鳴を上げるリッキーのような見えざる労働者を表したダブルミーニング。私たちはそれを、せめて見失わないようにしたい。（梟木）

世界企業に育てたその強力な手腕は、悪か善か

ファウンダー ハンバーガー帝国のヒミツ

ジョン・リー・ハンコック監督

★アメリカ・マクドナルドのフランチャイズ企業として日本の銀座にマクドナルド一号店が開店したのが、一九七一年のこと。それからというもの、マクドナルドは日本の外食産業の中で確実な成長を続け、ハンバーガー業界ではトップのシェア率と店舗数を維持してきた。生まれて一度もマクドナルドのハンバーガーを食べたことがないという人は、今も昔も少数派だろう。

いっぽうで消費者や従業員に対して過度な効率性を要求するマクドナルドの経営システムは、それ自体がまるで工場のライン生産方式のような非人間的なものであるとして、しばしば問題にされてきた。もちろんそれは、今やマクドナルドに限られた話ではない。コンビニやレストラン、学校の教育システムから医療の現場まで、日常のあらゆる場面に人間を「モノ」化する思想は浸透しており、私たちの住む世界を変え続けている。

このような世界の「マクドナルド化」は、私たちを幸福にするのか、それとも不幸にするのか。二〇一六年の映画『ファウンダー／ハンバーガー帝国のヒミツ』は、マクドナルドの「創業者」として知られるレイ・クロックが、いかにして合理性に裏打ちされたその冷徹な経営理念を培い、世界へと拡大させていったかがわかる一作だ。

一九五四年、戦後の好景気に沸くアメリカ。五二歳のレイ・クロック（マイケル・キートン）は、野心はあるが売上はいまひとつなシェイクミキサーのセールスマンとして、アメリカ中西部の各地を回っていた。そんなある日、カリフォルニア州にあるマックとディックの兄弟（マクドナルド兄弟）が経営するレストランから、六台ものシェイクミキサーの注文が入る。興味をもったレイが現場に向かうと、そこには合理的な流れ作業で従業員がスピーディに客の注文をさばく、革新的なコンセプトのハンバーガー店「マクドナルド」があった……。

「マクドナルド兄弟？」と、はじめて事情を知った人は驚くだろう。「ちょっと待ってくれ、店を出していたのが兄弟で店名もマクドナルドなら、マクドナルドの創業者はその人たちではないか」と。しかしレイは巧みな話術と粘り強い交渉術で兄弟を説得し、見事マクドナルドの商標のフランチャイズ化の権利を得る。その後のレイのとった行動は、まさにやりたい放題。商品の原材料を勝手に低コストなものに変えたり、フランチャイズ店の経営者に自分の会社が買った土地をリースするなど、兄弟の理念を無視したやり方で利益を稼ぐようになり、次第に店の権利を横取りしようとするレイと兄弟との間で対決ムードが高まっていく。

契約で定められた範囲を超えて利益を稼ぎ出すことが悪なら、レイ・クロックは間違いなく「悪人」だ。しかしレイによる強引な経営手腕がなければ、マクドナルドが田舎のチェーン店として終わっていたであろうこともまた事実。いま私たちが目にしている日本の風景も、まったく違うものになっていたかもしれない。「マクドナルド」という身近な事象を通して、善悪の彼岸について考えてみるのも、また一興だろう。（梟木）

〝善人〟が麻薬の運び屋として中毒を蔓延させる

運び屋

クリント・イーストウッド監督

★クリント・イーストウッドが監督と主演を務めた映画『運び屋』は、ひょんなことからメキシコの麻薬カルテルと関わりを持ってしまった老人が、絶対に警察に目を付けられることのない凄腕の「運び屋」として認められ、報酬を荒稼ぎするようになっていくさまを描いた犯罪ドラマだ。

主人公のアールはかつてデイリリー（一日だけ開花する百合）の栽培で名を馳せた、九〇歳の老人。ただし現在は事業の失敗によって自慢の農園を手放さなければならない状態にまで落ちぶれており、若い頃から家庭を顧みない性格だったせいで別居中の家族からも完全に見放されていた。そんなある日、アールは結婚を目前に控えた孫娘のパーティ会場で知り合ったメキシコ人から「町から町へと走るだけでカネになる仕事がある」と誘われる。家族との関係を修復するにはお金が必要だと思い込んでいたアールは、軽い気持ちでその仕事を引き受けてしまうが……。

これで麻薬の「運び屋」にされてしまうなんて、さらに数ヶ月後には一回のドライブで百キロ以上の麻薬を運ぶボスの「お墨付き」を与えられる人物になってしまうなんて。なんだか嘘みたいな話だが、近年のイーストウッド作品のほとんどがそうであるように、この映画の主人公もまた実在の人物をモデルにしている。二〇一一年、およそ百キロのコカインをトラックに積んで運んでいたところをDEA（麻薬取締局）に逮捕された「九〇歳の運び屋」レオ・シャープだ。ただし彼が麻薬組織に接触した経緯やそこで働いていた期間など、細かいところは変えられており、家族関係の描写についてはイーストウッド自身の体験などを盛り込んだ完全なフィクションである。

翻って映画の中のアールという人物は、決して〝悪人〟ではない。彼は『グラン・トリノ』（二〇〇八年）で監督のイーストウッド自身が演じた老人のような差別主義者でなければ偏屈な伝統主義者でもなく、マイノリティであるヒスパニック系ギャングの若者に対してもわけへだてなく愛情を注ぐことのできるパーソナリティの持ち主である。三回目の「運び」を終えたとき、彼は地元の退役軍人会に2万5000ドルもの大金を寄付した。だがそんな彼の行いによって、街にはコカインが出回り、十代の少年少女までもが麻薬中毒者として路上に溢れかえる。〝善人〟としてのアールの人格と繰り返される犯罪行為とのギャップに、視聴者ばかりでなく、アール自身もまた引き裂かれていく。

悪とはなんだろうか。自分の利益のために見知らぬ他者を蹴落とし、不幸にすること？　だがそれなら先進諸国の繁栄の裏側で文化と労働力を搾取され、格差に喘ぎながら生きるメキシコ人ギャングの若者たちも、紛れもない悪の犠牲者であるといえる。

従来のハリウッド映画を通して描かれてきた「正義のヒーロー」か「アウトロー」か、といった二者択一では決して捉えきれなくなってきたこの世界の混沌としたありさまを、『運び屋』のアールという主人公は静かに伝えている。（梟木）

暴力の連鎖の先に浮かび上がる本質的な邪悪さ

Ghost of Tsushima
Sucker Punch Productions

★日本や日本文化をモチーフにしたゲームは無数に存在するが、日本の歴史に取材したゲームはゲーム全体の量に比べると驚くほど少ない。「Ghost of Tsushima」（開発：Sucker Punch Productions／販売：SIE・二〇二〇年）はそんなマイナー領域において、全世界的な大成功を収めた作品だ。

本作では、プレイヤーは対馬出身の鎌倉武士・境井仁となり、元寇を戦う。史実では元軍の圧勝に終わった対馬侵攻作戦だが、ゲームではここで元軍を阻止できるかどうかが問われる。ジャンルとしては三人称視点のアクションゲームで、対馬全土を自由に旅しながらのチャンバラ大活劇が展開される。

本作について語るべきことは多く、結果として完全に的外れな批評も無数に見て取れる。また本作における武士の表現が史実の鎌倉武士の実態とかけ離れているのは、制作側が意図的に行った表現とはいえ、別途議論する必要があるだろう。だが総じて言えば本作は誇張と省略の技法が巧みに効いた、壮大かつ見事なエンターテイメント作品だと評価できる。

なかでも注目すべきは、類似作品が抱えてきた巨大な問題に対し、本作は真正面から向かい合っているという点だ。

本作のように「世界を自由に旅して、プレイヤーが望むがままに冒険を進めていく」ゲームは専門用語でオープンワールドと呼ばれるが、この方式には重篤な問題がある。プレイヤーの「自由」が、極めて頻繁に、大量殺戮という方向でしか発揮されないのだ。

これは仕方ないことでもある。ゲームの中心要素が「敵と戦って倒す」ことにある以上、そこで担保される自由もまた「戦って殺す」ことに寄ってしまう。そしてプレイヤーもまた、自由な選択が許されるなら、シンプルな暴力での解決を選びがちだ。結局この手のゲームは「殺す」ことが一番楽しくなるよう作られていて、それはゲームデザインとして当然のことなのだ。

そんななか本作は、暴力を放埒に駆使する先で何が起こるかを扱っている。無制限の暴力が連鎖する先には、「お前たちが先に非道を仕掛けたのだ」という主張など何の意味も持たなくなるほどの悲惨と混沌があることが、本作では描かれる。一方、そうやって暴力の持つ本質的な邪悪さを描きつつも、ゲームとしては暴力なしでは解決できない課題が目白押しになっていて、プレイヤーは縦横無尽な暴力の行使という甘露に自然と酔っていく。実際、少なからぬプレイヤーは元軍の首魁を殺し、対馬から元軍の主力を追い払った段階で、一抹の寂しさすら感じることだろう。

ちなみに本作では黒澤映画の影響がよく語られる（制作者インタビューでも示されている）が、筆者的にはアンジェイ・ワイダの作品世界で遊んでいる感覚のほうが強かった。事実、ゲーム終盤ではチャプタータイトルに「誉れと灰」という直球な言葉すら登場する。ワイダ作品が好きな方にも、本作は強くお勧めだ。（徳岡正肇）

唯一頼れるヒーローが歪んだ極悪人だった

ヒロインは絶望しました

千田大輔

講談社少年マガジンコミックス、1〜3巻、各495円

★前作は「異常者の愛」。タイトルからしてヤバいなあとおもっていたら、やっぱりヤバい大傑作だった。束縛が犯罪的につよすぎるメンヘラ女性をえがいた、胸糞ストーリー全六巻。その千田大輔の最新作は、やっぱりヤバかった。

フツーの女子高生がとつぜん、ゲームの世界にとばされて。なんだかよくわからないまま、くまのバケモノにぶん殴られ、喰い殺される。そのたびに痛みと絶望をかんじ、もとの日常に戻ってくる。カバンにはいつのまにか、謎のコンパクトが入ってる。捨ててもいつのまにか返ってくる。学校の教室で笑っているギャルのJK・渋谷明さん、でもひとたびそのコンパクトが鳴ると、彼女は地獄の世界へ連れてかれる。くまのバケモノに喰い殺されると、また戻ってくる。こんなことが続いて、いよいよ自死を考えたときに、「それ、『ドレスタ』のコンパクトでしょ?」と、クラスの陰キャ男子に言われる。「ドレス・スタイルバトル」。コスチュームのカードをキャラに装備させる、アクションゲームだそうだ。通称「ドレスタ」。

ちょうどコンパクトが鳴って、陰キャの秋葉歪くんも一緒に、ドレスタの世界に入る。ここへ来て初めて、秋葉くんがギャルの渋谷さんをあやつり、バケモノのくまを倒す。

それが、あらたな地獄のはじまりだった。この陰キャの秋葉くん、「とりあえず、スカートの中みせてよ」なんて要望をとりあえずでつけてくるような、名前通りゆがんだ人物だった。

でも、この人物がめちゃめちゃ、ドレスタは強いんだ。クラスメイトでほかにドレスタやってるひとをさがしても、だれひとりこのくまに勝てない。また、くまのバケモノに喰い殺されるエンドレスな日々がつづく。

絶望的な表情の渋谷さんに、秋葉くんが語りかける。「見つかった? 僕よりドレスタできる人」。「見つからなかった。秋葉くんが一番強かった…」。「だからお願い…助けて…」。そう、すがる渋谷さんに、秋葉くん。「うん 普通に嫌だけどね」って言ってのける。「そんな頼み方じゃ誠意がないよ」、「日本の様式美のお願いの仕方があるでしょ」と、土下座を求める。

ヒロイン、絶望しっぱなしである。唯一頼れるヒーローが、こんな悪魔的な人物なんだから。戦いに一度勝ったら、ひとつ秋葉くんの言うことをきくという契約をかわし……。その後は戦いがおわるたびに、秋葉くんの手を舐めさせられたり、お尻ぺんぺんされたり、着てる下着を奪われたりする。もちろん楽なタタカイばかりでなく、秋葉くんがアイテムや頭脳を駆使して、辛勝するときも多い。そんなとき奮闘する秋葉くんが、謎カッコイイときもある。「とっておきのお願い」と言って、今までさんざんエロいことさせてきたくせに、日曜日の映画デートに誘ったりもする。ゲスの極みなのか純真なおぼこなのか。いや、両方をこじらせてる、極悪英雄譚なのである。

（日原雄一）

悪魔を召喚しまくって行う、くだらない悪だくみの数々

沼駿
左門くんはサモナー
集英社ジャンプコミックス、全10巻、各400円

「これは私が地獄に落ちるまでの物語である!!」。一巻の冒頭でそう語りだすのは、女子高校生、天使ヶ原桜だ。名前の通り、めちゃめちゃ優しく純真で、天使や菩薩のような人物・てっしーとして皆に慕われている。

いっぽうの左門くんはサモナーだ。いろんな悪魔を召喚するが、本人もかなりのヒネクレモノ。第一話「左門くんは私が嫌い」では、誰からも好かれる善人のてっしーが嫌いで、「いつも世の為人の為に動いてる嘘くさい人間の天使ヶ原さんに 自分の『欲』に素直になれる悪魔を」と、惰眠の悪魔・ブーシュヤンシタや、暴食の悪魔・ベヒモスを派遣する。この二人の悪魔はしょっちゅう呼ばれるので、いちいち地獄から召喚したりせず「出しっぱ」にしてある。悪魔が出しっぱって凄いな。

ヒネクレモノの左門くんは、同じくクズの九頭竜くんと結託して、隙あらば悪だくみだ。生徒会長選挙で不正をし、乗っ取りをたくらんだり。校舎ごと地面に沈め、閉じ込められた生徒たちに圧政をひいたり。歴代ジャンプの主人公でも、稀に見るレベルのクズカス系男子だ。「左門くんは故あれば寝返る」とか、「左門くんは恥という概念がない」、「左門くんは命乞いの時の顔が見苦しい」って各話タイトルもヒドイ。果ては「左門くんは川に帰れ」って鮭扱いされる始末。

通学にグラシャ＝ラボラスって地獄の大総裁の飛ぶ犬をつかうとか、大物の悪魔をくだらないことで召喚しまくるので、フンガイしてる悪魔も多く。「左門召介被害者の会」なんてのもある。悪魔のほうが人情味があって、ふだん左門くんに手を焼いてる天使ヶ原さんは、悪魔に「辛かったな少女よ」、「よくがんばった」なんて慰められて涙がこぼれてしまったりもする。「君の受けた責め苦の数々…怒りを覚えずにはいられない」と左門くんに腹を立てる地獄の総監督官・ネビロス少将は熱血で正義漢な悪魔だ。てっしー曰く、「なんでこのひとが主人公じゃないんだろう」。

けれど。いつまでも泣かされてる天使ヶ原さんではなくて。左門くんを「腐った鮭」呼ばわりしたり、彼のトレードマークのトンガリを奪ったりする。左門くんや悪魔との関わりの中で、徐々にてっしーも成長してるのだ。第一話では「君が我欲で身を滅ぼして、無様な末路を遂げるような最低最悪の人間になったら僕も…君の事、少しは好きになれそうだ」なんて言ってた左門くんだけど、最終話「僕は君が」では、天使ヶ原さんは「私だってね 白と黒だけでできちゃいないの」と笑い、左門くんに「悪い女だな」と言わしめる。

天使ヶ原さんの「桜」という名前の由来は、「サークラ」、サークル・クラッシャーだという。天使で菩薩のような女性も、そんな役まわりにもなりうる。悪の化身の「悪魔」にも、ヒーロー感あるのもいる。悪魔も完全な悪ではなく、天使も完全な善ではない。左門くんも完全な鮭ではない。避けたほうがいい人物ではあるが。（日原雄一）

自由民権運動のイメージを覆す裏面史

★歴史は勝者の視点から書かれるとよく言われる。いわゆる「正史」にもバイアスは付き物だということだ。ならば自由民権運動はどう描かれてきたか。高潔な志を抱いたエリートたちが推進した理想主義的な運動——というのが世間一般のイメージではないだろうか？

「板垣死すとも自由は死せず」自由民権運動の象徴ともいえるこの言葉を板垣退助が発したとされるのが明治一五年、遊説先の岐阜でのことで、刃傷に及んだ暴漢は愛知交親社の一員との風説が事件直後に広まった。それは事実ではなかったが、自由民権の大義を掲げる結社にかくまで暴力的な人物がいても不思議ではないという共通認識があったことの裏づけでもあり、現に愛知自由党内の過激派が明治一七年に政府転覆の資金調達のために豪商・豪農宅に押し入るなどした「名古屋事件」には、博徒や元博徒が加わってもいたのである。これは加波山事件や秩父事件など、同年に東日本で相次いだ自由民権運動の激化事件のひとつであった。

この史実を立脚点に、作者の筆致はなんとあの清水次郎長にまで及ぶ。次郎長の活躍期間は幕末から明治中期に及んでおり、名古屋事件に参画した博徒らの背後には次郎長の知遇を得た地元親分たちの姿があったのだ。

長谷川昇

博徒と自由民権
名古屋事件始末記

平凡社ライブラリー、1068円

そのひとりである原田常吉は、次郎長の宿敵、甲州博徒黒駒の勝蔵が代官に追われて三河に潜伏した折に次郎長一門による襲撃に協力した親分であった。次郎長の足跡は三河からさらに尾張にまで及び、次郎長に協力した尾張の親分衆の配下の名が名古屋事件の累連者の中に見てとれるのである。

しかしなぜ、博徒や元博徒が自由民権運動という思想に根ざした政治行動と結びついたのか？　この疑問に作者は、尾張藩の草莽隊という戊辰戦争時の補助兵力を引き合いに出す。尾張藩は藩士数千名を要する六十二万石の大藩ではあったが、薩長の大軍を前にして消耗に耐えうる兵力を必要としており、統制と戦闘経験を十全に備えた博徒を格好の要員として登用したのだ。名字帯刀を差し許して士分扱いにするという誘い文句は魅力的で多くの博徒がこれに応じたが、しかし内実は捨て駒であり、藩兵を守る盾にされたようなものだ。明治五年の戸籍記録には元草莽隊員が日雇渡世や按摩渡世で旧城下町名古屋の片隅で共同生活をしていたことが記されており、士分扱いどころか最下層の細民として憤懣を募らせていたさまが浮かび上がる。

明治維新後には旧士族の不満が渦巻いて西南戦争につながるが、博徒の結束力にも明治政府は不安を抱いて原田常吉や清水次郎長までも含む大量検挙に打って出た。親分が検挙されて一家が壊滅し、寄る辺を失った博徒が自由民権運動の壮士と手を結んだことが名古屋事件をもたらしたというのだ。

この視座を得たことで自由民権運動のイメージはがらりとひっくり返る。いやはや、時に史実はフィクションよりも面白いものだ。（待兼音二郎）

歴史に名を残した悪行ざんまいの悪党

六代目神田伯山 畔倉重四郎 全十九話

Youtube・神田伯山ティービィー

★江戸の名奉行・大岡越前が生涯裁いたなかで、三悪人と呼ばれ、八つ裂きにして余りあると言わしめたのが、徳川天一坊、村井長庵、そして畔倉重四郎なんだそうだ。天一坊も長庵も、講談の題材になっている。どれもスサマジイ物語だが、畔倉重四郎の物語もスゴイ。そのモノスゴイ物語の連続公演の動画が、松之丞改め六代目神田伯山の公式Youtubeチャンネルにあげられている。第一話の視聴数は、二〇二〇年八月現在、七十八万回再生。第二話「穀屋平兵衛殺害の事」は二十六万回再生。さいごの第十九話「重四郎服罪」は、連続公演のA公演、B公演の両方あがってて、どっちも十一万回再生。いまエクセルで計算してみたら、〆て三百五十四万だ。

全十九話の中身はというと、恋人の親を殺し、その罪を他人に着せる。バクチで負ければ、そのバクチの仕切り役を殺して金を取り返す。その子分も殺す。追ってくる子分から、自分をかくまってくれた恩人も殺す。こんな死体をひきうけて、焼いてくれた焼き場の番人も殺す。延々と殺しまくって、静かな顔して大店の婿にもなる。

もちろんこんな悪人、それではすまず。フトしたことからこの悪事が露見して入牢するも、その街に火事を起こして逃げる。

それでもどうにかつかまって、いよいよ証拠が出揃ったときも、ただひとつ、別人に罪が着せられた事件だけは、自分がやったと認めない。無実でつかまったそのひとは、さらし首にもなっている。濡れぎぬ着せられたひとの息子が涙ながらに、罪を認めてくれと頼むのに、畔倉は決して頷かない。

しかしその息子と大岡越前は、或る約束を交わしていた。自分の父が無実とわかったら、越前守の首をもらうと。

その約束のことを聞くと。畔倉はとたんにテノヒラ返す。それも自分だと即座に認めて、「大岡越前守の首がはねられるところが見とうございます」と笑う。

実はその父親は、越前にかくまわれて生きていて、息子と涙の対面となる。畔倉はひどく悔しがったという。とうとう畔倉の死罪がきまると、「俺は好きなことをやってきた。うまい酒があれば酒を呑み、抱きたい女がいれば抱き、殺してえやつがいれば殺してきた。ところがお前たちはどうだ。惚れてる女がいても声もかけることもできず下を向き、きらいなやつにはせいぜい陰口。食いたいものもくわず博打もせず人も殺さず。おめえたちは俺が地獄におちるとおもっているだろうが、俺からみればお前たちのほうがよっぽど地獄にいらあ。太く短く生き、歴代の中でも悪行ざんまい重ねたこの畔倉重四郎、後世に語り継がれる悪党となる。てめえたちの名前なんざあ歴史に残らないが俺は残る」と笑う。

畔倉と、悪口ばかりで性格の悪いラジオで売れた六代目伯山とその姿が重なり、しかもこの物語を「大団円でございます」と締めくくるという物凄さ。なんともどす黒い大団円だ。（日原雄一）

古川日出男『砂の王』と輻輳する「悪」

◉文=岡和田晃

「デビュー作には、作家のすべてがある」と俗に言われる。けれども、誰しもが望む形で世に出られるとは限らない。

作家・古川日出男の公式プロフィールでは一九九八年刊行の『13』がデビュー作だとされているが、実はその四年前に、『ウィザードリィ外伝Ⅱ　砂の王　1』がログアウト冒険文庫から刊行されている。続刊を前提とした構成ながら、連載媒体であった「ログアウト」誌が休刊、編集部と著者とのさまざまな食い違いもあり、未完に終わったノベライズだ。もとになったのは、今なお名作として語り継がれる伝説のゲームボーイソフトのRPG『ウィザードリィ外伝Ⅱ　古代皇帝の呪い』（一九九二）。

「ユリイカ」二〇〇六年七月号の内田真由美によるインタビューで、古川は『砂の王』について、「結果として〝仕事〟でしかなかった」、「俺は無責任なのは嫌いだから、やめるのは本当に嫌だった。ただ、『砂の王』には世間との闘いが入っちゃってる」と、ネガティヴな回答を寄せている。しかしながら、『砂の王』が出る「十三日」前、『13』の一行目である「一九六八年に東京の北多摩に生まれた橋本響一は、二十六歳の時に神を映像に収めることに成功した」というフレーズが「ぱーっと来た」とも述べている。つまり『砂の王』は、「エクスキューズのないところからスタート」した『13』の産婆役となった、というわけだ。

その後、『砂の王』を「死産させたという罪の意識」が強くあったという古川は、大作『アラビアの夜の種族』（二〇〇一）のなかに、作中作として『砂の王』を取り入れることにした。『アラビアの夜の種族』は日本SF大賞と日本推理作家協会賞のダブル受賞という快挙をなしたが、当人はSFやミステリという「ジャンル」に括られることを好まず、日本の「純文学」においても際立った文体を駆使し、孤高の道を今もなお歩み続け、今や日本を代表する作家の一人として、強固な文学的評価を集めている。

めでたしめでたし……本当にそうなのか？　いざ『アラビアの夜の種族』を読んでみると、『砂の王』と語り口はまったく異なることに驚かされる。古代皇帝ハルギス（表のボス）と、竜の女帝スケイリーエンプレス（真のボス）をめぐる逸話は、例えば『もっとも忌まわしい妖術師アーダムと蛇のジンニーアの契約の物語』といった形で説話化されているうえ、『砂の王』と語られる順序が真逆になっている。

そもそも、『砂の王』は城塞都市アルマールという幻想世界をできるだけ精緻に描くところから出発しているが、『アラビアの夜の種族』は、ナポレオンのエジプト遠征をめぐる実在の歴史を軸としつつ、架空の書物を介してそれをボルヘス風の枠物語となしており、核のプロットが同一でもナラティヴの解像度がまるで違うのである。

とりわけ、『砂の王』の主要キャラクターである魔術師ヴァルと戦士アシュエルは、ゲームとしての『ウィザードリィ』（一九八一）の設定を踏襲したものでありながら、その〝お約束〟を内側から破砕するかのような新解釈を前提としていた。ヴァルはエルフに育てられた人間という設定なのだが、『ウィザードリィ』のシステムにおいてエルフと人間との間には知力のステータス上限に格差が設けられており、それゆえ魔術師としての素養において、人間はエルフに敵わないものとなっている。

『砂の王』ではこうしたシステム上のジレンマを、むしろ作劇的な可能性として読み替えつつ、ゲームタームを極限まで排した形で記述する、という方針で書かれている。もともと『ウィザードリィ』は、『アドバンスト・ダンジョンズ&ドラゴンズ』（一九七九初版）の影響を強く受けた作品なのだが、古川が『ウィザードリィ』を解釈するにあたって、「人間」とは何であるのか、その業を徹底して掘り下げることで、むしろオリジナルの『アドバンスト・ダンジョンズ&ドラゴンズ』へと近づいている。

『砂の王』のアシュエルは、アルマール最高の剣士と謳われながらも――パーティを組んだヴァルに見捨てられた結果——守護者たるサファイア・ドラゴンに襲われて半死半生の身となり、生き延びるためにドラゴンの肉を喰わざるをえず、戦士にもかかわらず魔界のデーモンをも従わせる強力無比な魔力を手にすることとなった悲劇のヒーローだ。

『ウィザードリィ』はAD&Dに由来する「混沌」や「悪」のアラインメント（性格、属性）が存在し、棲む世界やイデオロギーの差異として、混じり合う余地のない画然たる形で生き方が設定されている。ヴァルもアシュエルも、深く狂気に冒されているため、アライメントは「悪」であろう。では、その「悪」を「悪」たらしめる裏付けを、どのような説得力ある形で与えられるのか。その試行錯誤が、『砂の王』では重厚にして格調高い文体を用いながら、枠物語のように距離を取らない形で生々しく書き込まれていくのである。

このような想像力の働かせ方を、古川はベニー松山から学んだのだろう。ベニー松山は『小説ウィザードリィ 隣り合わせの灰と青春』（一九八八）や、『ウィザードリィのすべて』（一九八九）、『小説ウィザードリィII 風よ。龍に届いているか』（一九九四）といった仕事で、線画と無機質な数値の連なりからなる『ウィザードリィ』に血肉を与えた伝道者として知られているが、古川に小説家とは何たるものか、身を以て示した最初の存在でもあった。そして、世界観の紹介だけではなく、実際にベニー松山は、『ウィザードリィ外伝II 古代皇帝の呪い』メイン・デザイナーとして、オフィシャルな製作にも携わることになったのだった。

ベニー松山は二〇一九年、同作のCDドラマ版の詳細なプロットを、自身のウェブログにて公開している。一九九二年に完成が予定されていたものの、お蔵入りになった作品なのだが、ここでキモとなったのは、「それまでのウィザードリィ関連の物語でやってこなかった、〝ゲームシステム的に考えたら絶対にやらないクラスチェンジをする主人公〟が出てくるシチュエーションに、「納得できる理由付け」を与えて描くという方針だった。プロットを進展させながらも、キャラクターを掘り下げる契機とする方法論というわけである。

この方針は、そっくりそのまま『砂の王』に踏襲されている。このことはベニー松山が自身の会社ベントスタッフのサイトで公開した連載「俺を信じてこれを買え」の第一回で『アラビアの夜の種属』に『砂の王』が組み込まれていることを明かしたうえで、古川が「このソフト（『ウィザードリィ外伝II』）のディレクターよりも、シナリオに設定された〝秘められた部分〟を理解してくれていた」と書いたことからも、充分に裏付けられるものだろう。

それに先立つ二〇一八年、ベニー松山×古川日出男の対談「小説家誕生前夜——『砂の王』のころ」が古川の公式サイトで公開された。ようやく気持ちの整理がついたのか、読者へ胸襟を開いて当時を赤裸々に語った内容である。

対談によれば、一九九三年に刊行されたベニー松山監修の『ウィザードリィ・外伝II イマジネーションズ・ガイドブック』（アスキー）の巻末には「制作協力」として「古川日出男」の名前がクレジットされており、これが初めて古川が名前を出した商業出版だというのだ。この本は、「攻略本」の範疇を少なからず飛び越えており、『ウィザードリィ』シリーズをプレイするためにまずもって求められる、ゲーム中に提示されるあらゆる情報を、ユーザーが想像力を膨らませるための素材として活用するという姿勢が、遺憾なく発揮されているのを確認することができる名著だ。

『ガイドブック』で古川は主にマップ攻略を担当したが、その最終フロアと、また『砂の王』の1巻のラストの場面は、黄泉（実質的な地下12階）へ入るところで終わっている。対談では、その後のプロットも存在はしていて、ダンテの『地獄篇』から、地獄の中心ジュデッカの逸話が採られ、悪魔族の王アークデーモンが氷の地獄で活躍し、『砂の王』の1巻でほのめかされていた「善」のはずのロードが、「凄まじい狂信者」として描かれることが明かされていた。すなわち、「悪」の邪悪性が強調されながら、対極にあるはずの「善」もまた、その純粋さを突き詰めると、「悪」よりもいっそう狂ったものとしてありうるという業を、古川は書き留めていたのである。『砂の王』はトランスメディア的に、輻輳するものとしての「悪」を描こうとした特異な作品だったのだ。

僕らはみんな小悪党
――小市民だれもが持つ小さな悪意

◉文＝日原雄一

ツイッターのTLを眺めていたら、「月曜から夜ふかし」のことが話題になっていた。「夜ふかし」に出たレジバイトの女性いわく、六〇〇円の会計に一一〇〇円だしてきたお客には、百円玉五枚でお釣りを返すことにしている、という。

　なんてヒドイことをするのかと思った。その後、2ちゃんのまとめサイトを見たら、悪魔の所業、極悪非道。逆さづり火あぶり、打ち首獄門にしても足りない、と評されていた。私もまったく同意見である。ふだんは死刑制度に対して思うところがあったりなかったりするが、この者には即刻極刑を言いわたしたい。

われらゆがんだ小市民

　まあ、そこまで怒ることはない。「私はまだかつて嫌いな人に逢ったことがない」と言ったのは淀川長治だが、おなじ男ずきの先達が言うことではあれど、私はそこまでまるくはなれない。さいわい私は、殺したいほどの憎しみが湧くような人物に出会ったことはないけれど、戸棚の角に頭をおもいっきりぶっつければいいのに、と思うていどにむかつく相手はいる。両手に余るくらいにはいるのです。後輩のOとか、ってイニシャルトーク始めなくていいですか。殺したいほど大きな憎しみをいだくほどではないけれど、小さな悪意をいだく相手はそこそこいる。そしてそれは、けっこう普遍的なことなのではないかとおもうのです。

　諸星大二郎の「復讐クラブ」は、階段から落としてけがさせたり、家の窓ガラスを石で割ったりと、小さな復讐をしてはよろこぶひとびとの集まりだ。この作品が名作なのは、それが「小さな復讐」であるからにちがいない。藤子・F・不二雄の「コロリ転げた木の根っ子」では、ふだん横暴で暴力的な夫が、妻にがみがみ言い立ててる。すぐに手が出る。静かな奥さんは、そんな夫に従順にしたがう。しかし、その妻は廊下にウイスキーボトルの空き瓶を寝かせておいたり、よくないビールス（ウイルス）をもつといわれる野生猿を夫のペットとして飼ったりと、家じゅうに小さなトラップをしかけてまわってる。それが果たして待ちぼうけになるのか、コロリ転げた木の根っこになるのか。その逆が北杜夫「優しい女房は殺人鬼」ですかね。妻のすることがなんでも、自分を殺す計略に見えてしまうという。

　小さな復讐の裏には、小さな悪意がある。小さな悪意の源泉には、小さなきっかけがある。坂木司「いじわるゲーム」も、ささいなことからはじまった。心をゆるしている女友達が、自分の男友達とつきあっていたのを、自分にだまっていた。

　その男友達に、彼女は処女じゃないよ、なんて伝えるというゲーム。こんなたくらみをおもいついたのは、かくれた同性愛者の男。しかも、「女みたいに綺麗な顔してる」御仁だ。この話が収録された坂木司「何が困るかって」は、小さな悪意のつまった傑作短篇集である。

　同書でいちばん胸にきたのは、「カフェの風景」。のどかな喫茶店。コンクリートの床に座り、老人にくんくん鳴いてみせる犬。おやつのジャーキーがほしいのに、老人は的外れに牛乳なんかを持ってくる。「じいちゃんに何かあったら、こうたくんがひきとって

★坂木司「何が困るかって」（創元推理文庫）

くれる」と聞いて、こうたくんの家族のところに行きたいから、「(じいちゃん、死んで)」、「(ねえ、死んで。早く、早くう)」と思いながら尻尾をふる。おやつのジャーキーをくれず、毛布ももらえず、そのくらいのことでひと一人の死を願う。

　その姿は、私たちそっくりだ。みんな、だいじなのは自分のことだけだ。そうでないと生きてはいけないのだ。大の虫を生かすために小の虫を殺す世の中だから、私たちのような小の虫は、大の虫のかげに隠れていなければならないのだ。

　ハルノ晴「僕らは自分のことばかり」では、同級生で先に漫画家デビューしたやつを突き飛ばしていじめたり、殴ったりしていた。それでいて、自分が漫画賞に入選すると、「勝手に人を嫌って　でもそいつに嫌われたらむかついて　好かれるとまんざらでもなくなっく　自分の感情だけで動いて　それでも許される青春というこの時に　オレはまだいる」ってなんとなくいい話ふうにまとまる。

　古人いわく、小人閑居して不善をなすという。われらゆがんだ小市民は、小さなイジワル心、小ずるさ、小ざかしさを、だれしも持ちうるもんだろう。立川こしら・志ららのYouTube 配信番組「Hallo 中堅」で、こしら師匠の小ずるさをクローズアップした回があった。ほかで食事をたべてきたのを内緒にしていると、大師匠・談志のお母さんにごはんをたくさん出されて。ちょっとでも時間稼ぎするため「ちまき」をゆっくり剥いていたという。前座修行もたいへんなのだ。

★「チャップリンの殺人狂時代」

　大きいことはいいことだ、という森永YELLチョコレートの宣伝文句がありました。逆に言えば、「小さいことは悪いこと」だ。映画「チャップリンの殺人狂時代」の主人公は、資産目当てに女性に近づき、殺して生計を立てている青ひげ紳士、ムッシュウ・ベルドウ。もともとは地方の銀行員だったが、世界恐慌で解雇される。家に帰れば、足のよくない妻と、小さな男の子がいる。

　いよいよ死刑に決まるとき、ベルドウ氏は演説する。「殺人に関して、私はアマチュアです。ひとり殺せば殺人犯だが、百万人殺せば英雄だ」と、当時の世界大戦を皮肉る。ベルドウ氏だって、殺したくて殺したわけではない。家族の生活費を得るため、万やむをえず、職務として青ひげをやっていたのだ。その点では、大戦中の兵士たちと変わりない。

為五郎には気をつけろ

　二代目広沢虎造の清水次郎長伝から、「石松と都鳥一家」。都鳥三兄弟が、花会・金集めの寄り合いに行くのに、一〇〇両もっていかないと男が立たないが、どうしてもあと五十両たりない。困ったなあというところに、ともだちの森の石松がくる。石松は見受け山の貸元・鎌太郎から、一〇〇両あずかっている。石松の親分・清水次郎長にわたしてくれと頼まれた、香典の金だ。

　必要なのはあと五十両なはずなのに、都鳥三兄弟は、石松にぺこぺこ頭をさげる。あずかっているだけだから貸せないと石松が断るのを、すぐ返すからとむりやり一〇〇両かりてしまう。そして、返すそぶりも見せない。石松が催促をすると、石松をだまし討ちにして殺す。

　凄いのは、浪花節ではこれを「悪事」としない。「恥」と呼ぶのです。石松の兄貴分・七五郎に言わせると、「恥を知ってるやつなら返すが、あいつら恥を知らねえ」、「あいつら男と生まれて、日にいっぺんずつ恥をかかねえと気持ちが悪いってやつらだ」。なんとも凄味のあるせりふである。

　一方、そのあとの物語では、本座村

★二代広沢虎造「清水次郎長伝 為五郎の悪事」(CD)

為五郎という人物はべつにひとところしもせず、金もとらない。ただ都鳥三兄弟に、きたない雑巾でふいた茶碗で水を飲ませる。次郎長に石松が殺されたのを伝えて、都鳥をどきりとさせる。この物語を題して「為五郎の悪事」。この為五郎は「あっと驚く為五郎」のその人で、つまりどこにでもいる、谷啓のような人物だ。そうした小市民こそ、悪なのだ。クレージー映画でも谷啓の役どころは、気が小さい小市民だった。

小市民とは、小ずるく、小ざかしい生き物である。みんな大好きポン・ジュノ監督の映画「パラサイト 半地下の家族」では、半地下の家にせせこましく暮らす家族四人が、小ざかしい知恵をつかって、豪邸に徐々にはいりこむ。その結果、何人もが命を落とし、血と汗が舞う惨劇になる。

それはスケールがでかすぎるけど、吉田ゆうこ「悪玉」では、優等生の男子高校生が、はじめての万引き現場をサラリーマンに写メとられ、それをネタに脅されてフェラさせられたりする。この代償もでかいですね。映画館でいっしょに映画をみてる最中、サラリーマンの男が居眠りしてるとき、DKは写メのあるスマホを抜き取ろうとしたりする。どちらも小市民らしい小ずるさにあふれてる。

小ずるい名作群

小市民のズルさ、セコさを描かせたら、かつてはサトウサンペイと東海林さだおの両巨頭が物凄かった。六〇、七〇年代の「フジ三太郎」、「ショージくん」など一連の作品群のすばらしさたるや。友人と居酒屋に入って、ふたりで鍋物をたのみ、肉は野菜の下にかくして自分だけコソコソ食べたりする。八〇年代は、いしいひさいちの「バイトくん」。いまなら「連ちゃんパパ」ですかね。ツイッターでも話題の、読むストロングゼロマンガ。登場人物全員クズというすさまじさ。でもひとは、ひとりも死んじゃいないのか。

★ありま猛「連ちゃんパパ」(電子書籍・合冊版)

死にまくるのは、乱歩の「赤いへや」。退屈だからと、小さいイジワルで、ひとを九十九人まで殺すスサマジイ物語。これだけ殺したら英雄だ。柳家喬太郎がこの作品を落語化していて、主人公の退屈してる落語は、なんとも凄みと、魅力がある。何度もCDで聴き返してしまう演目だ。

そういえば「小悪魔的」というのは、キュートな人物を評するのにつかわれる表現だが。「ブラッディ・マンデイ」、「SPEC」、「神様の言うとおり」の神木くんは、まさに小悪魔的でマジキチ可愛さある。先日亡くなった三浦春馬も、「ブラッディ・マンデイ」では好演していた。「惜しいつぼみは散りたがる」。これは清水次郎長伝の、「石松と見受山鎌太郎」の名文句でした。

ほんものの悪魔はキュートかどうか、見たことがないのでわかりませんが。キンキンに冷えたビールを、悪魔的だ、って言いながら飲むのはカイジか。私もそろそろ飲みたくなってきた。ストロングゼロでも買いに行こうと、仕事帰りにコンビニに寄り。つまみものもあわせて六百五十六円。レジで千百五十六円、だしたところで、ビニール袋の料金も追加で三円。〆て六百五十九円になった。クヤシイことに、サイフに一円玉があと二枚しかない。五円玉も、十円玉もない。歯をくいしばりながら五十円玉を出し五円玉と一円玉をひっこめて、帰り道悶々と悩んでしまう、肝っ玉の小さな男である。

「毒親」進化論
—フィクションの中の「毒母」たち

◉文＝梟木

『母なる証明』の衝撃

『パラサイト／半地下の家族』（二〇一九年）のヒットが記憶に新しいポン・ジュノが二〇〇九年に監督した映画『母なる証明』は、衝撃的な一作だ。あまりに衝撃的すぎてこれ一本で「毒親」という今回のテーマを網羅できてしまうほどなので、まずはそのあらすじを詳細に振り返ることから、話を始めてみることにしたい。

知的な障害を抱えながらも純朴な人柄を持つ青年トジュン（ウォンビン）と、彼のことを溺愛する母（キム・ヘジャ）。二人は貧しいながらも、母ひとり子ひとりの母子家庭で懸命に生きてきた。ところがある日、町の中で女子高生が殺される事件が起き、現場近くにいたトジュンは第一容疑者として警察に身柄を拘束されてしまう。トジュンの無実を証明するものは何もないなか、息子が人殺しでないことを信じる母は、ひとり真犯人を追って奔走するが……。

★「母なる証明」

障害を持つ息子と母親の〝魂の絆〟を描いたヒューマン・ドラマとしては、上々の滑り出しといえよう。ところが物語は、思わぬ結末を迎える。事件の真犯人は、トジュンだった。軽い気持ちで女子高生の後をつけたところを「バカ」と罵られ、激昂したのだ。

その一部始終を目撃していたと廃品回収業者の男から聞かされ、苦悩する母。さらにトジュンがまだ正式に逮捕されていないことを知った男は警察に通報しようとするが、そこで母親は咄嗟の行動に出る。なんと廃品回収業者の男を殺害し、彼が住処にしていた廃工場に火をつけてしまうのだ。「善き母親」として息子を守るためには、殺人さえも犯さなければならないのか。絶句するわれわれをよそに母親は魂の自由を表現するかのようなダンスを披露し、映画は静かなエンドロールを迎える。

元祖「毒親」映画としての『母なる証明』

『母なる証明』でポン・ジュノ監督が描いたのは、愛する息子のためなら殺人さえも厭わない強い愛情を持つ母親の姿だった。だがこの母親が同時に極端な「毒母」であったことは、おそらく映画を見た全員が納得されるところだろう。

「毒母」とは、多くは自己愛の問題から、子どもの人生を支配し、子どもに悪影響を及ぼしてしまう母親のこと。二〇一〇年代半ばごろから有名になった「毒親」というワードから派生したものだが、日本で父親が「毒」として語られることは（環境的に母親が問題にされやすい時期であったためか、もとから父親が毒のような存在として認知されていたからか）少なく、「毒親」といえばほぼ母親を指すものとして定着した印象がある。

『母なる証明』に登場する母親もまた、わが子への愛情に見せかけた強い自己愛から、子どもの人生を支配し、自立や更生のために必要な機会を奪い続ける。そればかりではない。トジュンがまだ幼かったとき、貧しさに耐えられなくなった母は息子に農薬を飲ませ、無理心中を図ろうとした（息子が抱えている知的な障害を、この事件の後遺症と考えることは可能だ）。子どもに「毒」を飲ませたのだから、これはもう立派な「毒親」だろう。

増殖する「母」映画

近年の劇場公開邦画作品における「母親テーマ率」の高さについては、じつは前々から気になっていた。

周囲の大人や友人たちの助けを借りて児童虐待

のトラウマを乗り越える青年の姿を描いたコミックエッセイ原作『母さんがどんなに僕を嫌いでも』（二〇一八年一一月公開）。

　がんを患った母親と息子が最期に過ごす闘病生活の日々を描いた感動作『母を亡くしたとき、僕は遺骨を食べたいと思った』（二〇一九年二月公開）。

　幼い子どもたちのために夫を殺した母親が一五年ぶりに実家へ帰ってきたことで起こる騒動を描く白石和彌監督作『ひとよ』（二〇一九年一一月公開）。

　俳優の長澤まさみが真剣に子育てと向き合うことのできない母親の「秋子」役を演じたことでも話題になった『ＭＯＴＨＥＲ　マザー』（二〇二〇年七月公開）。

　なんと二〇一八年末から二〇二〇年の夏までの間に、母親と息子の関係に焦点を当てたメジャー邦画作品が少なくとも四本、立て続けに公開されていたのだ。ここ数年、毎月の新作映画を欠かさずチェックする生活を送ってきた筆者のような人間から見ても、これはちょっと異常な偏りといえる。

　漫画では、不条理な母親の行動によって支配される中学生の男の子の姿を描いた押見修造の新作『血の轍』が二〇一七年に発表されており、二〇二〇年九月現在、連載が続いている。

　それだけではない。宮川サトシによる自伝漫画を原作とした『母を亡くしたとき、僕は遺骨を食べたいと思った』を除き、母親が「毒親」として描かれているという点でもこれらの作品は共通している（『ひとよ』の母親は息子たちを父親の虐待から守るために殺人を犯すが、その選択は結果的に残された子どもたちの人生を束縛し続ける）。「あんたなんか産まなきゃよかった」と平気で息子に言い放つことのできる『母さんがどんなに僕を嫌いでも』や『ＭＯＴＨＥＲ　マザー』の母親に、もはや母としての資格はない。『母なる証明』の中でさえ決して疑われることのなかった「母親の愛情」（＝「母性」）の絶対性は、ここではすでに失われている。

「母性本能」という罠

　だがそのような「母性」という「神話」にもっとも苦しめられてきたのが『母さんがどんなに僕を嫌いでも』の「光子」や『ＭＯＴＨＥＲ　マザー』の「秋子」のような「虐待する母たち」であったことは、ここであらためて論ずるまでもないだろう。ヒトがもつとされる「母性本能」が必ずしも生得的なものではなく、すべての女性が子育てに向いているわけではないことは、フェミニズムの文脈からつとに指摘されてきた（大日向雅美『母性愛神話の罠』など）。にも関わらず「子どもは女性が育てるもの」「母親は子どもに対して無条件の愛情を注ぐもの」というような通念は社会の「常識」として根強く残っており、子どもを愛し育てることのできない母たちを、深く傷つけている。そうして母親としての人格の「未熟さ」を世間から責められ続けた結果、さらに子どもを虐待してしまったり、あるいは逆に頑張ろうとしすぎて「モンスターペアレント」のような状態になってしまうことは、当然ながらあり得るだろう。

　厄介なのは、そのような言説が世間の母親を貶めようという悪意からではなく、あくまで社会的な「善」の側に立って発信されていることだ。それが変わらないかぎり、満足に子どもを育てられない母親はそれだけで「悪」とされ、「毒親」というレッテルを貼られ続ける。いま、彼女たちを苦しめているのは「悪」ではない。母親とはこういうものだ、いやこうでなければならないという、社会に溢れる「善」の言説の過剰さである。

★（上から）「母さんがどんなに僕を嫌いでも」
「MOTHER マザー」
押見修造「血の轍」（小学館ビッグコミックス）

「善」に支配されることの息苦しさ

だが「こうでなければならない」という社会的な「善」の圧力に苦しめられているのは、なにも「母」だけではあるまい。集団の正義や利益のために"個"の性質や主張を蔑ろにする社会の中で、私たちもまたひとりひとりが窒息死させられるような息苦しさを感じながら生きているのであり、新型コロナウイルスが流行して以降、そのような傾向はますます顕著になっているといえる。その中でとくにスケープゴートとしての役割を担わされてきたのが未成年の子どもや老人、生活保護受給者や外国人労働者のような社会的に「弱者」とされる存在であったことは、あらためて指摘するまでもないだろう。新海誠の大ヒットアニメーション『天気の子』（二〇一九年）は、そのような社会の状況を踏まえた上で、「善」に支配されることの息苦しさ、あえて間違えてみることの「正しさ」を描いてみせた、希有な作品だ。

『天気の子』の主人公は森嶋帆高という名の、高校一年生の少年。実家を飛び出し東京のネットカフェを泊まり歩いていた帆高はそこで起きた事件をきっかけに、陽菜という天候を操ることのできる少女と出会う。両親もなく、小学生の弟と貧しく暮らしていた陽菜のことを心配した帆高は二人のために色々と手を焼き、家族のような関係を築いていくが、それを良しとしない周囲の大人たちや警察によって、次第に追い詰められていく。そして物語の後半、天候の安定と引き替えに人身御供として空に消えていった陽菜を取り戻したい一心で、帆高はこの世界にとってある決定的に「間違った」選択をしてしまう。

そこで帆高が犯した「間違い」の内容や性質についてはここでは問わない。重要なのは、帆高や陽菜が「善」の支配に苦しめられる「弱者」の側の人間であったこと、そしてそのような社会を構成する人々の利益と陽菜の存在とが天秤にかけられた結果、選ばれたのが後者（"個"の幸福であり正義）だったという点だ。帆高はあえて自らが率先して「間違った」選択をしてみせることによって、集団の正義や利益を達成することだけが「善」とされるようになった社会の歪な構造を可視化してみせる。彼が間違えるのは、恐らくはそれができない私たちの「代わり」なのだ。

「善」の突破口

もしかしたらフィクションの中の「毒親」たちに期待されていた物語的な機能もまた、そのようなものだったのかもしれない。

『ひとよ』の母親は子どもたちを虐待から守るために殺人という過ちを犯すが、それは「善」の軛に囚われて行動することができなくなっている現実の私たちに、ある種の解放感を与える（佐藤健演じる成長した息子を誤ってタクシーで轢き殺しそうになった母親が「またやってしまうところだった……」と漏らす場面の痛快さ！）。それだけではない。自ら率先して「殺人者」となることで、母は子どもたちの中から「父親殺し」が生まれる可能性を、あらかじめ排除してもいるのだ。

「聖母」か「怪物」か。

「母親」を主題としたフィクションが取り上げられるとき、女性がもつとされる「母性」の極端な二面性を言い表すものとして、必ずといっていいほど使われるフレーズである。そこでは社会にとって都合のいい母親の属性ばかりが「聖母」として尊重され、それ以外の否定的な側面については「怪物」として切り捨てられてきた。母親が個人の権利を主張したり、ましてや子どものために夫を殺害するような「怪物」であるなど、あってはならないことだったのだ。

しかし社会全体が「善」の空気に支配されるようになったいま、むしろ「怪物」として堂々と社会の規範に背くことが、フィクションの中の母親の役割として求められるようになってきているのではないか。近年における「毒親」作品の流行からは、そのような「母親」の進化の方向性を読みとることも可能なのである。

キム・ギドク 悪の倫理

◉文=浅尾典彦

★キム・ギドク

昔からよく云われるが、人間の心というものには二面性があり、優しく美しい部分とは別に、誰しも邪悪な心や狂気など恐ろしい部分を奥底に宿している。エゴ、傲慢、業《カルマ》、邪心、自我、本能、悪気、狂気など、状況によっていろいろな呼び方をされるものだ。人は、日頃は社会の秩序を保つため善良な仮面をかぶり、この邪悪な部分をひた隠しにして生きている。だが、緊急事態に陥った時は別で、追い詰められた人間は必死になり、本来心に秘めていた邪悪が表に出てくることがある。自己保存という本能が働くからに違いないが、同時に心の内面が外に可視化される瞬間で、その言動により目を覆いたくなるような恐ろしい結果になったり、永く深く心に刻まれるトラウマを生むこともある。人間の根源にある悪が見えた時、それは過激で、醜く、悲しく、甘美で、ドラマティックですらある。

そのような人間の持つ邪悪や狂気を掴みだし、鋭い視点で描き続ける鬼才が韓国にいる。映画監督のキム・ギドクだ。人間の狂気や悲しみを容赦なく表に曝してスクリーンに叩き付ける。観るものに驚愕や嫌悪感を与えながら真の人間を裸にしてゆく。カンヌ映画祭他ヨーロッパなどで高く評価される一方、奇抜な表現や言動が物議をかもし、韓国国内外でしばしバッシングのターゲットにもなっている。

キム・ギドクとは

キム・ギドク(金基徳)は、監督にとどまらず脚本家、プロデューサー、編集、美術、役者など、必要に応じて何でもこなす総合力の高い韓国の映像作家だ。独特の感性を持ち、早撮り、低予算、難解そして過激な内容で知られる。監督として高く評価される一方、幾つかの作品の表現で物議を醸したり、ニュースになる作家である。

1960年12月20日、韓国は慶尚北道奉化《ポンファ》郡の山間の村の貧しい家庭で生まれたギドクは、9歳でソウル近郊の一山《イルサン》に引っ越し、父の要望に従い農業専門学校に通った。17歳でソウル市内の清渓川《チョンゲチョン》で就職し工場に勤め、そこは女性ばかりの職場でコミュニケーションもヘタなギドクは、対話もなく、寡黙に機械の整備などに明け暮れたという。その後、兵役のため20歳で海兵隊に入隊、5年間に渡って軍隊生活に従事する。軍隊生活には適応していたそうだ。ギドクの隠遁生活を描いた自虐ドキュメンタリー『アリラン』(2011)では、エスプレッソの機械を自作したり、ユンボを運転し穴を掘ったり、ストーブを使った料理なども自分でこなしているが、若い頃の体験が生かされているのだろう。その後、障害者保護施設で働きながら夜間の神学校に通い、教会の牧師を目指すと共に幼い頃から好きだった絵画制作を始めるのだが、その影響と宗教観は『アーメン』(2011)『嘆きのピエタ』(2012)辺りに特に色濃く現れている。

1990年から92年までの間、ギドクはパリに渡って絵画を学び、路上画家として生計を立てながら、その頃に観た映画『羊たちの沈黙』(1991)や『ポンヌフの恋人』(1991)に強く感化され、映像制作者を志すことになる。帰国後、精力的に脚本執筆を始め『画家と死刑囚』(1993)で脚本家デビュー。93年映像作家教育院創作大賞受賞。映画会社で専属脚本家として勤めた後にフリーになり、96年には低予算ながら念願の初監督作品『鰐〜ワニ〜』を完成し発表した。

続いて撮った『魚と寝る女』(2000)、そして『受取人不明』(2001)がヴェネツィア国際映画祭のコンペティション部門に出品され、ヨーロッパ中心に高い評価を得る。『魚と寝る女』は嘔吐者続出の衝撃作だ。2001年の『悪い男』では、韓国ソウルだけで観客30万人を動員するヒットを飛ばし、03年の『春夏秋冬そして春』は韓国映画界最高の栄誉である大鐘賞と青龍賞の作品賞を受賞。『サマリア』(2004)がベルリン国際映画祭で銀熊賞（監督賞）、『うつせみ』(2004)がヴェネツィア国際映画祭で銀獅子賞（監督賞）など、その後の作品も各国際映画祭で絶賛され「世界のキム・ギドク」として注目を浴びる。01年に創立した「キム・ギドク フィルム」では、自分の映画製作の傍ら多くの新人監督も育てている。

ところが08年、オダギリジョー主演映画『悲夢』の撮影中に女優が命を落としかけるという事故が発生した。主人公ラン役が監獄の窓の柵で首を吊る自殺未遂のシーン、誤って本当に首が絞ったままぶらさがってしまったのだ。ギドク監督が慌ててハシゴに登って彼女を引き下ろして最悪の事態は免れたのだが、ショックを受けたギドクはその後監督として映画製作が出来なくなり、遂に人前から姿を消してしまう。この時の体験は後に「頭をかなづちでなぐられたようなショック」と告白している。

3年後、ドキュメンタリー『アリラン』(2011)を引っさげてギドクは帰って来た。トイレもない寒村の山小屋で、隠遁生活を送っていた自身の苦悩の記録をセルフ撮影し映画化したものだ。カメラの前で本人が胸の内を赤裸々に独白、それを攻める別のギドクの姿、さらに話を聞く自身の影、さらにそれを編集しながら観ている別のギドク監督という、複数に人格を分けて描いた複雑な一人芝居が、過酷とも、自由ともとれる不便な日常生活と共に描かれる。その衝撃的な内容と巧みな演出、緻密な編集で第64回カンヌ国際映画祭のある視点部門で最優秀作品賞を獲得した。皮肉なことに練りに練った演出で映画作りをするギドクは監督として失脚し、自分自身の痛みを吐き出した〝プライベート映画〟で世界三大映画祭での受賞を成し遂げたのだ。

復活したギドクは、実験映画『アーメン』を撮ったあと、取り立て屋として生きる極道とそれを捨てた母を描いた『嘆きのピエタ』で、韓国映画で初となるヴェネツィア国際映画祭最高賞・金獅子賞に輝いたが、ギドクが韓国映画界の独占を批判したため韓国国内での上映は4週間で打ち切りとなった。その後、2013年に完成した『メビウス』は、問題作として韓国で上映制限された。しかも、出演女優（途中降板）に対して撮影中暴力を振るい、予定になかったベッドシーンまで強要したとして、ギドクは裁判所に告訴され、罰金500万ウォンを支払っている。また、#MeToo 運動の広がった18年3月。韓国の文化放送の番組中にふたりの女優が「ギドク監督にセクハラを受けた」と訴えた。怒ったギドクはふたりの女優と番組関係者に対して名誉毀損で告訴し、勝訴した。映像監督のみならず、私生活においてもギドクはスキャンダラスな人物として知られるようになる。

作品は続き、狂気のサスペンス『殺されたミンジュ』(2014)の後、日本の福島原発の危機を描いた『STOP』(2015)や、南北朝鮮問題に切り込んだ『レッド・ファミリー』(2013、監督イ・ジュヒョン)や『THE NET 網に囚われた男』(2016)など政治的な要素を含む作品を発表。最新作『人間の時間』(2018)では、人の生きる意味にまで言及している。

キム・ギドクの世界

社会を見据えるキム・ギドクの視点や冷徹な描写の中には、特有の哲学や美学がある。悪や狂気を含む人間の本質にどのように迫っているのか、その特異な作家性がよくわかる作品をいくつか紹介しよう。

『悪い男』(2001)

目つきの悪い丸坊主のハンギが町で様子をうかがっている。ハンギはヤクザ。美術史を学ぶ女子大生ソナに目をつけ恋心を抱く。ハンギはソナ

の恋人のいる前で、突然強引に彼女の唇を奪う。騒ぎになり駆けつけた警察が殴り引きはがす。ソナは怒りをあらわにしハンギに唾をかけて侮辱する。

　しかし、ハンギは後日ソナを罠にはめて多額の借金を背負わせたうえ、売春宿へと売り飛ばす。お嬢さん育ちのソナは売春を拒絶し続けるが、やがて泣く泣く個室で客を取るようになる。その部屋の鏡はマジックミラーになっており、裏の隠し部屋から一部始終を見ている男がいた。ハンギだった。話が進むにつれ、ハンギが腹いせでやったことではないことに気が付く。表現も言葉も、他に生きるすべさえも持たない不器用な「悪い男」と、落とされた女の生き様が凄まじい。内容もさることながら画作りも美しく息を飲むシーンもある。

『うつせみ』(2004)

　オートバイでやって来て、近所の家の扉にピザ配達のチラシを貼ってまわる男。時間を置いて男はまたやって来る。貼られたままのチラシを確認すると、剥がして捨て、鍵をこじ開けて侵入する。彼はテソク。留守の家に忍び込んで、家主が帰るまでしばらくそこで生活し、痕跡を残さないでそっと去ってゆく不思議な侵入者だ。金品も取らないし破壊もしない。世間に気付かれずに生息しているのである。

　ある日テソクは、いつものように忍び込んだ邸宅の納戸で軟禁状態の女性を見つける。彼女は警察に通報するかと思いきや、ただテソクを傍観していた。彼女はほとんどしゃべらず、どうやらわけありだった。テソクは彼女を連れ出し一緒に留守宅を転々とするのだが…。

　英語題の3 Ironはテソクが唯一持ち出すゴルフのクラブの種類。公園でこれを振り回して遊ぶ。純粋だが心に穴が開いた2人の男女の運命的な出会いを描いた、幻想的な愛のファンタジー映画。想像を超えるオチに驚愕する。

『嘆きのピエタ』(2012)

　ピエタとは、十字架から降ろされたイエス・キリストを抱く聖母マリアの彫刻や絵を指す。身寄りがなく、天涯孤独で生きてきたイ・ガンドは、極悪非道な借金取りたて屋として債務者たちから恐れられていた。債務者の手を機械に入れわざと怪我させて障がい者にし、労災を降ろしてまで金をもぎ取るなど、残忍な手口も平気だった。

　ある日、そんなガンドの前に彼を捨てた母と名乗る女ミソンが現れる。最初ガンドはミソンを邪険にしていたが、謝罪し続け子守歌を歌い晩ご飯にうなぎを買ってくるなど無償の愛を注ぎ続けるミソンに感情は揺れ動く。そしてガンドが心を開こうとした矢先、ミソンは失踪し、助けを求める電話がかかってきた。心を失った男が母の愛情を受けて、眠っていた人間性を呼び覚まし悔い改める。胸がしめつけられるような衝撃的な作品だ。

『レッド・ファミリー』(2013)

　喧嘩の絶えない家族の隣に、絵に書いたような幸せな家族が住んでいた。誠実な夫、おしとやかで貞淑な妻、威厳のある祖父、可愛い娘。だが、家に入りドアを閉めると妻は豹変、祖父ミョンシクの足を蹴りあげた。彼らは韓国に潜入している北朝鮮工作員「ツツジ班」で、偽装家族だったのだ。

　ケンカの絶えない隣人家族を「資本主義の限界」と最初罵っていたが、心温まる近所付き合いをするうちに本音をぶつけ合える韓国の家族に心を動かされていく。北に残してきた家族を想い、工作員たちは心を鬼にするが人間としての感情は抑えきれない、そんな時、「ツツジ班」に脱北者の暗殺指令が下る。キム・ギドクは製作・脚本・編集と脇に回り、自分が育てたイ・ジュヒョンを監督に据えて作った社会派ドラマ。中盤から工作員たちの人間としての本心が頭をもたげはじめ、ラストは衝撃で涙を禁じ得ない。

★『人間の時間』

『人間の時間』(2020)

この春に劇場公開されたギドクの新作で、ギドクの集大成ではないかと思えるテーマだった。

現役を離れ、クルーズ船となった元軍艦での物語。船の旅を楽しみにしてたくさんの客が乗船している。日本人の新婚カップル、次期首相との噂も高い有名な議員とその息子、チンピラ・キャング集団、立派に訓練された船員たち、そして謎の老人。だが、外洋に出た頃から徐々に船内の秩序が乱れ始める。最初は食事の扱いの違いなどから小さないざこざや格差差別が始まり、それはやがて暴力へ。酒乱、ドラック、セックスなど、自分たちのエゴを解放し始める人々。みんなこの小さな社会を自由に支配したいのだ。船の中は徐々に強者側と弱者の集りに分かれてゆく。荒れ狂う暴力と欲望の夜。狂乱もひとしきりになった頃、人々は甲板から外を見て驚いた。

そこに海はなかった。

船は霧に包まれた未知の空間に突入していたのだ。どうやったら帰れるのか? 果たして人々は生き残れるのか? 食料も段々と底をついてくる。人はタガが外れ衝動に突き動かされて野獣と化し、悲劇的な殺し合いの末、遂に飢餓状態は極限に達し死んだ人間の肉を食べだす。地獄と化した船は果たして……。

未知の空間への説明は一切ない。既存のパニック映画とは違い、中盤までは欲望と本能を露わにしたドロドロとした人間の愚かさを描いているのだが、後半はその想像をはるかに超えたところまでが描かれる。キム・ギドクの非凡さが光る、「生と死」をテーマにした哲学映画と云えるかもしれない。

ギドクの悪の倫理

ギドクの作品は残酷なリアリズムで描写がなされているので、その暴力性からしばしば批判の的にされるのだが、ギドクは毎回、驚くべき特殊な設定を編み出し、その舞台上にあらゆる悪人たちを乗せてドラマをゆっくりと動かしてゆく。まるで赤子の揺りかごを揺らすかのように。そこには浮浪者、貧乏画家、売春婦、浮浪者、混血児、ヤクザ、坊主崩れ、人殺し、援助交際女子、不法侵入者、淫行老人、整形美人、死刑囚、夢遊病患者、不倫、半狂乱妻、借金取り、容疑者、汚染、裏切り、脱北者、ストーカー、成り上がり、勘違い俳優、運び屋、工作員、密輸業者、運動家そして自分自身など、あらゆる〝世間〟が凝縮している。

よく「ギドクの作品は難解だ」といわれるが、シンプルで素直な作品が多いと私は考える。ギリシャ悲劇や聖書、宗教から引くテーマやモチーフも多く、前述のキャラクターたちは多分に記号的であり、演劇的な技巧により整理されている。ギドクが描く悪人は紛れもない〝人間〟そのものだ。

根源に「人間に対する怒り」を顕わにし、悪人ばかりが出てきて、繊細で、大胆で、したたかで、狂気を孕んだ作品を生み続ける表現者キム・ギドク。この稀有な監督は、『人間の時間』完成時に「人間を憎むのをやめるためにこの映画を作った」と語った。その表現の根底には、実は、神の目線での「ゆるし」と本質的な人間愛があるのではないだろうか。

★キム・ギドクと『人間の時間』の写真提供:太秦
『人間の時間』は、2020/12/31までデジタルレンタル配信中。配信先は公式サイト参照→ https://ningennojikan.com/

この世で一番悪いヤツ
——現代的悪役キャラ作成ガイド

◉文＝阿澄森羅

1

私も作家の端くれなので、同業者の飲み会に参加することが時々ある。その場で語られるのは主に編集や仕事への愚痴なのだが、やさぐれた会話の合間に真剣な創作論が展開されたりもする。そこで結構な頻度で発生するのが「悪役のキャラ造形」に関する議論だ。

価値観が多様化し、善悪の定義も曖昧になってきた現在、フィクションで悪役をどう描くかは非常に悩ましい。印象的な悪役や魅力的な悪役はいくらでもいるではないか、との意見もあるだろうが、おそらくは認識にズレがある。主人公と対立し、目的の障害となる【敵役】の創造は比較的容易なのだ。問題になるのは、主人公が否定し、打倒すべき存在だと認識する【悪役】をどう生み出すか、ということだ。

両者の違いを『機動戦士ガンダム』を例に説明するなら、【敵役】はシャアで【悪役】はジオン公国を支配するザビ家——といった具合になる。ただ、ザビ家の面々も各人が理想や信念に従って行動しており、作中で描かれる戦争の背景には移民に対する長年の差別と搾取があるので、数十億の死者を出した元凶であっても明確な悪とは断言しづらい。事程左様に、万人を納得させる悪役の造形は難度が高い。

そこで今回は、肯定的評価が皆無な創作のキャラや、否定的評価が磐石な歴史上の人物を手掛かりに、この時代に相応しい【悪役】の描き方を考えてみたい。

2

まず古代から中世の歴史を眺めると、日本では弓削道鏡、平将門、足利尊氏が「三大悪人」と括られていた例がある。道鏡は孝謙天皇（称徳天皇）の病を治したことで寵愛を受け、皇位に就く寸前まで至った怪僧。「新皇」を自称した将門は、関東に独立国家を築こうとした反乱で有名だ。尊氏は後醍醐天皇に従って鎌倉幕府を滅亡させるが、後に対立関係となり帝を放逐した。つまるところ、天皇への叛意を最悪と定めていたようだ。

中国でも皇帝への叛逆や権力簒奪の評価は辛いが、常に周囲と争ってきた歴史があるので、売国的な行動をとった人物がより嫌悪されている。北方から侵攻してきた金に従属する和平政策を選び、岳飛ら抗戦派を抹殺した宋の宰相・秦檜や、李自成の乱と清軍の攻撃で窮地にある明を見限って清に投降し、後には明の亡命政権を崩壊させ最後の皇帝・永暦帝を殺害した呉三桂などが、「漢奸」と呼ばれ蔑まれている。

一方で、皇帝や王でも悪人と記録されることが間々ある。暴君や暗君が断罪されるケースも多いが、宗教への弾圧を行うと露骨に評価が厳しくなる。ローマ大火の犯人としてキリスト教徒の処刑を命じ、後の迫害への道筋を作ってしまったネロは、キリスト教徒が大多数を占める欧米では今も悪評を保ち続けている。

しかし、これらの人々は特定の勢力や国家や宗教にとっての悪人でしかなく、【敵役】の色合いが濃い。この段階を超えて普遍的な悪と認定されるには、功罪を比べれば罪が大きく、賛否両論あれば否に偏る必要がある。該当する人物は少なからずいるだろうが、現時点で「史上最悪の人物は?」と世界中でアンケートを採れば、トップ当選間違いなしの男は確定している。アドルフ・ヒトラーだ。

3

ヒトラーとナチスの蛮行や愚行は、改めて説明するまでもないだろう。ヒトラーは存命時からフィクション・ノンフィクションを問わず悪役に活用され、ナチスをモデルにした悪の組織や悪の帝国も数限りなく存在する。ただ、繰り返しその所業を見せられているのもあって、ストレートに【悪役】にするには陳腐さが否めない。『帰ってきたヒトラー』のようにブラックコメディに紛れさせたり、『ヘルシング』のようにケバケバしく装飾したりの一手間がないと、「またナチか」で流されてしまう可能性が極めて高い。

そんなヒトラーやファシズムに人々が熱狂する理由を『自由からの逃走』で分析した社会心理学者エーリヒ・フロムに、『悪について』という著作がある。作中でフロムは悪に向かう人間の性向を三つ挙げ、それらを「衰退の症候群」と呼んでいる。死や破壊を愛好する「ネクロフィリア」、肥大した自意識が認知を歪ませる「悪性のナルシシズム」、母親・国家・民族といった大きなものと共にありたいと望む「近親相姦的固着」の三点で、ヒトラーは典型的な罹患者として徹底的に否定されている。

これを参考に――しようと思ったのだが、原典の出版が半世紀以上も前で、今時の【悪役】を考えるには支障があるかもしれない。なのでもっと現代的なものはないかと探してみると、「衰退の症候群」との共通部分も多い「ダークトライアド」へと辿り着いた。「サイコパス」「マキャヴェリズム」「ナルシシズム」を悪のパーソナリティ特性と位置付け、それぞれの志向が強いほど犯罪や反社会的行動に関わりやすいと分析する、この心理学上の概念を用いて悪の類型を見ていこう。

4

衝動的で利己的で平然と嘘を吐き、冷酷で良心や感情に欠落が多い、というのが「サイコパス」の特徴とされている。この条件に当て嵌まる歴史上の人物は枚挙に暇がないが、明朝末の民衆反乱で李自成らと共に蜂起し、その後に独立勢力となって四川周辺を支配した後、大西皇帝を名乗った張献忠は別格の感がある。

建国当初は現地の役人を登用して真っ当な運営をしていたものの、勢力を拡大してくる清の軍勢に度々敗北し、その動揺を抑えようと粛清を行っては離反を招き、更なる粛清を余儀なくされる状況の中で政権は崩壊。張献忠は四川を脱して再起を図るも、清軍との戦闘で敗死する。それだけならよくある反乱軍の末路だが、張献忠が一味違うのは「屠蜀」或いは「屠川」と呼ばれる、住民の無差別殺戮を行っていた点だ。

暴君の残虐エピソードは、後世の創作や誇大表現が混ざって怪しくなるものだが、張献忠に関しては彼に協力していたイエズス会の宣教師が残した記録があるので、それなりの信憑性がある。そこに書かれた「官吏に登用する名目で集めた知識人を殺戮」「兵士に住民殺害を競わせ人数が少ないと処刑」「自分のための宮殿を作らせて完成直後に燃やす」といった内容は、話半分にしても桁外れの狂乱ぶりと言うしかない。

何をさせても違和感が生じないこともあり、創作の【悪役】では人気の性格設定だが、数多いるキャラでとりわけ鮮烈な印象を残したのは、漫画版『風の谷のナウシカ』の後半から登場する、土鬼皇兄ナムリスだ。

名目上は皇弟ミラルパと同格の皇帝だが、超能力を駆使し神の如く振舞う弟に従属し、無為に日々を過ごしていたナムリスは、隣国トルメキアの侵略と巨大粘菌の暴走で国が混乱に陥る中、ミラルパを暗殺し実権を掌握。「俺には帝国も死もどうでもいい」「恐怖と歓喜の火のような日々を生きるために俺は穴グラで待ちつづけてきたのだ」と豪語するナムリスは、自国の政治と軍事を担う僧侶を大量に処刑し、古代の超兵器・巨神兵を遊び半分に甦らせるなど、目前に迫った世界の滅亡を加速させるような行動を繰り広げる。

普通なら悪役にも何かしらの理想や信念が用意されるものなのに、ナムリスはどこまでも空疎で悪意と衝動に身を任せ続ける。先のことは考えているが先には何もなく、当人もそれを理解しながら敢えて止まらない。この手に負えない天災めいた在り方は、『鬼滅の刃』の鬼舞辻無惨の厄介さに通じるものがある。

★宮崎駿「風の谷のナウシカ」（徳間書店）

5

★「ブレスオブファイアIV」

★チェーザレ・ボルジアの肖像（アルトベロ・メローネ画）

道徳や常識を無視し、他者を利用したり搾取したりに躊躇がない「マキャヴェリズム」の特性が高い人々は、語源であるニコロ・マキャヴェリが『君主論』で賞賛したチェーザレ・ボルジアを始めとして、目的のために手段を選ばない印象がある。ルイ十三世の宰相として絶対王政の確立と強国化に邁進したリシュリュー枢機卿などは、フランスを発展させた偉大な政治家として紙幣に肖像が使われる一方、『三銃士』では陰謀家の悪役として登場させられている。

日本のマキャヴェリストでは、一介の僧侶から美濃の大名へと成り上がった斉藤道三（近年では親子二代の業績との説が有力）や、主家乗っ取り・将軍弑逆・大仏殿放火の三悪事で有名な松永久秀（どれも久秀に責任があるとは言い難いが）といった戦国時代の梟雄が、ドラマや小説に度々登場することもあって知名度が高い。

このタイプで語り草になっているキャラとして、『ブレスオブファイア４』に登場するユンナがいる。そもそもが「争いを続け滅びに向かう愚かな人々に救う価値はあるのか」と物語の中で繰り返し問い掛けてくる重苦しいテーマのＲＰＧなのだが、祖国の勝利のため、そして己の才能を誇示するために、非道な人体実験で不死の怪物を作り上げ、原爆級の破壊と汚染を生じさせる兵器を躊躇なく使い、そんな自身の行為を誇る狂気の科学者ユンナには、まさに人の「救い難さ」が凝縮されている。

こういう奴は諸悪の根源として倒されるのがセオリーなのに、世界を滅ぼすバッドエンドを選択しない限り無傷で生き延びるのも、このゲームの容赦ないところだ。断罪されて当然の邪悪だろうと、「人の愚かさを全て許す」と決めたなら野放しにするしかない、という展開が残すやりきれなさは、半ばイヤガラセの域に達している。

6

自己愛と自己評価が膨張し、他者への共感ができない「ナルシシズム」は、単独で拗らせている分には傍迷惑な人というだけで済むが、ある程度の権力を有していると予期せぬ惨状を発生させる温床になる。マスコミを活用した宣伝によって自身を英雄化したカスター将軍は、ワシタ川の戦いの大戦果で名声を高めたが、その実態は白人との和平を望む無防備なインディアンの集落を奇襲した虐殺だ。インパール作戦の指揮官であった牟田口廉也は、戦力にも兵站にも問題を抱えた状況で作戦を強行し、未曾有の惨敗を喫した。

創作においては、そんな牟田口がモデル（の一人）になっている、不動の不人気を獲得しているキャラがいる。『銀河英雄伝説』に登場するアンドリュー・フォーク准将だ。

政治家や軍高官との私的なコネを利用して無謀な侵攻作戦を実現させ、自身は全軍の軍師のような立場に収まるが、元より無理のある補給計画が破綻したことで惨敗を招き、自国に回復不能の損害をもたらして物語から退場——したかと思いきや、要所要所で表舞台に姿を現しては最悪の事態を巻き起こす疫病神としてマイナス方向に大活躍する。無能で幼稚だが自己愛と自尊心が異様に高く、コネで地位を手に入れ、誇大妄想と逆恨みで行動するフォークのキャラ設定は、悪役として完璧なようにも思える。だが嫌われる要素を揃えすぎて「燃やすために用意された人形」めいた雰囲気が滲んでいるのが難点だ。

7

ここまでに紹介した人物やキャラをベースに進化させれば、現代的な【悪役】は創造できそうなのだが、まだ構成要素が欠けているように思える。その最たるものは、現実からのフィードバックだろう。怠惰や無能のせいで主人公の行動を妨害したり、感情や習慣を優先して道理を捻じ曲げたりする味方は、実在する面倒な親族や鬱陶しい上司の存在を思い出させるはず。異世界ファンタジーでは王族や貴族、現代劇では大企業や大富豪が悪として描かれがちだが、これなども階級や格差が原因の不公平さがあってのことだ。

★田中芳樹「銀河英雄伝説」（創元SF文庫）

現実の悪を取り込んだ存在では、『ワンピース』に登場する「天竜人」が有名だ。神聖不可侵な特権階級として傍若無人な行動を繰り広げる様子は、世界の理不尽さを体現する形になっている。何をしようと許される「ズルさ」は子供にも理解しやすいし、度々報道される「上級国民」案件を彷彿させる部分もある。

こうした「リアルで身近な悪」と、これまで見てきた「普遍的な悪」を組み合わせることを念頭に、個人的な負の性格に社会的な負の背景を持たせ、更には理不尽なまでの特別扱い（異能・特権・天才など）をプラスすれば、オリジナリティがある現代の【悪役】を表現できるのではないか、というのが私の結論だ。正しいかどうかは実際に悪役キャラを作成するのが手っ取り早いが、残念ながら紙幅が尽きた。なので、いずれ出る——であろう私の新作小説で答え合わせをしてもらいたい。

アンゼルム・キーファー、背徳と悪徳の翼

◉文＝並木誠

アンヌ　お姉様はなんでもそんな風に、理解と詩で飾っておしまいになる。詩で理解する。あんまり神聖なものや。あんまり汚らわしいものを理解するただひとつのやり方。
（三島由紀夫「サド公爵夫人」／『サド公爵夫人・我が友ヒットラー』新潮文庫、p.57-58）

アンゼルム・キーファー、１９４５年生まれの戦後ドイツの20世紀、21世紀の最大の画家。フライブルグ大学で法律を学んだ後、カールスエの大学とデュッセルドルフ芸術アカデミーで絵画を学び、ヨゼフ・ボイスに師事する。ドイツのキルヒナー等の表現主義の衣鉢を汲んだ、新表現主義を代表する画家である。藁や鉛、髪などをコラージュに用いた大画面の激しい筆致の絵画で、主にドイツの歴史問題を主題とする絵画やインスタレーションを制作する。ノワールな美学で厳しく観る者を圧倒するような絵画が特徴だ。２０１６年には、フランスのポンピドゥーセンターでの網羅的な大規模な個展が開催され世界的な名声を確実なものとした。

　アンゼルム・キーファーの黒の美学。それは、ノワールな愛であり、諦念の上に成立した、背徳の愛。キーファーは悪徳であり、背徳である。リリアーノ・カヴァーニ監督の『愛の嵐』（1974）ではシャーロット・ランプリング演じるルチアは、シャンソン「望みは何かと訊かれたら」を唄う。「幸福と答えはするが、望み叶って幸せになったら、あんなに不幸だった昔が懐かしい」。元歌はマレーネ・ディートリッヒ。これは諦観の上に成立した愛である。

　キーファーの作品も諦観上に成立した知への愛であり、ノアールな美学だ。「望みは何かと訊かれたら」「暗黒と答える」か如くに、忘却された暗黒の歴史に彩られた背徳と悪徳をひとり抱え込んで、歴史の闇を彷徨しているのだ。その彷徨える様は、歴史の宙吊りの悲劇であり、白昼夢、ドイツの時代精神《ツァイトガイスト》の亡霊なのだ。ドイツにとってそれは、悪霊に憑依されたものなのかもしれない。『愛の嵐』でも描かれる元ＳＳの親衛隊に対する私設裁判では、戦勝国によるニュルンベルク裁判などで予め同意形成を得る為に元隊員同士で裁き合い、ユダヤ人への殺人罪や同性愛などの罪状が語られる。それは最早、黒の美学、悪でしかない。キーファーも私設裁判が如くにヒットラーとドイツを断罪し、常にドイツの忌まわしい歴史を主題とする。

　キーファーの『メランコリア』（1989）は、飛行機、多面体、鉛、灰、藁、砂などを用いたインスタレーションが特徴。デューラー的な黒胆汁質のメランコリア的な気質を孕み、過去の忌まわしい歴史に眼を向けた。ドイツの歴史問題の認識に於けるハートエッジな先鋒だ。キーファーの作品はドイツ、ヨーロッパの深層の深みに我々を誘う。それは建築家ダニエル・リベスキンド『ベルリン・ユダヤ博物館』（2001）に近しいものがある。そのレイヤーのように入り組んで錯綜する通路は、ホロコーストの収容所行きの列車の死の旅路の表象と人間の罪科の重みとしての光と闇の輻輳で満たされている。キーファーの絵画も新表現主義の名に相応しく、巨大なイーゼルと荒々しい筆致で観る者の心を瞬時に捉える。それもホロコーストに於ける闇と光の鮮烈な空間的体験の強度である。非常に悪魔的な響きがする絵画であり、現代の悪の先導師として平板に生きる我々を挑発してくるのである。

　アルベルト・シュペアーの建築のベルリンの新総統官邸のモザイクザールを題材にした『ohne title（無題）』（1988）は古風な権威主義に対する批判であり、また『アタノール』（1988-91）等の古典主義的な第三帝国的建築様式は、やはり擬古典様式との折衷の時代錯誤的な滑稽さを皮肉っているのであ

ろう。ナチスがプロパガンダとしてヴァーグナーの楽劇やニーチェの哲学的言説を利用した事に着目して注意深く距離をたもちながら、その偽善と罪科を、キリスト教的な原罪を鋭い目で観ている。その視線はユダヤ教やカバラ、神秘思想や北方神話、聖書、聖杯伝説、ヴァーグナーの楽劇など広大な領野に拡がる。恐らくは人間の原罪を通して、人間の悪徳へのシンパシーや人間の弱さに対する理解とその不可能性への落胆と共に、そうした諦観と世界観を数秘学やオカルトめいた異端的な記号や暗示で教唆しているのだろう。

★(左上)「アンゼルム・キーファー　メランコリア知の翼」(セゾン美術館)
(右上)Daniel Arasse「Anselm Kiefer」(Thames & Hudson＝洋書)
(左下)Mark Rosenthal「Anselm Kiefer」(Prestel＝洋書)

例えば、ハンス・ハーケ『Germania』(1993)にも、同じ趣向が見られる。その廃墟は、ホロコーストの破壊的廃墟であるのだ。そこには、諦念と憤怒的な人間の悪辣な弱さへの批判的シンパシーのような面も感じさせる。

それが、キーファーのデモニッシュな悪なのである。それは彼の、ナチス式の敬礼をなぞった『占領』というパフォーマンスをみても分かる。彼のアートは、おそらく原罪という足枷のなかで、ドイツの忌まわしい過去を正視しながら、錬金術的に悪徳的に生成変化を誘発させているのだ。キーファーの狙いはその一点のみといっても過言ではない。そうしたメランコリックな演者として歴史の意味性を模索して、潤色して滑稽化、形骸化するのがキーファーの役回りだ。ある種の道化だ。それは本邦でいえば、三島由紀夫の唯美主義やロマン主義に通底しよう。三島由紀夫の楯の会は、結果的に壮語な悪徳の叫喚でしかなかったのである。

三島由紀夫の戯曲『サド侯爵夫人』の夫人の貞淑なルネは、蕩尽の限りを尽くしたサドを比喩でしか語れない事の不幸を彼の不在の裡に真摯に語り、最後には、刑期を終えたサドとの再会を拒絶する。一方で三島は『我が友、ヒットラー』では、修辞よりは直截的な表現でもって人間の醜いが崇高である現実を語る。キーファーにあるのもホロコーストという人間の罪科に対する人間の本質的な弱さ、人間に兼ね備わる悪徳へのシンパシーでしかない。セゾン現代美術館の『革命の女たち』(1992)の壁面に、向日葵のドライフラワーに飾られて逍遥するキーファーの写真を観て諦念に塗られたペシミズムを想うは私ひとりか。キーファーは世界を悪の修辞で染め上げる。それが本質的にキーファーの狙いであるのだ。背徳と悪徳の翼をキーファーのノワールな美学は持っている。

★Daniele Cohn「Anselm Kiefer Studios」(Thames & Hudson＝洋書)

娼婦と聖性
——マグダラのマリアが浮き彫りにする悪徳と美徳

◎文＝志賀信夫

「マグダラのマリア」というと、まず、娼婦が悔悛して聖女となった、というイメージが思い浮かぶ。さらに、キリストの愛人、もしくは妻だったという説も頭をよぎる。そして、多くの美術家たちが描いたマグダラのマリア像。これらはいずれも美しく、そして、実にさまざまである。時には清楚な少女であり、時にはエロティックな女性でもある。キリスト教の中で、聖母マリアに次ぐ存在であり、また、一種の美の象徴、ヴィーナス的人物ともいえる。

マルキ・ド・サドは、ジュスティーヌとジュリエットという二人の人物によって、美徳と悪徳を描いた。だが現実には、一人の人間の中にはその両方がある。マグダラのマリアは、そのアンビヴァレンツを体現しているようにも思える。マグダラのマリアの美と悪、性について、考える。

娼婦なのか

最初に述べたように、マグダラのマリアは、元は娼婦だったのだろうか。

現在、一般に知られているマグダラのマリアは、当初の存在とは、まったく異なっている。キリスト教の原点、新約聖書の根幹をなす四つの福音書、マルコ、マタイ、ルカ、ヨハネの福音書には、マグダラのマリアが娼婦であったとは、一切書かれていない。その福音書におけるマグダラのマリアについての記述は、次の四つである。

一　悪霊と福音

マグダラのマリアは、取りつかれた七つの悪霊の病をイエスに追い払ってもらい、他の女たちとイエスと福音、つまり教えを伝える旅をして、イエスの十字架を抱えた歩行に付き従う。

二　磔刑

イエスが十字架に磔にされ、亡くなるところに他の女たちと立ち会った。

三　埋葬

他の女たちとともに、キリストの埋葬に立ち会った。

四　復活

イエスが復活するところに立ち会った。そこで「ラボニ(師)」と声をかけると、イエスから「我に触れるな(ノリ・メ・タンゲレ：Noli me tangere)」といわれる。

これは、福音書によって記述の違いがあり、一の悪霊はルカの福音書にしかない。また、二の磔刑の目撃も、遠くから、近くからといった差異がある。さらに、四の復活は、他の女たちと一緒というものもあれば、マリアだけというものもある。そして、ルカはマリアに対し否定的で、ヨハネは好意的である。ただ、マリアが娼婦であるという記述はどこにもない。

では、どうしてそうなったのか。一つは、「七つの悪霊」だ。それを追い払ってもらったというのが、「悔悛」につながる。

これは四つの福音書の中でも、ルカの福音書のみに書かれたものだ。その「悪霊」がどういうものかは記されていないが、それが「七つの大罪」と読み替えられたのだ。

七つの大罪は、歴史をたどると、元々は八つあり、現在の「傲慢」「強欲」「嫉妬」「憤怒」「色欲」「暴食」「怠惰」に落ち着くまでには、入れ替えもあった。そのため、キリストの時代の「七つの悪霊」と現在の「七つの大罪」が同じであったとはいえないはずだ。

現在、「七つの大罪」は定着しており、芸術作品にもなっている。ピナ・バウシュにも『七つの大罪』（一九七六年）がある。その七つのなかに「色欲」もしくは「淫欲」があるのが、「娼婦」伝説とつながっている。

それを推し進めたのが、六世紀の教皇大グレゴリウスだ。彼は、マグダラのマリアに、ルカの福音書の「罪の女」と、ヨハネの福音書のベタニアのマリアという二つの人物を重ねたのだ。

ルカの福音書には、パリサイ人の家で、食事をしているイエスのもとに駆け寄り、足元で、足を涙で濡らして、髪の毛で拭い、自分の罪を悔い改めようとした女性「罪の女」が登場する。だが、これはマグダラのマリアではない。ところが、その「罪の女」を「七つの大罪」のマリアと一致させてしまう。

また、ヨハネの福音書のベタニアのマリアは、ラザロとマルタの兄妹であり、ラザロを生き返してもらったマリアである。マグダラとベタニアは地名であり、まったく別人だ。

このベタニアのマルタとマリアの姉妹は有名で、忙しく立ち働くマルタに対して、マリアはイエスの話を傾聴する。それは、「活動的生活」(vita activa) と「観想的生活」(vita contemplativa) を象徴するとされ、ヨハネス・フェルメール作といわれる『マルタとマリアの家のキリスト』（一六五四〜五五年）は、キリストが諭す、このベタニアのマルタとマリアの姉妹のその姿を描いたものである。

ヨハネの福音書のベタニアのマリアは、イエスの足に香油を塗り、髪の毛でぬぐっている。そして、ルカの福音書の「罪の女」は、イエスの足を濡らした自分の涙を髪の毛でぬぐい、香油を塗る。順序が違うのだが、この足を髪の毛で拭うことと、香油を塗ることにより、「罪の女」とベタニアのマリアは一緒になり、そしてマグダラのマリアと一体化されるのだ。

さらに、聖書ではなく、五世紀にいたとされるエジプトのマリアは、十二歳で娼婦となり、二九歳のときに、エルサレムへの巡礼によって悔悛するが、そのイメージも重なった。

また八世紀の神学者ラバヌス・マウルスは『マグダラのマリア伝』で、その美しさを、「見事な髪」で、「造形主たる神の、並ぶもののない驚くべき創造物と呼ばれるほど、彼女の美しさは輝いていたのである」と記し、「美しいマグダラのマリア」像がさらに広まっていく。

こうして、美しく、娼婦から悔悛した、長い髪のマグダラのマリア像が定着する。さらに、そこに十三世紀の修道士、ヤコブス・デ・ウォラギネの『黄金伝説』の「マグダラの聖女マリア伝」などが影響していくのだ。

イエスの妻

また、マグダラのマリアはイエスの妻だった、とか、愛人だったといった伝説もある。映画『ダ・ヴィンチ・コード』（二〇〇六年）にも登場して再燃したが、その説もずっと以前からある。

それは、「フィリポによる福音書」に、「主はマリヤをすべての弟子たちよりも愛していた。そして主は彼女の口にしばしば接吻した」という記述があるからだ。また、「マリアの福音書」には、「マグダレネーがイエスの伴侶と呼ばれていた」ともある。だが、これらはいずれも、聖書外伝、グノーシス派などによるものであり、正統ではない「伝説」によるものだ。『ダ・ヴィンチ・コード』では、ダ・ヴィンチの『最後の晩餐』でキリストの左隣にいるとされるが、そうなると、使徒ヨハネがいなくなってしまう。左隣の人物は確かに髭もなく女性的に描かれているが、使徒ヨハネはそう描かれるのが常だ。

また、聖母マリアの処女懐胎はキリストの神性を強調するために後につくられたもので、実際は祭司長ザカリアとマリアとの間にキリストは生まれたとする説もある。こういった説は、たびたび浮上する。それは、述べたように「外伝」といわれる「伝説」を根拠にしており、一種のロマン的推定といえるだろう。

マグダラのマリアの娼婦説も、大教皇が音頭をとったため定着してしまったが、そうでなくても、繰り返されると、それぞれの時代に信じる人が出てきて、いつしか定着してしまうことがある。欧州では「ホロコーストはなかった」とか、日本でも、「従軍慰安婦はなかった」「南京虐殺はなかった」と信じる人が増えてくるのは、そういう現象といえる。ただ、そこには、グレゴリウスのように、仕掛ける人間が必ずいる。

菓子とモンロー

マグダラのマリアは、フランス語だと、マリー・マドレーヌ(Marie Madelaine)。そう、あのマルセル・プルーストが、紅茶に浸して過去を追想する焼菓子、プチ・マドレーヌの語源ともされている。そして、マグダラのマリアがフランスにわたって亡くなったという伝説がある。その遺物が祭られているヴェズレーのサント＝マドレーヌ大聖堂が、サンティアゴ・デ・コンポステーラの巡礼の起点である。その巡礼のシンボルが帆立て貝だったから、あの貝の形をしているという。

また、マグダラのマリアの愛称は、マルレーヌ(Marlene)、さらにマリリンとなった。そのため、欧州で大戦下に流行した、有名な歌『リリー・マルレーン』や、マレーネ・ディートリッヒ、マリリン・モンローも、マグダラのマリアに由来するのだ。いずれも、美しさ、そして妖艶さや男を誘惑するイメージと重なっている。

文学においても、フローベールの『ボヴァリー夫人』(一八五六年)や、トルストイ『アンナ・カレーニナ』(一八七七年)、ドストエフスキー『罪と罰』(一八六六年)のソーニャなどはマグダラのマリアが原型となっているとされる。

カラヴァッジオ

多くの画家が、マグダラのマリアを描いているが、代表的なものからいくつかを見ていこう。

カラヴァッジオは対照的な「マグダラのマリア」を描いている。カラヴァッジオといえば、左上からの光、単一光、実は必ずしもそうではないが、そう感じさせる光と影のコントラストの強い画面に、強い筆致と色彩の身体が私たちを誘惑する。

カラヴァッジオの二つのマグダラのマリアは、明らかに雰囲気が違う。『悔悛のマグダラ』(一五九六〜九七年)と、『悔悛のマグダラ』(一六〇六年頃)である。最初の作品は、眠るようにうつむく少女で、やや右向き、長い髪を後ろに垂らしている。足元には「ヴェニタス」(虚しさ)を象徴する宝石。そして、目から一筋の涙。耳にピアスの跡があり、宝石などの虚飾を捨てた女性の素朴な姿で、カラヴァッジオらしい光の陰影も弱い。

もう一つは、肩をはだけて唇を半開きにして上を向きで半眼の官能的な姿。左向きで、長い髪を胸に垂らして、エロティシズムが強調され、左からの一方向の光を浴びた姿が、コントラスト、陰翳強く描かれている。

ミケランジェロ・メリージ・ダ・カラヴァッジオ(一五七一〜一六一〇年)は、ルネサンスの後、十六世紀末から十七世紀初頭にローマ、ナポリ、マルタ、シチリアで活躍した。ティツィアーノの弟子シモーネ・ペテルツァーノに指示し、一六〇〇年に枢機卿から依頼された『聖マタイの殉教』と『聖マタイの召命』でローマ画壇に躍り出た。

二週間絵画に没頭し、それから数カ月は飲み、喧嘩や口論に明け暮れる生活。一六〇六年に乱闘で若者を殺して懸賞金をかけられて逃亡、一六〇八年、一六〇九年にも乱闘騒ぎを引き起こし、重傷を負わされたこともある。翌年熱病により三十八歳で亡くなった。

下絵がほとんど残っておらず、下絵を描かずにいきなりカンヴァスに描いたとされる。これは、当時の画家たちからは否定されていた描き方だった。カラヴァッジョは「陰(oscuro)をキアロスクーロ(chiaroscuro)へと昇華した」といわれる。キアロスクーロとは、一方向から射す光を光源として陰影で対象を浮かび上がらせる手法だ。彼の下絵を描かずに描くリアリズムとダイナミズム、そして、陰影法は多くの影響を与え

た。二つ目の『悔悛のマグダラ』では、それを生かして、恍惚とした法悦のマグダラのマリアを描いている。

ジェンティレスキ父娘

カラヴァッジオの影響を受けた、オラツィオ・ジェンティレスキ（一五六三〜一六三九年）はバロック期に活躍したイタリアの画家。風景画家アゴスティーノ・タッシと交流を持ち、クイリナーレ宮、サンタ・マリア・マッジョーレ大聖堂などの壁画やフレスコ画を制作した。カラヴァッジオに大きな影響を受け、彼と共にローマの通りで騒ぎを起こしたといわれ、一六〇三年にはカラヴァッジョに対する訴訟の証人にもなっている。その後、明るい色調、さらにマニエリスムの影響も受ける。そしてパリ、イングランドに移ってロンドンで亡くなった。

オラツィオの『悔悛のマグダラ』（一六一五年頃）は、サント・ボームの洞窟の前で、体を右に向けてかがみ、小さいキリストの磔刑像を右手に持ち、左手はそれに向かっている。腰を越えて伸びた金髪は乱れ、それとともに長い服が豊かな胸を持つ豊満な身体を覆っている。額にしわを寄せて腰を折ったすがたは、苦行のような感じでもある。

アルテミジア・ジェンティレスキ（一五九三〜一六五二年）は、オラツィオ・ジェンティレスキの長女で、父の工房で学び際立って優れた才能をみせた。フィレンツェの美術アカデミーにおける初の女性会員である。

父は同僚のアゴスティーノ・タッシを娘の教師として雇ったが、タッシはアルテミジアに虚偽の結婚を約束し性的関係をもち、父オラツィオは怒り、タッシを強姦で教会に訴えた。その裁判でアルテミジアは身体検査や取り調べで指をいためつける拷問をされた。タッシは友人に、アルテミジアの男関係などを証言させ、無罪放免となり、アルテミジアには「売春婦」「だらしない女」というレッテルが貼られた。

父は娘の名誉回復のため、フィレンツェの芸術家、ピエール・アントニオ・シアテッシと結婚させ、五人の子を持ったという。フィレンツェでは、メディチ家、ガリレオ・ガリレイとも親交を結ぶ。彼女はその後、離婚して、ローマへ戻り、さらにヴェネツィアへ移住。さらにナポリへ移住して、ロンドンで亡くなる。一九七〇年代にはフェミニズムの美術史家の研究で象徴的存在になり、映画『アルテミシア』（アニエス・メルレ監督、

★（左）カラヴァッジオ「悔悛のマグダラ」（1596〜97年）
（右）カラヴァッジオ「悔悛のマグダラ」（1606年頃）

★オラツィオ・ジェンティレスキ「悔悛のマグダラ」(1615年頃)

一九九七年）も生まれた。

アルテミジアの『悔悛のマグダラ』（一六二〇年）は、部屋で豪華な椅子に座り、絹の黄色い長い衣装に身を包み、肩をはだけて左の胸に手をやっている豊満な女性像である。髪は編まれて、左手を前に伸ばして曲げ、右手は乳をもむかのようでもあり、画家を見る視線は誘惑的だ。信仰篤いトスカーナ大公妃、オーストラリアのマリア・マッダレーナを描いたものだというが、のぞく左足とともに、エロティシズムが感じられる。

★アルテミジア・ジェンティレスキ「悔悛のマグダラ」（1620年）

グイド・レーニ

グイド・レーニの絵が好きだ。なぜか引き付けられる。あの表情。特に上を見て黒目が上に少し上がったところが、魅力的なのだ。それは法悦、つまりエクスタシーの表情に近い。女性がエクスタシーに「達する」際に見せるであろう、いわばエロスの極みともいえる表情がそこにある。

いや、あれは、天上、神を求めているのだ、という声も大きいだろう。大いなるもの、この世ならざるものを求める視線だ。しかし、そこにも一種の法悦がある。いわば同じように、「高み」に「達する」ことを求めているのだ。

もう少し、黒目が上に上がると「半眼」になる。相手からもどこを見ているのかわからず、当人も半分しか世界が見えない。視線を隠すにはいい。

「舞踏」（暗黒舞踏）では、この半眼が活用されることがある。舞台で踊る場合、視線の置き方が難しい。バレエのような大舞台とちがい、百人以下の舞踏の舞台では、踊り手の視線がどう動くかが見え、迷いや踊りの意図も現れる。踊りに「入り込んだ」とされる半眼は、そういう視線の解釈を封じる手法ともいえる。

ではレーニの視線はどうなのか。私たちと決して交わらない。おそらく天上の神を見ているのだ。レーニの作品にはとてもこの視線が多いのだが、特に「マグダラのマリア」にはふさわしい。娼婦あるいは汚辱の人生のなかで、高みにある「神」を見つめる視線。そこに法悦に近いものをだれしも感じるのだ。

グイド・レーニ（一五七五〜一六四二年）は、バロック期に活動したイタリアの画家でデニス・カルファート、ルドヴィコ・カラッチに師事し、ローマのアンニーバレ・カラッチ工房で修業した。教皇パウルス五世の注文でバチカン宮殿に絵画を描き、枢機卿シピオーネ・ボルゲーゼの注文によるパラヴィチーニ=ロスピリオージ宮殿の天井画『アウローラ』（一六一二〜一四年）が代表作である。カラヴァッジオの影響を受け、「ラファエロの再来」、ゲーテに「神のごとき天才」と激賞された。博打好きで、女嫌いだったと言われ、生涯独身を通した。

★（右）グイド・レーニ「マグダラのマリア」（1620年頃）
（左）グイド・レーニ「悔悛のマグダラのマリア」（1633年以前）

　レーニは数多くのマグダラのマリアを描いている。有名な彫刻家、ジャン・ロレンツォ・ベルニーニ（一五九八〜一六八〇年）は、それを見て、「何と美しいことか、見なければよかったほどだ。まさに天国の絵だ」と叫んだと伝えられる。

　レーニのマグダラのマリアは、さまざまなポーズがある。正面を向いた少女が長い髪と手と手にした香油の壺で胸を隠すようにして、上を見る『マグダラのマリア』（一六二〇年頃）もあれば、左側の椅子に座り右を向き、左手は骸骨に添えて右手は長い髪の下で頭を支え、天使が飛ぶ天上を見る『悔悛のマグダラのマリア』（一六三三年以前）など。同じポーズのものもいくつも描いている。胸をはだけたり隠したりしているが、豊満なエロスというのとはちょっと異なり、昇華されるエロスとでもいえようか。

聖セバスチャン

　そして、レーニといえば、三島由紀夫が熱愛した絵画である。レーニの『聖セバスチャンの殉教』（一六一五年頃）について、三島は『仮面の告白』（一九四九年）でこう書く。

> それが殉教図であろうことは私にも察せられた。しかしルネサンス末流の耽美的な折衷派の画家がえがいたこのセバスチャン殉教図は、むしろ異教の香りの高いものであった。何故ならこのアンティノウスにも比うべき肉体には、他の聖者たちに見るような布教の辛苦や老朽のあとはなくて、ただ青春・ただ光・ただ逸楽があるだけだったからである。

　聖セバスチャン（聖セバスティアヌス）は、伝説的な三世紀後半のローマの殉教者である。ローマ皇帝の新衛兵第一隊隊長だったが、当時禁止されていたキリスト教の布教活動を行ったため、弓で射殺された。信女イレーネの介抱により蘇生したが、再び皇帝の前で異教信仰を弾劾したため、撲殺刑に処され、死体は放水路に投げ込まれた。以降、矢の刺さった屈強な身体を持つ美青年像が多く描かれる。そして、マゾヒズムや同性愛を象徴する存在となっている。三島はガブリエーレ・ダンヌンツィオ『聖セバスチァンの殉教』（一九六六年）のあとがきでこう書く。

　ユングも、セバスチァンが、若く清らかな肉体のまま射殺されるのは、アドニス同様、古代の農耕儀礼の人間犠牲の名残だと書いている。（中略）この若き親衛隊長は、キリスト教徒としてローマ軍によって殺され、ローマ軍人としてキリスト教によって殺された。彼はあたかも、キリスト教内部において死刑に処せられることに決まっていた最後の古代世界の美、その青春、その肉体、その官能性を代表していたのだった。

三島由紀夫が見出した通り、グイド・レーニの絵には、逸楽と官能性、異教の香りがある。キリスト教絵画なのだが、そこからはみ出すような雰囲気、気配が感じられる。マニエリスム絵画のように、様式的なデフォルメではなく、そこから香り立つ匂いのようなものだ。それを生んでいる一つが、上を向き、上目遣いになった視線である。

この法悦の表情、レーニの上を向いた上目遣いに表象されるように、天上、神を求める視線、宗教的法悦と性的法悦、エクスタシーは重なる部分がある。例えば、宗教儀式における「トランス」現象はそのいい例だろう。

マグダラのマリアはそれを象徴する存在でないだろうか。「娼婦からの悔悛」という物語が付加されたことで高まった。そして、悔悛した娼婦たちを救うために、その名をつけた修道院も建設され、修道院が彼らを受け入れてきた。日本でも、娼婦が尼僧となるという物語が多く描かれる。「尼寺へ行け」がどこの国でも行われたのだ。

しかし、教会に入ると本当に安全か、性と完全に離れているかというと、必ずしもそうではないこと、教会や修道院で行われた逸楽は、冒頭に述べたサドが描いている。そして高級娼婦も宮廷に入り宮廷人となり、画家たちがその肖像画を描く。その後、印象派時代に描かれた風景の中の女性たちも、娼婦の場合がある。そして、画家たちが裸身を描いたのも娼婦が多かった。それが絵画によって、時には「聖なるもの」に昇華するのだ。

マグダラのマリアは、『ダ・ヴィンチ・コード』が話題になって数年後、その存在が教会によって、格上げされた。バチカンが典礼上「使徒」として認め、さらにマグダラのマリアの日、七月二十二日を「記念日」から、「祝祭」とした。それは、キリストとマリアの結婚説などを否定するためかもしれない。

だが、さらにバチカンも変化を見せている。近年指摘されてきた教会における性的虐待に対して、処罰を始めている。前教皇ベネディクト十六世は、虐待の責任者を処罰するまで調査を続けると約束。二〇一一、二〇一二年で三八四人を解任した。さらに、二〇二〇年七月には、新教皇フランシスコが要請して、性的虐待対処の手引きを作成・発表した。それほど、教会内部の性的問題は、連綿として続いてきたということでもある。

マグダラのマリアは、こういった性の問題の象徴でもある。本来はそうでなかった元娼婦という汚名を着せられ、「悔悛」させられたからこそ、性なるものを聖なるものへと高める役割を果たすことができた。それは、実は悪徳と美徳の間、その違いと関係を浮き彫りにする存在でもあるのだろう。

★グイド・レーニ「聖セバスチャンの殉教」（1615年頃）

カノウナ・メ

——可能な限り、この眼で探求いたします

第41回『天使／L'ANGE』のシテン

加納星也

一点突破：エイコとシンジのシンモン

エイコ：シンジ、何してる？ エイガ行くぞ！

シンジ：いつも唐突だな？ まだ準備できてないよ。

エイコ：だから、あんたダメなのよ。いつもグズグズしてるから遅れるのよ。

シンジ：待ってよ、今、ネトフリ立ち上げるから。

エイコ：何言ってるのよ。そんな寝言みたいなネタフリは止めてよ！

シンジ：ねえ、タイトル教えてよ？意地悪しないで。

エイコ：『天使』よ、きまってるじゃない。天からの使者よ。

シンジ：これかな？ 『天使のラブソング』？ 賞もいっぱい取ってるし、お墨付き。

エイコ：ゼンゼン違う。本気でワタシに言ってるの？

シンジ：じゃ、これだ『天使の恋』。結構、これ巣籠するには凄く良さそうだよ！ 今、何かと話題になってる、あの佐々木希がでてるし、自分的には一押し。

エイコ：ダメ！ 甘く見ないで。

シンジ：御免、アート好きだったよね。『ベルリン・天使の詩』、これヴェンダースの傑作だよ。

エイコ：あんた、ゼンゼンわかってないわ。ワタシはど真ん中の。

シンジ：わかったよ。これだ、これだ。名作『嘆きの天使』。映画史的には必見。巨匠、スタンバーグ知ってる？

エイコ：全く！

シンジ：違うのか？ まるで悪魔の形相はやめてよ！ 日本映画か？ そうだね、これだ！ 『酔いどれ天使』。世界のクロサワとミフネの隠された佳作だよ！

エイコ：違うの。もっと、現代的なカルト映画よ！ 今こそ蘇る。

シンジ：わかった！ これだ、『天使の涙』。もともとウォン・カーウァイの『恋する惑星』の一部だったんだけど、後に独立した作品として公開されて、確か当時オサレな西武系で好評を得た。『欲望の翼』から始まった、あの感じ。再評価の時、到来だね。

エイコ：まあ、確かに、それはそうなんだけど。ワタシの言ってるのは、もっと当時は凄く人気で、今は知る人ぞ知るって感じの幻の……。

シンジ：え、じゃあ、これか。これで決まりでしょう。テレビシリーズなんだけど、『傷だらけの天使』！ 若きショーケンと右京さんが共演してたってやつ。

エイコ：疲れてきたわ。もう、いいわ。なんで、シンジはど真ん中をハズシ続けるの？ ど真ん中の『天使』よ。きちんと検索して！

シンジ：え、ちゃんとググってキチンとやったのに。自分は悪くない（泣き）。

エイコ：もう、いいわ。シンジ、顔を挙げて。それに、話のマクラで、これだけ誌面を無駄使いしてはもったいないわ。ワタシのいってるのは、パトリック・ボカノウスキー監督の『天使／L'ANGE』よ。アートシーンの伝説よ！ しかも、ネット配信ではないわ。デジタルマスター版が映画館で上映されるのよ！ これは、事件よ。事件は現場では起こるのよ。パソコンの前では起こらないわ。すぐに天使の降臨の時を確かめて、すぐにかけつけなきゃ！

シンジ：え、これか？ ジ・ッ・ケ・ン・エイガ？

エイコ：あんたって、とことんダメね。もう、アナタと話してると、いつまでたっても本編に辿りつけないから。もうプラトンまがいの対話形式は止めて、次章はワタシのモノローグ解説にするわ。それじゃね、シンジ。これで勉強して、第3章では、作家に関してレポート書いてね。それで、最後に映画館で会いましょう！

シンジ：えー、急だな。待ってよ、エイコ～。

二転三転：エイコのカイセツ

それは、まさに事件であった。1982年カンヌ映画祭映画批評家週間で上映。その後1984年4月、パリで一般公開されると、フランスのマスコミ各紙はいっせいに最大級の賛辞を贈った。リベラシオンは、「ルーカスのスタジオで修業を積んだレオナルド・ダ・ヴィンチが作った、フ

ランス最初のSF映画」と。あるいは、あの『アンダルシアの犬』の再来、全く新しいアヴァンギャルド映画の登場として、フランス映画界の話題を独占した。

　この映画の登場で、シュールレアリズムの伝統を持つフランス映画界に新たな金字塔が築かれるとともに、世界のアートシーンにも大きな影響を与えることとなった。

　日本では、1984年12月「第4回実験映画祭（主催：イメージフォーラム／会場：池袋スタジオ200）でプレミア公開。86年4月にシネ・ヴィヴァン六本木でレイトショー公開。当時は16ミリフィルム版での上映だった。いわゆる〝難解〟とされる実験的フィルムで、作品の説明などは一切無く、音楽とビジュアルだけですべてを表現したその幻想的なシーンのつながりは、芸術的な風格を持ち熱狂的なファンから支持が広がっていった。その後、ミニシアターブームとカルト映画人気もあってブームは再燃し、92年に今度は35ミリフィルム版が同じシネ・ヴィヴァン六本木で再映された。

　それ以後、この伝説の映画は80年代後半、東京以外でも次々とヒット記録を残し、多くのクリエーターにも影響を与えてきた。現在、初公開から36年、長きにわたって、その再上映が望まれてきた。

既にビデオ版は市販されているが、やはり本編がフィルムであるので、上映が本道。今回はDCP（デジタルシネマパッケージ）版のロードショー上映。原版でのフィルムさながら、いやそれ以上の解像力をもって、この「伝説の映画」が甦るか？

　今まで、この変遷を共に体験してきた世代にはもちろん、色褪せない表現が新しく生まれる瞬間を。これが初めての出会いである若い世代には、この状況でスクリーン映画をみるという体験と、それが時代を超えて斬新な映画表現の『天使／L'ANGE』であるという幸福感を、驚きと新たな発見として体験してほしい。

三点透視：シンジの研究

　『天使／L'ANGE』は、現在はアヴァンギャルド映画の作家としてその名を世界に知らしめるパトリック・ボカノウスキーの長編デビュー作。明確な物語といったものはなく、夢のような7つのシークエンスによって描かれる幻想的な映像。

　また、この映画のためのオリジナル・スコアは、監督の妻であるミシェール・ボカノウスキーが担当。ヴァイオリン／ビオラ：レジス・パスキエ、チェロ：フィリップ・ミユレール、コントラバス：フィリップ・ドロゴーズといった演奏家による弦楽が、その格調を高める。

　登場人物は、図書館員：モーリス・バケ、風呂の男：ジャン＝マリー・ボン、召使い女：マルティーヌ・グチユール、サーペルを持つ男／手のない男：ジャック・フォール、徒弟＝マリオ・ゴンザレス、芸術家：ルネ・パトリャー、二女：リタ・ルノワール。

　全編を通じて、役割は当てられているが、どの人物にも固有のキャラクターはない。あるものはラバーのマスクを被り、表情もなく衣装さえも明確に判別がつかない。それどころか、演技は映像的な効果により、等身大の演技をはく奪された身体性を持つ。衣装があろうとなかろうと、また生命があろうとなかろうと、それはこの映画が持つ絵画性の一つのモチーフとして機能する。

「現代のフェルメールとカフカが創造した、光と音による鮮烈なイメージ」とも称される、波打つように繰り返す映像。見るものは、この映像迷宮に迷い込み、「天使」に会うことになるのか？　それともある意味、両義的な「悪魔」に手を引かれ、煉獄を巡っているのか？

　このアニメーション、舞台装置、ミニチュアなのか実写なのか静止画なのか、判別がつかない特殊効果撮影に、監督は5年をかけたと語っている。繊細で手間のかかる、気が遠くなるようなイメージの具現化作業。私たちはその行為を、おそらく網膜にしっかりと焼き付けられる。それを1時間の旅路の果てに、『天使／L'ANGE』に出会うための試練ととらえるのか？　それとも悪魔のささやきである映画的な快楽に浸れる運命に感謝すべきか？　その答えは、映画館に出かけてみなければわからない。

シテン／終点：シンジとエイコの再会

　『天使／L'ANGE』パトリック・ボカノウスキー監督。伝説の実験映画。28年ぶりの上映。2020年11月上旬よりシアター・イメージフォーラム（東京）でロードショー。シネ・ヌーヴォ（大阪）、シアター・キノ（札幌）他順次公開。カラー・64分・1982年、KIRA B.M.FILMS 製作。

キム・ギヨンの長編劇映画は三十二本あり、その多くは普通に恋愛映画だったり反戦映画だったり、朝鮮人民の心意気を描いた愛国映画だったりする。本誌№81で取り上げた「下女」三部作や、前号で紹介した「高麗葬」「異魚島」のように際立った個性、獣じみた世界観が全面展開しているわけでないが、しかし紛れもないキム・ギヨン作品である。書いておかずにいられない。

「肉体の約束」――男の玩具が夢見る未来

「肉体の約束」(75)はミステリー仕立ての社会派人情ドラマと言ったところ。しかし恋愛表現の動物的な激しさ、女がどん底まで男に弄ばれる描写は、紛れもなくキム・ギヨンである。本作は、萩原健一と岸恵子主演の斉藤耕一「約束」(72)と同じく、韓国映画屈指の名作と言われるイ・マニ監督「晩秋」(66)のリメイクである。ちなみにこの「晩秋」、もはやフィルムは現存しない。

男に騙され続ける女がいる。キャバレーで働いていて、乱暴に言い寄って来る男の頭を酒瓶で叩き割る気の強さがあるかと思うと、腕時計をくれた男に付いて行ってホテルで無理やりに押し倒されたりする。これが別の男の差金で、他の男が入れ替わり立ち替わり姿を見せ、彼女は輪姦されてしまう。踏んだり蹴ったりである。

バリは映画の宝島〈番外編〉

友成純一

続 キム・ギヨン――激しく優しい、死んでもいい肉体関係

男がキャバレーに幼い子連れで来て、お粥など食べさせていた。「ここは保育所じゃない、酒を飲むところなんだから、そういうことは止めてくれ」と言うと、「母親がいないもんだから」と情けない顔で言われ、ホロリとなってしまう。子供の面倒を見に彼の下宿を訪れ、子供を笑わせてやったりすると、「この子の母親になってくれ」とそのまま犯されてしまう。すっかりその気になって、改めて男の下宿に来てみると、全く見知らぬ男があの赤子と一緒にいて、「これは自分の子だ。昨日、赤ん坊を貸してくれって言われて、貸してやっただけだ」とのこと。この男は他人の赤子を借りて来ては、「この子の母親は君しかいない」と引っ掛ける、スケコマシだったのだ。男どもはどれもこれも男尊女卑の塊、「男女がいるのは子孫繁栄のためだ」「女の仕事は子を産み育てること、それ以外は無意味だ」と嘯く頭がチンポのクズばかり。

この辺の馬鹿馬鹿しくも見え透いたスケコマシの手口、そんな手に引っ掛かるなんて、それこそバカ女だと思うが、そんなバカ女、動物的な本能の疼きに耐えられない女を描くことこそ、キム・ギヨンの目的なのだろう。その、男たちに次々に便所のちり紙のように使い捨てられ続けた女が、凌辱のつるべ打ちで虐め続けられた挙句に決意する。

「私を見下す男がいたら、二度と許さない」

どんな事件があったのか、映画では語られない。が、女は殺人罪で、七年の刑を言い渡されていた。なぜ男を殺したのか、裁判で硬く口を閉ざしたために、重い罪を言い渡されたのだ。刑期をあと二年残して、女看守に付き添われて故郷に母の墓参りに。獄中で苦しみ抜き、何度も自殺を試みており、刑務所側が哀れんで、彼女に気分転換を兼ねての墓参りを許したのだった。彼女は車中でも、トイレで自殺を試みたりする。ソウルから海辺の田舎町までの列車の車中で起きるドラマが話の中心、一種のロードムービーと言って良かろう。

この電車の中で、彼女たちの前に座って、いや、新聞紙を被ってイビキを掻いて眠っている、呑気な男がいた。彼は目覚めて陽気に二人に話し掛け、二人の旅の本当の目的を知っても、弁当を買って来てくれたりタバコをくれようとしたりする。自分はこれから二人と同じ港町の友人の下《もと》を訪れるのだと言う。彼に借金を返して貰い、それを元手に生き方を変え

るのだと意気込みを語った。

付き添いの女看守が若者にこっそりと言う。

「残された時間で、男女が存在する理由を、信じられるものがあることを、彼女に教えて」

港町に着き、女は母の墓参りを。そこに若者もやって来て、二人で結婚しようと言う。近くの宿に部屋を取ったから、婚約して結婚式をして、そのまま夫婦生活をしよう。時間が限られているから、帰りの電車が出るまでに全部すませようと。女はホロリとなってそれを受け入れる。二人でお墓の近くの教会を訪れて式を上げ、続きは男が借金取りから帰ってからということに。女は近くの公園で、男が戻るのを待つのだが、それ切り何時間も、帰りの電車の出発時間になっても、男は姿を見せなかった。

男がここを訪れた理由は、友人から借金を返してもらうためだった。しかし友人は、金がないという。これが妙に責任感が強い友人で、二人でタクシーに乗って出掛けた際に、タクシーの運転手を刺して売上金を奪い、「これで勘弁してくれ」と泣きながら頼む始末。彼は彼で不器用な生き方しかできず、これで強盗を働くのは十回目だとのこと。そして、自暴自棄になって、その場で勝手に自殺してしまった。

タクシー強盗の意図など、若者には全くなかった。まして殺人なんて――友人が勝手に、止める間もなく運転手を刺し、自殺してしまったのだ。が、それを警察が信じてくれるはずがない。自分は強盗殺人の共犯として捕まるだろう。若者はその場から逃げ出した。そして出発間際に列車に駆け込み、女と看守の下に改めて姿を見せた。

この列車に若者を追って、警察も乗って来る。二人の関係を知っている女看守が刑事たちに、列車がソウルに着くまで二人を見逃してくれと頼む。見張っていて構わないけれど、二人を見守ってやってくれと。女はソウルの刑務所に戻り、男は捕まったらタクシー運転手殺しの罪で、恐らく死刑になる。もう二度と、会う機会はないのだからと。ここで、老獪な刑事たちが、温情を見せるところが、韓国映画であり人情物であろう。

単に二人が一緒にいることを許すばかりでなく、途中駅で、特別列車の通過待ちで三十分停車する際に、側に止まっている回送列車の中、ホームレスが寝ている側で、二人が激しく性交するのも許してやる。そしてソウルに着く前に食堂車で、女看守の奢りでご馳走を食べたりする。

若者は実は童貞で、この超経験豊富な熟女が初体験だった。純粋で一途な男に、女は初めて出会った。

刑務所まで、若者は女を送ってやる。そして刑事に引き立てられ、立ち去る。男との辛い過去がある女は、若者を振り返ろうともしないのだが、若者は女看守に、死刑になるのを承知で逃げもせずに彼女に逢いに戻って来たのだ、そして今まで一緒にいたのだと告げる。女は若者の下に、駆け戻ろうとする。それを見て若者も刑事たちを振り切って刑務所に戻る。しかし、ドアは硬く閉ざされてしまう。そのドアを挟んで、ドアを拳で叩きながら、号泣する二人だった。

「玄界灘は知っている」
――燃え上がる愛が民族を超越する

旧日本軍による強制徴用が何かと話題になる昨今だが、徴用された朝鮮人をネタにした作品を、ギヨンは「下女」「高麗葬」と同じ時期に撮っている。「玄界灘は知っている」(61)である。陸軍の内務班を舞台にしており、私などこういう映画を見ると、否応なしに「人間の条件」を思い出してしまう。五味川純平原作、小林正樹により九時間を超える三部作の超大作。公開は五九年から六一年に掛けてだから、本作と時期的にも重なる。

この「玄界灘は知っている」、日本人による朝鮮人兵士に対する残虐な行為を暴いた作品とか言われているようだが、陸軍の内務班は全ての新兵に対してああいう扱いをしたので、朝鮮人だから特に酷い目にあったとも言えないだろう。「人間の条件」で主人公の梶とその戦友たちが内務班で受けた扱いに比べれば、本作の主人公アロウンたちはずっと内地の勤務で、大いに優遇されている。殴られたり、犬の糞を舐めさせられたりはするが、日本人の上官に言い返したり揶揄ったりするばかりか、殴り返したりもしている。日本軍内務班の描写ながら、韓国的に自由で大らかな雰囲気なのが、妙にコミカルで長閑で楽しい。

それはともかく――太平洋戦争中、日本軍は朝鮮人二百万人を日本兵として動員予定だった。「朝鮮人など兵隊として使い物になるのか」などと心配されたが、「軍隊には犬もいれば馬もいる。天皇陛下の弾除けくらいにはなるだろう」と軍の上層部は語る。

そして一九四四年、敗戦も近い名古屋にて。内務班に配属された朝鮮人兵士アロウンは不満分子と看做され、素行をひときわ見張られていた。が、特に反抗するでなし、古参兵に殴られたり、靴の裏に付いた犬の糞を舐めさせられたりしながらも、仲間の朝鮮人兵士と共に、仲良く暮らしていた。思いやりのある日本人の古参兵に、彼らも女郎屋に連れて行って貰って、遊んだりする。東京帝大の古参兵の家に連れて行かれ、アロウンは彼の従姉妹の秀子に出会う。美しい、典型的な大和撫子だった。二人はたちまち恋に落ちる。内務班での男臭く粗暴な生活と並行して、アロウンと秀子のロマンチックで美しいシーンも描かれる。

　この秀子との密会がスパイ活動と看做され、アロウンは憲兵に逮捕される。そして刑務所の中での出来事が描かれるのだが、これがまた妙に呑気。兵士はいずれ戦場に駆り出されて玉砕を強いられるわけだが、刑務所に入ればこれを逃れらる。日本の敗戦は目の前、刑務所で辛抱していれば生き延びられるのだ。

　本土空襲が日に日に激化しており、朝鮮人兵士の中に、爆撃目標を米軍に伝えるスパイがいると言われていた。不満分子とされるアロウンは、目の敵にされる。が、スパイ扱いが酷くなるほど、秀子との愛も燃え上がる。一方、アロウンのかつての恋人が、戦火に脅かされる玄界灘を超えて名古屋まで訪ねて来たりして一波乱あるが、朝鮮人の彼女は秀子に身を譲り、二人を背後から支えることになる。

　米軍のB29が撃墜され、降下したパイロットが二人、捕虜になった。こういう場合、生き残ったパイロットはその場で、怒り狂った住人の手で嬲り殺しにされたと聞く。が、まあ、無事に捕虜になった者もいるとしよう。彼らは軍事法廷で死刑を宣告され、軍隊刑務所に留置されるが、

日本兵たちが面白がって彼らを内務班に連れて来たりする。そして日本兵と米兵とで腕相撲をして、米兵が勝って「勝った、勝った」と喜んだりする。アロウンは英語が達者だったので、刑務所での米兵の見張りを命じられ、米兵に「お前は朝鮮人で、日本人は敵なんだろう。俺たちを逃してくれ」と頼まれたりするが、真面目で誠実なアロウンはきっぱり断わる。銃殺刑の際、アロウンは米兵たちに罵り倒したりする。

　戦争も末期、朝鮮人兵士たちも輸送船で最前線に送られ、玉砕することになった。上官の一人は、配下の兵士と組んで、喧嘩に見せ掛けて怪我をして逃れようとする。が、配下の兵士、やり過ぎて上官を刺殺してしまった。営倉に入れられることになったが、配下は配下で後悔するどころか「これで最前線で玉砕せずにすむ」と喜ぶのだった。この輸送船は、名古屋に到着する前に沈没。結局、アロウンたちも最前線に行かずにすむ。

　朝鮮人アロウンに、民族の壁を超えて尽くす秀子に、秀子の母は怒りを隠せなかった。が、秀子がアロウンの子を孕っていると知って、態度を一変。生まれて来る子のためにも、二人で逃亡することを勧める。

　アロウンは朝鮮人の戦友に、どうすれば上手く逃げられるか相談した。空襲の際、すでに爆死して千切れている死体にアロウンの軍服を着せるなり、布地を絡めるなりして、それをアロウンの死体に見せ掛ければ良い。が、この詐術は、アロウンを端からスパイと疑っている憲兵に見抜かれる。死体の血液検査でバレてしまい、詐術を手伝った二人の戦友は営倉入りとなるが、やはり「おかげで生き延びられる」と喜ぶのだった。

　百姓の振りをして、田舎道を逃げて行くアロウンと秀子。だが、小屋に隠れているときに、食糧の調達に出掛けた秀子が捕まってしまう。秀子が朝鮮人の子供を孕んでいると知って、猛り狂う憲兵。秀子の母を利用してアロウンの隠れ場所を探り出し、アロウンを斬り殺そうとするが、逆にアロウンに焼き殺されてしまう。

　そこに、大空襲……街は焼け野原となるが、軍はこの空襲とその被害を機密とした。これが公になっては、"臣民"の士気に関わるから。この空襲が無かったことにするために、まだ命のある者も一緒くたに、丸ごと焼いてしまうことに決まった。街の住人が、まだ息のある家族を、友人を助け出したくて集まって来る。秀子もアロウンの姿を求めて、徘徊する。が、軍は鉄条網で仕切って、誰も中に入らせない。積み上げた死体も動けない怪我人も一緒くたに、ガソリンを掛けられる。

　アロウンは炎の熱さに、意識を取り戻した。そして死体の山にすっくと立ち上がり、炎の外へと歩き出す。泣きながら大人しく見ていた群衆も、立ち上がったアロウンの姿に挑発され、鉄条網を押し倒し焼け跡に群がって来る。そして身寄りの死体を、まだ生きている怪我人を、引きずり出して連れ帰るのだった。

　アロウンと秀子は互いに抱き合い、支え合い、何処へともなく立ち去るのだった。

「土」―朝鮮民族の心意気に涙する

　「玄界灘は知っている」が戦時下の名古屋を舞台にした、朝鮮人の愛と怨念のド

ラマとすると、その十五年後に撮られた「土」（78）は日本の支配下にあった朝鮮の大地を舞台に、朝鮮民族の心意気を高らかに歌い上げた作品だった。あまりギヨンらしくない、感動の民族ドラマに仕上がっている。NHKの大河ドラマを思わせるような……

しかし、「下女」三部作が同じ設定で同じストーリー展開ながら韓国の時代の変遷を十年ごとに追っていたごとく、あの変態カルト映画「高麗葬」が実は民衆の反政府活動を反映していたごとく、ギヨンは常に時代に敏感に反応している。時代の本質を見抜いている。ゲテモノの巨匠は同時に、時代に忠実に生きた人でもあった。

「土」は、日本の統治下にあった朝鮮半島での、農民運動をテーマにしている。支配者だった日本が悪い、そんな風に決めることはしない。その日本の統治を受け入れたのは、他ならぬ朝鮮人だったことも、ギヨンは知っているから。ちなみに日本占領下の朝鮮に生まれ、戦時下の京都で演劇や映画を学んだギヨンは、日本語も達者だった。

主人公ホスンは、キリスト教徒だった父の死後、懇意にしていた牧師に引き取られてソウルに出る。そして教会の掃除をしながら、大学を卒業した。市井の人々のために働きたいというのが彼の夢で、そのために法律を勉強したかった。裕福な学友たちに馬鹿にされながら大学に通ったが、優秀な成績で卒業し、仲の良かった日本人学生マサキと彼と二人だけが、東京の学校への選抜試験にも合格した。マサキは検事を目指し、彼は弁護士を目指す。後に二人は、検事と弁護士として激しく競い合うことになる。

彼の学費や生活費を援助してくれたのは、もはや名ばかりの落ちぶれ貴族だった。彼はこの貴族の家柄を支えるために、娘ジョンソンと結婚することになった。貧しい中で辛苦して弁護士となったホスンと、贅沢に育てられた我儘娘ジョンソンとは、水と油。ジョンソンはホスンを田舎者扱いし、これでもかと馬鹿にする。

日帝の支配下にあった二人の故郷では、土地所有を巡る問題で、農民たちが苦渋を舐めていた。日本軍と組んでいる悪どい地主が、土地を騙し取っていたのだ。ホスンは彼らを助けるために帰郷する。書類等を確認したところ、地主たちは巧みに法律を利用しており、土地を取り戻すことはできない。農民が法律に無知なことに問題があるので、ホスンは日帝の定めた制度と法律の裏を掻くことを画策。ついに独自のやり方で、国有地とされている広大な荒地を開墾して、それを農民の所有とすることにした。

今まで搾り取られてばかりでいじけ切っていた農民たちが、生き生きと働き出す。彼ら独自の活動を警戒して、日本の検察はこれを裁判で潰そうとしたり、農民を抗日ゲリラとして訴えようとするが、ホスンがそれを弁論で次々に潰して行く。日帝側の検事が、かつての学友のマサキだった。

表向きはそんな風に成功を収めるホスンだが、家庭生活は悲惨だった。

ホスンが帰郷している間に、ジョンソンはかつての恋人に弄ばれ、妊娠していた。その恥辱を離婚することによって晴らしたいジョンソンだが、敬虔なクリスチャンで常に正道を目指すホスンはそれを認めない。彼女の過ちを許し、生まれて来る子供を自分の子として育てようと決意する。「こんな傍迷惑で下劣な女を、他の男に婚わせるわけには行かない」、それが理由だった。

そんなホスンのキッパリと正しい態度がジョンソンには「この田舎者の貧乏人、うちの援助で今の地位を手に入れたくせに、偉そうに」とますます腹が立つ。もはや精神的にもボロボロになったジョンソンは鉄道自殺を試み、片足を切断することになった。彼女の心はますます頑なになり、ジョンソンを憎んだ。

ちなみに彼女に妊娠を告げるのは、親友の女医なのだが、こう言って笑った。

「亭主以外の子供を孕って、中絶してくれって泣きながら来る奥さんとか、けっこう多いのよね。わたし、悩むことないって言ってるの。そのまま亭主とやっちゃって、亭主の子供だってことにすれば、判りゃしない。何の問題も起きないわ。そう言うと、皆んな満面の笑顔で帰って行く」

この言葉を実行すべく、ジョンソンはホスンが農民たちと働く故郷の村にいったん帰る。ホスンが現地妻でも抱えてくれていたら万々歳だし、ここで一発やってお腹の子はホスンの子ということにすれば万事メデタシ——だったのだが、彼女が見たのはホスンが村人皆んなに慕われている姿だった。そのホスンの妻だと言うので、貴族の高慢な娘と思われていたジョンソンまで、皆んなに親しまれ大事にされた。しかもジョンソンと入れ違いに、ホスンはソウルの屋敷に戻っていた。そして、妻の浮気相手からのラブレターを彼が受け取ってしまい、何が起きたのか知ることになった。

　姦淫は日本の法律でも韓国の慣習においても、重罪である。浮気相手は、金持ちで学友だった、ガプシンというニヤけたいい加減な奴だった。ホスンはガプシンをボコボコにして、「俺が訴えたら、お前は刑務所だ。世間からも爪弾きだ」と脅す。が、「これで厄介事のケリが付いた」と、実はホッと胸を撫で下ろし、大喜びするガプシンだった。私生活ではかく、ホスンとジョンソンの意地の張り合いが続き、幸福には程遠かった。

　村では、農民の自主的な運動が成功しつつあり、皆んな楽しく働き、暮らしていた。ホスンの弟子と呼んでも良い純情で利発な娘がおり、彼女も、もう一人の弟分である気性は激しいが性格の良いハンガプと結婚することに。祝福されて一緒になった二人だが、生活苦が待っていた。日本の軍部の手先となっている男に新妻は誑かされ、犯されてしまう。それを恥じ、新妻は首を吊ってしまった。怒ったハンガプは仲間二人と、この日本人の手先を袋叩きにし、勢いで殺してしまった。そのまま山に逃げ込む。

　これこそ、マサキが待ちに待った、ホスンをやっつける絶好のチャンスだった。ホスンの説得で三人は山を降りるが、新妻を死なせてしまったハンガプは、もはや未来がないと山で自害してしまう。農民運動を指導して来たホスンも、教唆の罪で逮捕されることとなった。

　ホスンが農民運動に走ったのは、実は父の影響が強かった。父は抗日運動の闘士で、朝鮮民族の自立を目指した活動をしていた。マサキはホスンの家を訪れ、ジョンソンの口からそんな話を聞き出す。それをネタに反政府の罪をでっち上げ、裁判に引き出す。ホスンは、父が民族独立の象徴としていたラッパに合わせて、歌を歌うように強いられる。ホスンは賛美歌を歌って見せるが、そのラッパを通じて父がホスンに教えたのは、本当は民族自立の歌だった。裁判所に傍聴に来ていた農民運動の仲間たちが一人、また一人と立ち上がり、その歌を歌い始めた。裁判所に民族自立の歌が響き渡り、マサキは「やった、これが何よりの証拠だ。これでお前は終わりだ」と歓喜の声を上げるが、裁判所の権威を踏みにじられた裁判官たちは、槌を叩きまくって怒りを表現した。

　ホスンは刑務所に入る。夫が刑務所入りとなれば、ジョンソンの離婚は簡単に認められる。しかしホスンを失ったジョンソンの家は没落し、ホスンを支え続けたジョンソンの父も死去。ガプシンとの不倫の子と共に、ジョンソンはいったん行方を晦ました後、故郷の村に戻って、村外れで暮らし始める。

　年月が経ち、ホスンが刑期を勤め上げて故郷に帰って来た。そこに、ジョンソンと子供の住む荒屋が。足が自然にそこに向くものの、彼は相変わらず強気で、ジョンソンと子供に祝福の言葉と共に別れを告げる。

　立ち去るジョンソンの背後から、例の民族自立の歌がラッパから流れて来た。もともと管楽器の巧者だった妻が、あのラッパを吹いていたのだ。今はジョンソンが、農民運動の一員となっていた。その姿を見て、ジョンソンと娘に駆け寄るホスン。何もかも失った今、プライドも意地も失って初めて、二人は心から結ばれるのだった。

　このラストには、泣いてしまった。本作は感動の名画である。

　五五年に「屍の箱」でデビューして以来、九〇年の「死んでもいい経験」まで、ギヨンが監督した作品は三十二本。〈変人〉〈奇人〉〈隠遁者〉と呼ばれて敬遠され、九〇年代に入って映画作りから遠ざかり、忘れられた観があった。

　九六年の香港映画祭で、韓国映画の回顧特集が組まれ、そこで「下女」が上映され、見た人々に衝撃を与えた。続いて同年秋の釜山映画祭と東京国際映画祭でも〈キム・ギヨン特集〉が組まれ、京橋フィルムセンターと福岡市総合図書館での韓国映画回顧の二年に渡る大特集でも、ギヨン作品が上映されている。アジアで始まった再評価の動きはヨーロッパにも波及し、翌九七年にはギヨンは多忙を極め、新作のプロジェクトも動き出していたという。その矢先、九八年に不慮の火災事故により、奥さんと共に逝去。しかし再評価の動きは今世紀に入ってからも止まらず、今日では韓国映画を代表する巨匠と位置付けられている。

　本稿をまとめるに当たって、福岡市総合図書館の映像資料課にお願いして三日ほど日参、DVDをまとめて見せてもらった。今回の一連の原稿で扱った作品はいずれも、ここで見直して内容を再確認することができた。詳しく紹介できたのは、そうした事情からである。図書館の映像資料課に、多謝、多謝するばかりだ。ちなみにこの図書館のアジア映画に特化したアーカイブは、世界に誇る。

　すでに韓国映画界の巨人と見做されているキム・ギヨンだが、一般の映画ファンにはまだまだ馴染みが薄く、作品を見る機会も限られているため、敢えて内容に踏み込んだ紹介をさせてもらった。この怪物監督とそのブチ切れた作品群に、興味を持っていただけたら幸いである。

movie

よりぬき［中国語圏］映画日記

小林美恵子

香港映画はどこに行く？
——「国家安全維持法」後の香港と映画『追龍』

五月末に中国政府によって、香港市民の頭越しに国家安全維持法が成立してからすでに数か月、相変わらず香港は追い詰められ、特に民主化勢力には具体的な迫害も行われ続けている。八月にはアップル・デイリー（蘋果日報）の創業者や、学生民主運動家アグネス・チョウ（周庭）らが逮捕され、日本でも大きく報道された。一応翌日には保釈金を払って釈放されたが、九月に入って義務として警察に出頭した周庭さんによれば、その逮捕理由の一つとして、彼女の所属するグループが昨年日経新聞に掲載した「香港に自由を」という広告が挙げられたという。国家安全維持法はメディアによる主張や情報の拡散を危険なものとして取り締まろうとしているようだ。となれば、当然そこには映画の表現の自由とその制限という問題も絡んでくるわけである。

同じ八月に発刊された『香港とは何か』（野嶋剛、ちくま新書）を早速読む。筆者の香港体験から始まり、香港アイデンティから民主化運動、日本や台湾との関係から香港の将来まで、コンパクトながらすっきりわかりやすくまとめられた好著だが、中でも「映画と香港史」と銘打った一章は映画好きの筆者らしい、そして映画好きの読者である私にとっても腑に落ちる興味深い内容だった。

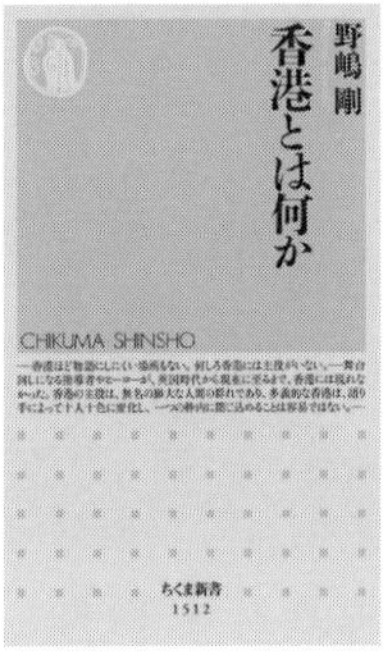

この章で野嶋は『阿片戦争』（一九九七／謝晋）『風の輝く朝に（等待黎明）』（八四／レオン・ポーチ）『慕情』（五五／ヘンリー・キング、オットー・ラング）「イップ・マン」シリーズ（二〇〇八〜二〇／ウィルソン・イップ）、「ドラゴン」シリーズ（一九七一〜七五／ロー・ウェイ、ブルース・リー）、『ポリス・ストーリー香港国際警察』（八五／ジャッキー・チェン）『インファナル・アフェア（無限道）』三部作（二〇〇二〜〇三／アンドリュー・ラウ、アラン・マック）『玻璃の城』（一九九八／メイベル・チャン）、『ミッドナイト・アフター』（二〇一四／フルーツ・チャン）『十年』（一五／ン・ガーリョンら）『淪落の人』（一八／オリバー・チャン）など、香港を描いてよく知られた映画をあげ、それぞれの時代や社会状況の反映を論じている。多少なりとも香港映画に親しんだものにとっては、作品名を見るだけで、どんな時代のどんな状況について描かれたかが分かるような明快な映画選定と紹介である。

面白いのは、描かれた時代は日中戦争中から六〇年代と古いが、映画自体は比較的新しい「イップ・マン」シリーズについて、野嶋が「内容は基本的に「中国人への差別意識丸出しの外国人」に対してイップ・マンが拳法で見事な勝利を果たす「復讐」のカタルシス」（共産革命で財産を没収され、香港に移住した）イップ・マンは反共のはずだが、「イップ・マン」シリーズでは過剰なほど愛国的」「共産党を否定しない愛国者である、という形で中国の映画審査をクリアしている」と看破していることだ。今年日本公開されたばかりの『葉問4完結篇』（原題）は、老境に達したイップ・マンがアメリカに渡る映画で、舞台はほとんどアメリカである。異境をさまようイップ・マンという感じで、香港映画は、もはや香港でのドラマを描くこと自体ができなくなっているのかとも思わされてしまった。

『淪落の人』は先の本誌No.83で、また『十年』はすでにNo.67で紹介したが、いずれも野嶋も言う通り香港人の意地を見せる作品として、中国の高圧的な言論支配に抗して、香港人自身が香港について決めるという明日への希望につながっていくような作品だ。しかし、このような作品が今後どれほど生まれてくる余地があるのか、今の香港情勢をみているととても心配になってしまう。

コロナ禍で、香港映画に限らず、映画自体をあまり見ることができなかった今年、特に前半期に見た映画は、『イップ・マン』もそうだが、中国の言論統制―圧迫を受け容れつつ、矛盾をすり抜けて作られているという印象が強かった。以下もそんな一本。

★追龍（二〇一七／監督＝王晶《バリー・ウォン》、関智耀《ジェイソン・クワァン》）

九〇年代に二部作として作られた悪徳警官「リー・ロック伝」のリメイク的な作品といってよいのだろう。リー・ロック（雷洛）に扮するのも前作と同じアンディ・ラウ。ただし、今回の主役は当時九龍城で麻薬密売を仕切り「跛豪」と呼ばれたウ・シーホウ（伍世豪）で、ドニー・イェンが演じている。ともに実在の人物がモデルだという。まもなく六〇歳という二人だが、二、三〇代を演じて違和感のない若さに驚く。

物語は五〇年代、ホウが、潮州出身のチンピラとしてやくざと抗争して収監され、同じ潮州出身のリーに救われ、友情を結ぶ前半から、リーを救って大けがをし「跛」となる中盤、リーのもとで様々な危険な汚い仕事にも携わりながら、廉政公署ができた七四年、逮捕を逃れてカナダに逃亡するリーを見送り自らは刑に服する（なんと三〇年！）までを丁寧に描く。今さら何十年も前の悪徳警官とやくざの友情なんて、という気もするが、現代香港や香港警察を描けない香港アクション映画としての苦渋の？選択なのかもしれない。

この映画では悪徳警官の更なる黒幕として常に英国警察の影がちらつき、表にも現れる。悪の元締め的な英国警察が下々を弾圧し、手先としても使ったあげくに最後に裏切って、下っ端の汚職警官を切り捨てるという構図である。今、何故この時代をあらためて描くのかと思いつつ見ていると、だんだん英国警察が現在香港市民を圧迫している中国政府に重なって見えてくる。いやいやと目をこすって見ていると、逆に中国側によって、いかに英国統治時代の香港が汚職まみれでひどい有様だったのかが喧伝されているようにも見える。

舞台を、今はない九龍城に設定しCGと実写も組み合わせたのだろう、立て込んだ建物のはざまの細い空を飛行機が横切るという、例の懐かしい香港の風景をたっぷり見せて香港庶民の「郷愁」を誘い、目を転じればごみごみと、街の匂いも漂いそうな失われた香港の街。その迷路のような街並みを駆け巡ってのアクションスターのドンパチ、武打もたっぷり見せ、郷愁など感じないような中国大陸の若い観客を楽しませる。「魔窟」香港を強調しながら、見る人が見れば過去の英国が現在の中国のメタファーにも見えるという、よく言えば不思議な、悪く言えば二股膏薬のような映画だと見るのは考えすぎだろうか。

今や香港を描いた作品もほとんどは中国資本による中・港合作であり、「中国映画」として検閲を経て大陸で受けることを目指している。役者やスタッフも中国側に迎合しなくては活動の場も閉ざされてしまうとも聞く。そのことが香港映画に影を落とし、いかに二大スターが頑張り、CG組が技術を駆使しようともやはり、なんか気の抜けた、現代香港の時勢に（世界的な求めにも）合わない映画になってしまっているという気がしてならない。首を傾げつつ、香港の、また香港映画の未来を案じつつ、映画館を出ることになった。

ダンス評［2020年7月〜10月］

志賀信夫

コロナと踊る

上杉満代、川村浪子、深谷正子 秦野旬子・下田和枝、コンドルズ 笠松泰洋、井田亜彩実、松木詩奈

コロナ禍で劇場、舞台は大きな打撃を受けた。特に舞踏を上演するような一〇〇人以下の小劇場は、まさに「密」な空間のため、なかなか公演ができなかった。それゆえ、まったく久しぶりの中野テルプシコール。

上杉満代『迷宮伝説』（九月二一日マチネ）は、しばらく振りのカンパニー的公演。山本むつみと高松真樹子を左右に従え、見ざる言わざる、のような配置から、二人の絡みなどがいずれも見せる。左右対称を基本にしながら、それぞれが上杉と絡んだり、二人が抗ったりとシンプルなバリエーションが面白い。

上杉組一〇年選手の高松に対し、初登場の山本むつみもバレエで鍛えた体感が生きる。大野慶人に師事し、パートナーと「むつみねいろ」を結成している。むつみと高松がさりげなくサングラスをかけるなど、アクセントも効いている。特に最後の上杉ソロがスペイン語の歌の抒情とともに心に残った。上杉ならではのソロ公演ももちろんだが、この三人の組み合わせはかなりベストマッチ。続けて公演を期待したい。

同じく中野テルプシコールで、一〇月一日、注目すべき公演が行われた。川村浪子企画制作『舞木　三つの踊り　オマージュ＋深谷正子＋川村浪子ひとり踊り』である。深谷正子、秦野旬子・下田和枝、川村浪子による三態の踊りは、異なる身体の追求が邦千谷、堀切叙子によって結びつく。川村・秦野・下田は邦の弟子であり、深谷は邦の企画でかつて踊っている。二〇一一年に一〇〇歳で亡くなった邦は、社会問題に切り込むテーマもたびたび取り上げる舞踊家だった。そして、堀切は批評家だが、二〇〇七年、舞踊家が憲法九条を考える会「舞踊人9条の会」、通称「舞木の会」を主宰し、レクチャー、パフォーマンス、トークなどを行ってきたが、二〇一六年、逝去した。今回はそれを継承して川村が一年前から企画したものだ。

深谷正子は長葱を伴って、強い緊張感のソロを大熊啓のアコースティックギターの音で見せる。秦野デュオは、行為的な動きと自然体の動きを混ぜて、声を発するパフォーマンス的なダンスを秦野春樹のソプラノサックスで踊る。川村浪子は以前から行ってきた全裸の舞踊を、大熊啓の『死んだ男の残したものは』などの歌とともに静かに踊った。いずれも邦や堀切が求めた「自分の足で立つ」舞踊の世界を見せて、感動的だった。

この小さい劇場のみならず、コンドルズが果敢に通称渋公、旧渋谷公会堂「LINE CUBE SHIBUYA」で公演『ビューティフルドリーマー』を行った（九月五日）。公共劇場でのコロナ禍は制約が多く大変だったはずだ。久しぶりに見たが、実に進化して新鮮だ。人形劇ネタ、天国への階段などは、一見定番っぽいのだが、洗練しすぎない進化を遂げている。そして無音からの『風に吹かれて』の近藤良平のソロは思わずウルっとさせる力がある。コンドルズの生み出す緩急とリズム、テンションとダンスに対する愛には、常に感動してしまう。

いだくろというデュオを黒田なつ子と組んでいた井田亜彩実は、筑波大学舞踊学科で平山素子に師事し、大学院まで進み、東野祥子のBABY-Qにも参加していた身体の強い踊れるダンサーだ。

横浜ダンスコレクションなどに出演していたいだくろ時代に注目し、二〇一三年にはダンスがみたい新人シリーズでオーディエンス賞。それから七年、

今回、音楽家の作曲・演奏で踊るというので、九月一三日、西武池袋線の所沢の先、武蔵藤沢駅にある武蔵ホールに降り立った。

駅前の広いロータリーに立つビルの五階、一三〇人収容の音楽ホールである。そこにコロナということで四〇人ほどの定員だから、贅沢だ。

音楽家は作曲家、笠松泰洋、そしてピアニストは松木詩奈。長野在住の井田がSNSで笠松と知り合い、「長野県頑張るアーティスト応援事業」の助成を受けたダンス映像作品の音楽を委嘱したのがきっかけだ。

今回、笠松泰洋の企画「音楽×空間×ダンス」第一回は二部構成。まず松木のバッハ『平均律四番』の演奏。そして、バッハの『平均律二番』で井田が踊る。黒いタンクトップに短パンで、ピアノの側に横たわった状態からしばらく床で踊る。まずここがとても見応えがあった。しっかりとした身体と筋肉が生み出す変化とフォルムが間近の観客を魅了する。さらに、立ち上がっていくと、その体幹のよさ、身体バランスの優れていることがわかる。そこからデフォルメした動きをつくりつつ、多様に展開する。

次は笠松作曲の『南の庭、または孤独』。独特のリフレインがどこかの民族舞踊のような、あるいはちょっと和の雰囲気を醸し出す。ここでは井田の動きはより大胆に動き回り、変化とダイナミズムを見せる。

次に笠松のピアノによる即興で踊るときに、井田は、黒いノースリーブのワンピースで、片足立ちからの動きが再び体幹の強さを見せつつ、観客に迫る動きとともに、即興の自在さの魅力を感じさせる。

★笠松泰洋のピアノで踊る
井田亜彩実
／Photo：大洞博靖

後半は、シューマン『子供の情景』の一番から七番『トロイメライ』までを松木が演奏する。実はそのピアノは、ウラジーミル・アシュケナージが選んだという、ドイツの名器ベヒシュタイン。一般に知られるスタインウェイとベーゼンドルファーと並び、三大ピアノといわれた。スタインウェイが明るくダイナミックなのに対して、ベーゼンドルファーは沈みがち、重めの音だが、ベヒシュタインはその中間ともいえる。ただ、和音の響きに独特のものがあり、知る人はすぐわかる。今回、シューマンのゆっくりとした曲、トロイメライなどにその個性が特に輝いた。松木の丁寧なピアニズムはシューマンに特に向いているように思えた。

次は笠松が先頃亡くなった母親への追悼としてつくった『追悼曲』。白い衣装で抑えられた動きは、感情をあふれさせない音楽に、そして観客に寄り添うものだった。

最後は、井田が委嘱した『Granatus』。水禽窟の音からという依頼で、その音に木管を鳴らすような自然を感じさせる音、ストリングスのような音が重なる。次第に明らかになる繰り返しのコード展開は、徐々に感情をかき立てる。そこに挟まれる不協和音ありのパートがおもしろい。録音音源に笠松がピアノで即興の音を散らばらせていく。動きのバリエーションをさまざまに見せながら展開し、井田の技量がよく感じられる。途中に無音などのテーマを崩す場面があってもよかった。

アンコールに松木がシューマンの『子供の情景』の短い終曲を弾き、このきわめて上質なコラボレーションの舞台は幕を閉じた。

「コミック・アニメ・ゲーム」×ステージ評

炎炎ノ消防隊、イケメン戦国 THE STAGE 〜明智光秀編〜

高　浩　美

新型コロナウイルスの蔓延で多くの舞台が中止や延期になったが、最近は少しずつ始まってきた。8月に初舞台化された『炎炎《えんえん》ノ《の》消防隊《しょうぼうたい》』(Fire Force)は、人体自然発火現象によって全身が炎に包まれ変異し暴れ出すようになった「焔《ほむら》ビト」と呼ばれる怪物と、それによって引き起こされる脅威と戦う特殊消防隊の活躍を描いた消防官SF漫画だが、サスペンスやバトルアクションの要素があるサイエンス・ファンタジー作品でもある。

太陽暦佰九拾八年、東京皇国。とある大災害を境に始まった人体発火現象"焔ビト"による脅威に人々は怯えており、これに立ち向かい、その原因と解決策を究明するために「特殊消防隊」が組織された。主人公の森羅日下部(牧島輝)は、この「特殊消防隊」の第8特殊消防隊に所属している二等消防官。幼い頃に突然の火事によって母と弟を失う辛い過去を背負っていた。自身が放った炎が原因ではないかと迫害を受けるも、当時、第三者がいたことを目撃しており、その人物が犯人ではないかと思っている。自分の濡れ衣を晴らすため、そして母と弟の命を奪った犯人を捕まえるために仲間たちと共に訓練をし、鎮魂活動に励みつつ、暗躍する謎の男「ジョーカー」(和泉宗兵)や焔ビトの秘密を握る組織と戦っていく、というのがだいたいの流れ。今回の舞台化は原作コミックスの1巻から5巻まで、主人公が第8特殊消防隊に所属するところから始まる。

★舞台「炎炎ノ消防隊」
©大久保篤・講談社/舞台「炎炎ノ消防隊」製作委員会

ビジュアル的には、やはりアクションシーン。森羅は炎を纏ったキックが得意(ヒーローはキックで戦うもの、というこだわり)、かなり練習した様子で多彩なキックを披露する。プロジェクション・マッピングなどの映像やその他の特殊効果とタイミングを合わせるのは大変だったと思うが、そこをクリアーしこれぞ"2・5次元"なシーンを創り出す。また、ワイヤーアクションも見所となっている。アーサー・ボイルの剣さばき(アーサーなだけにエクスカリバー)では、途中で利き手と反対の手で剣を持ってしまうところは原作にもあり、ご愛嬌。皆、各々の得意技を繰り出す。

また、それぞれの出会いもしっかりと描かれ、原作をよく知らなくてもわかりやすい。プリンセス火華(野本ほたる)とアイリス(礒部花凜)の関係と辛い出来事にはうるっとくるものが。そして森羅の辛い、ともすれば心折れるような過去ではあるが、それをバネにして強くなろう、ヒーローになろうという気持ち、心意気。そして大隊長の秋樽桜備(君沢ユウキ)がことあるごとに言う「俺たちはひとりじゃない」は、勇気の出る言葉だ。舞台は原作の区切りのよいところで終わっており、その先も期待せずにはいられない、良い作品であった。

人気舞台『イケメン戦国◆時をかける恋』舞台化第6弾、「イケメン戦国 THE STAGE〜明智光秀編〜」は、大河ドラマでもおなじみの戦国時代、明智光秀中心としたストーリーだ。本能寺の変にタイムスリップしたヒロイン・舞(斉藤瑞季)が織田信長(小笠原健)を助けてしまったところから物語が始まる。物怖じしないヒロインに心惹か

★「イケメン戦国THE STAGE～明智光秀編～」
©CYBIRD/イケメン戦国THE STAGE製作委員会

れる武将たち。明智光秀編なので、光秀（橋本全一）と舞の恋愛を軸に物語は進行していく。戦国ライフに巻き込まれていく舞であるが、ハードな時代に生きる男たちを目の当たりにして舞自身も変わっていく。

時の将軍・足利義昭（土井一海）、自分の置かれた状況をなんとかするためにはどんな手段も選ばない人物で、不遜な笑みを浮かべる。また信長に敵対する勢力に、毛利元就（原嶋元久）らがいる。舞はいつしか決意し、「あなたの覚悟を私に背負わせてください」と光秀に言い放つ。戦国の世、彼らと行動をともにするには命がけだ。「俺から離れるな！」と光秀、怒涛の展開、どんでん返しにつぐどんでん返し、イケメン戦国の見所である殺陣、アクロバット的な動き、アンサンブル陣の素早いアクション。時節柄つけられた黒いマスク（下が空いてるので呼吸しやすい）が、黒い忍者風な衣装とマッチしており、「マスクして気をつけてます」な雰囲気にならず、怪しく強そうな集団であることをビジュアル的に強調。これがかっこいい。舞の決意、今川義元の行動、皆、正義と自負があり、友情、義理を大切に生きる。ヒール役ポジションの足利義昭もまた歴史に翻弄された人物であり、そのためには多少汚い手段も使うが、必死でエキセントリックな行動・言動の中にも悲壮感が垣間見える。また、ハードなシーンばかりではなく、お笑い場面もきちんと用意され、武将たちが！割烹着を着て！ここは大いに笑うところ。緩急つけた1幕もので2時間ほど。また、前シリーズと比べるとエモーショナルな場面が増えている。息の長いシリーズ、次回はどの武将にフォーカスするのであろうか。

CULTURE

ケロッピー前田

釣崎清隆×ケロッピー前田「鬼畜道場」はグロテスク表現の歴史を探索する

前号は音楽特集に合わせて、このモノクロページでも紹介したことがある筆者（ケロッピー前田）と持田保による音楽トーク＆ＤＪイベント、「狂気音楽」こと「クレイジーミュージック探訪」について、結構大きな記事をやらせてもらった。一言でいえば、このイベントはテーマとして取り上げたミュージシャンやバンドについて、その音楽的変遷を辿るばかりでなく、それらの楽曲が生まれた文化的背景に踏み込み、特にパンクおよびポストパンクの時代を読み解こうとしている。

その後会場を阿佐ヶ谷TABASAに移し、7月6日「NO NEW YORK &ブライアン・イーノ」、9月7日「ダダとパンクとキャバレー・ヴォルテール」と継続しており、内容的にも好評をいただいている。ちなみに、11月9日は「デヴィッド・カニンガム＆ディス・ヒート」を予定している。

「狂気音楽」は、剛田武&宇田川岳夫主催の地下音楽ＤＪイベント「盤魔殿Disque Daemonium 圓盤を廻す會」とも友好関係にあり、音楽配信サイトSoundcloud上の「クラウド盤魔殿Disque Daemonium」でも関連音源をサーチできる。

正直、コロナ禍にあって、都内では小規模な配信イベントしかできない状況が続いているが、逆にニッチなテーマのイベントのニーズが高まっているのも事実だ。

そんなわけで、今回は泣く子も黙る「鬼畜道場」というもうひとつの話題のイベントについて紹介したい。

もともと「鬼畜道場」のアイディアは、死体写真家・釣崎清隆から始まっている。シンプルにいえば、彼の死体写真や映像作品を自由に見せ、それらについて語る場をもっと増やしたかったのだ。もちろん、モダン・フリークスの福田光睦が主催する「進捗ナイト」や「デス・カルチャー・サミット」がグロテスク表現を披露する場として機能していたし、それらのイベント自体に筆者も関わってきた。

それでも、死体を含めたグロテスク表現に特化したイベントの必要に迫られ、「鬼畜道場」を始めることになる。その契機となったのは、筆者が責任編集を務める『バースト・ジェネレーション』（東京キララ社）の刊行だった。

２０１８年12月に創刊号、２０１９年9月に2号目を出しているが、ともに大きなテーマとなったのは、鬼畜・悪趣味・世紀末という言葉に代表される「90年代サブカル」と言われるサブカル雑誌の出版ブームであった。内容的にも過激さを競ったので、いまからは想像できないくらいトンデモない出版物の数々が書店に並んだと、現代の視点から見ると言われている。そんななかでも強烈な印象を残したのが、釣崎清隆の死体写真や筆者の身体改造レポートを毎月デカデカと掲載していた『BURST』であった。

この21世紀に〝BURST〟を復活できるのか？

そんな無理難題を抱えつつ、ここ数年、筆者が黙々と取り組んでいるのが、90年代サブカルと言われる、日本におけるグロテスク表現のブームがどこから来て、どこに行ってしまったのかということである。

僕らは今も変わらず活動を続けているわけだから、どこにも行っていないとも言えなくもないが、〝BURST〟的なリアルで生々しく、感情と感覚をダイレクトに刺激するような表現や出来事は、現在のメディアの主流となっているＰＣ（ポリティカルコレクトネス）的な基準からすれば、周縁に追いやられているように言われてきた。

本当にそうなのだろうか？

「鬼畜道場」は、グロテスクを極めることから、釣崎や筆者といったBURSTの作家たちが追求してきた表現の必然を問うために始められたトークイベントである。

　昨年10月25日と今年2月7日「NEO鬼畜道場」は、オールナイト8時間、残酷動画&グロテスク画像を見せながら、僕らがコメンタリーするという〝道場〟という名に相応しい狂ったイベントとして始動した。お付き合いいただいた観覧者の皆さんに感謝したい。

　コロナの感染拡大を経て、「鬼畜道場」は、90年代サブカルとグロテスク表現の最凶サブカル教養講座として四谷アウトブレイクの無観客配信イベントとなって復活する。

　今年6月17日の「鬼畜道場」は、本誌前号で紹介した展覧会「バースト・ジェネレーション：死とSEX」展（新宿眼科画廊）を取り上げた。第2回目にあたる8月19日は、グロテスク表現の基本文献、デヴィッド・ケレケス&デヴィッド・スレイター『キリング・フォー・カルチャー─殺しの映像』（David Kerekes & David Slater "Killing for Culture"）を完全解説した。この本は1998年にフィルムアート社から邦訳が出ているが、2016年に出版された増補版では釣崎清隆も紹介されている。

　1994年に出版された英語版は、チャールズ・マンソン・ファミリーによるシャロン・テート虐殺事件から生まれた都市伝説としての『スナッフフィルム（殺人映像）』から、アートや音楽とグロテスク表現のかかわりなど、BURST創刊前夜までのグロテスク表現の世界史となっていた。2016年の増補版は、ネット以降、殺人の決定的瞬間が平然と動画で観れてしまう状況になってしまったことについても語られている。

DVD
釣崎清隆 監督作品
死化粧師オロスコ
★『死化粧師オロスコ』

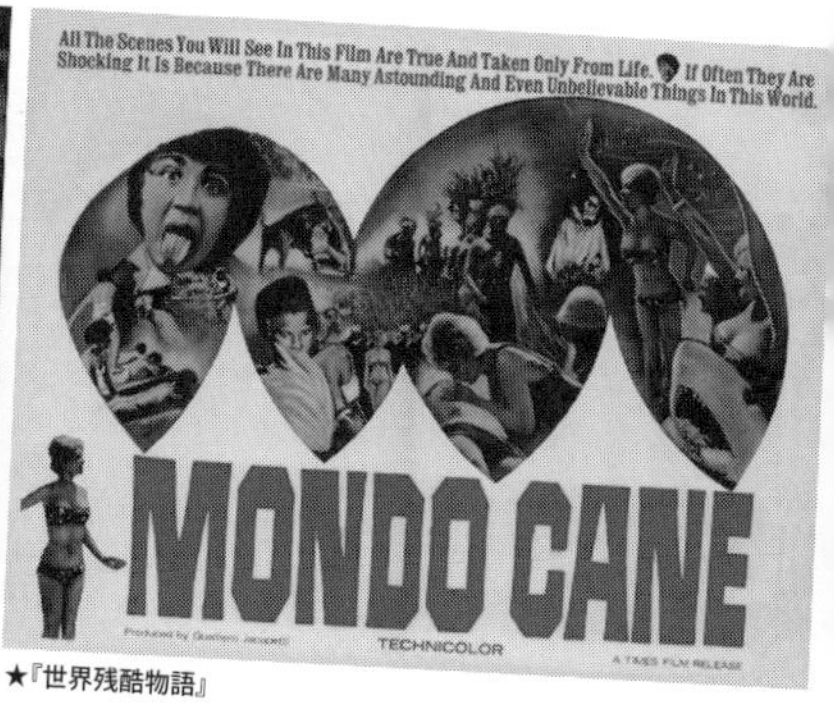
All The Scenes You Will See In This Film Are True And Taken Only From Life. If Often They Are Shocking It Is Because There Are Many Astounding And Even Unbelievable Things In This World.
MONDO CANE
TECHNICOLOR
★『世界残酷物語』

　「鬼畜道場」として強調したいのは、1962年に『世界残酷物語（Mondo Cane）』を大ヒットさせたヤコペッティ監督の偉大さである。彼は、ドキュメンタリーという手法でグロテスク表現をエンターテインメントにまで押し上げ、のちにモンド映画と呼ばれる一連のキワモノ（フェイクあり）ドキュメンタリーを生み出すきっかけを作った。

　さらに、そのようなモンド映画の文脈から〝死〟に特化したショックメンタリーが生まれ、そのエポックメイキングとなるのが『ジャンク（Faces of Death）』（1979）である。この映画は、実は日本発信で、制作者であった三枝進（安達かおる）はのちにV&Rプランニングを起こし、『デスファイル』（1989～）のビデオシリーズを始める。

　90年代半ば、釣崎はデスファイルのシリーズの撮影のために南米コロンビアに長期滞在することになるが、本編完成前に企画そのものが頓挫する。それでも、彼は個人の作品としてエンバーマーのオロスコを追い、最初の映像作品『死化粧師オロスコ』（1999）を完成させている。

　釣崎の映像作品登場までに、そのような歴史的な背景があることも重要だが、そのような歴史が『キリング・フォー・カルチャー』という研究書にまとめられていることも覚えておいて欲しい。

　次回の「鬼畜道場」は10月14日。BURST視点でグロテスク表現の写真史を総覧する。死体写真をアート作品として発表し、悪名を轟かせたジョエル＝ピーター・ウィトキン（Joel-Peter Witkin）やアンドレス・セラーノ（Andres Serrano）を中心に、釣崎清隆の盟友であるコロンビアの死体写真家アルバロ・フェルナンデス（Alvaro Fernandez）、メキシコで犯罪や事故の現場を撮り続けるエンリケ・メティニデス（Enrique Metinides）、センセーショナリズム写真家の元祖ウィージー（Weegee）らを取り上げる。

　ちなみにキリスト像を尿に沈めた作品や死体安置所シリーズで知られるセラーノはケロッピー前田が『BURST』でインタビューしている。この続きは、ぜひ有料配信でお楽しみいただきたい。

※『バースト・ジェネレーション』presents「NEO鬼畜道場」ver.@四谷アウトブレイク https://hor-outbreak.com

LOMBROSO

「天才は狂気なり」という学説を唱え 犯罪人類学を創始した奇矯な精神病理学者

チェーザレ・ロンブローゾの思想とその系譜〈38〉

村上裕徳

ルター

ロンブローゾは続けて言う。

彼《ルター》は肉体上の苦痛や悪夢をすべて悪魔の仕業によるものと結論付けているが、彼の残した記録を見ると明確に「神経病」の兆候があったことがわかる。彼は、しばしば言語に絶する苦悶に陥った。それを彼は、神の怒り（の反映）だと考えていた。（ルターは）二七歳の時、（原因不明の）眩暈《めまい》に襲われた。それには頭痛と耳鳴りが伴っていた。三三歳、三八歳、四〇歳および五二歳の時、また、その眩暈を感じた。とりわけ旅行している時が、その眩暈が激しかった。三三歳の時、彼は（初めて）真の幻覚に襲われた。おそらく極度の孤独がその原因であろう。彼は記している。

「一五二一年の私（ルター）がパトモスに住んでいた頃、私の部屋には食べ物を運ぶ二人の給仕の他には誰も入っては来ないはずにもかかわらず、私がある晩、床に就くと木の実が袋の中で動いている音が聞こえた。そうかと思うと、やがてそれが飛び出してきて、天井や床の周囲を飛んだり這ったりした。私が眠りに落ちるか落ちないかの『まどろみ』の時に、恐ろしい音が聞こえて、沢山の実が一斉に飛び出したような気がした。私はキリストに自分を捧げて祈り（幻覚の主体に対し）『おまえはだれだ！』と叫んだ」

ウィッテンベルヒ寺院で彼（ルター）が（新約聖書の）「ロマ書」の講義をしていた時に「正しきものは信仰に従って生きるべし」という言葉が聞こえた。この言葉が耳底にしみこんで離れず、それから幾度もその言葉を聞くようになった。またスカラ・サンタの山道で足を引きずり歩いていた時にも、雷鳴の中にその言葉を聞いた。「私（ルター）は夜中に目を醒まして会式《マス》（キリスト教の教義を指すと思われる）に関し悪魔《サタン》と何度も議論を戦わせたか計り知れない」と彼は告白している。そして彼は悪魔との議論を詳細に述べている。

ロンブローゾは宗教改革の先駆者であったルターの幻覚や幻聴を、現在で言うところの「神経質」や「神経過敏」、それが過度の症状になった「神経症」のようなものと判断しながらも、宗教改革の偉人として、丁重に記述していることが窺える。そして、神からの啓示の原因を「神経病」としながら、宗教の信仰者としてのルターに対してはロンブローゾの敬意を感じさせるものがある。ロンブローゾにとっても、ルターの自身の信仰を確かめるための「悪魔との議論」は、共感する点が多かったに違いない。

サヴォナローラ

ロンブローゾは続けて言う。

すべての点で（「宗教上の狂者」として）最も適切な説明になるのが、かのサヴォナローラ（後で詳述）である。（原註・このようなことを言っては国家の神聖を無視するものと見做されるかも知れない。）（このロンブローゾによる原註は前記数行および以下の記述に係る。カトリックを国教とするイタリアにおいて、宗教改革の先駆者であるサヴォナローラを、やや好意的に批評することは、当時のロンブローゾにとっても、かなりカトリックに対して畏《おそ》れ多い、場合によっては政治的圧力を受けかねない危険発言だったのだと考えられる）彼（サヴォナローラ）は青年時代から幻覚の影響を受け、自分自身を、国政の腐敗をことごとく消滅させるためにキリストが地上に送った使者なのだと信じていた。ある日（彼が）一人の尼僧と話していた時、その間、天国の門が開いたように感じられた。彼はほかにも、寺院の災いを幻視して、（その周辺の）民衆に告げるべき天国からの指令を耳にしたのである。

黙示録および旧約聖書の預言者の見た幻が、彼にも再び現れたのである。一四九一年に彼は説教の途中で（突然に）政治を論ずることをやめようと思った。「私は土曜日の終日終夜を（通して）祈り続けた。夜明けに私は『愚かなる者よ、神はお前にただ一つの道を歩ませようと思っていらっしゃるのに、（そのことを）お前は見ることが出来ないのか』という（キリストからの）声を聞いた」と彼は言っている。

一四九二年の降臨節《アドエント》（降誕祭つまりクリスマスか、ないしはキリスト教聖人の生誕祭のことか？）に彼が説教をしていると、そのとき（空中に）剣の幻を見た。その剣には「空中の剣の神」という銘文が刻まれていた。（すると）急に、その剣が地上に鋒先を向けた。空が暗くなって炎と矢と剣の雨が降ってきた。（そして）地上には飢饉と疫病が拡がった（こうした映像をサヴォナローラは幻覚として見ている）。この時から彼は、後に来るべき疫病の流行を預言し始めた。また彼は、キリストの使者として天国へ長旅をすることもあった。そして

（そこでは）聖母や多くの聖徒たちと議論をした。彼はまた（この時）、聖母の玉座にある宝石の数さえ記憶にとどめている。

ロンブローゾによるサヴォナローラの紹介は、サヴォナローラの幻覚が、きわめて鮮明な視覚的幻覚であったことを示している。こうしたロンブローゾさえ意識していない指摘は、ロンブローゾにもまた、視覚に対しての強い拘りがあったことを感じさせる。

ロンブローゾによるサヴォナローラの幻覚の考察

ロンブローゾは続けて言う。

我々はラザレッティによって同様な幻覚の記されているのを、すでに見ている。サヴォナローラ（の幻覚の特徴）は絶えず彼の夢について瞑想を凝らしていることである。彼はその幻覚の原因を、天使によってなされたものか悪魔によるものか判別しようとした。しかし彼は（この幻覚が、狂気のせいではなく、天使か悪魔によるものであることに対して）疑いを持ったことは、ほとんどなかった。

（サヴォナローラは）「自分から預言者と称し他人を欺こうとする者は神さえも欺くに等しい者である」と対話篇のなかで言っている。「お前は、果たして自分自身を欺かないことが出来るのか」と対話者が問うならば、「私は神を崇拝する。私は主（キリスト）の御足《みあし》の跡に付き従うということだけを祈っている。神が私を欺くようなことは有り得ないことである」と彼は答える。

ロンブローゾは続けて言う。

しかしながら彼（サヴォナローラ）は（精神）錯乱者に有りがちな矛盾する記述を、その前に書いているのだ。

「私は預言者でもなければ、預言者の息子でもない。私を無理に預言者にすることは、お前たちの罪である」

また彼は、あるページには、預言者による黙示は神の恩恵とは別のものである――と書きながら、すぐさま他のページに、黙示と恩恵は同一であると書いている。

「フロレンス（フィレンツェのこと）に最善な共和制を敷き、当時において稀にみる雄弁を振るって、その時代の民心を統治し、（それだけでなく）哲学においても偉大な学識を現わした人が、空中に不思議な声を聴き、神の剣をまのあたりに見たと誇るようなことは、実《じつ》に、彼の性格の異常を示すものである」――とヴィラリ（不詳）が言っているのは、まったく、もっともな意見である。そして、

「もしも彼が、単に群衆を欺こうとしていたのなら、自分の見た幻覚を論じたり、あるいは、それを母に話したり、（自分の蔵書の）聖書の縁に、その感想を（私的なメモとして）書くというような必要が無かったであろう。彼を称賛する人々が故意に隠蔽しようとすること、あるいは良識のある者なら、決して活字にして残さなかったようなことを、彼は平然として次々に出版したのである。彼は自分も言うように『内部生命』が火のように『精髄』を燃やしていたのである。彼は、その饒舌を止められなかったのだ。（そして、そのことで）彼は自分の『法悦の狂乱』に乗じて聴衆を旋風（のような混乱）の中に巻き込んだ。我々は静かに彼の説教の本文を読むとき、なぜ聴衆が、このような（彼の）言葉に（容易に）感動したかを怪しまないではいられないのである」――とヴィラリは記している。

ロンブローゾは続けて言う。

我々はこれ（ヴィラリによる批評を指すか？）によって彼（サヴォナローラ）が、いかに、その神聖な熱狂を民衆の中に伝播したのかを、理解することが出来るのである（ロンブローゾが「神聖な熱狂」と記すように、彼のサヴォナローラ評価はヴィラリよりも高い）。これ（サヴォナローラの熱狂的な情熱を指す）のせいで「無知なる民衆」は彼の思想を深く印象付けられ、（それによって）即興的に説教したり、物を書いたりできた。（サヴォナローラの影響を受けた）ドメニコ・チエッキー（不詳）は『神聖改革』という本を書いた。その著作の中には数々の、もっともらしい提案がある。議会を劣悪な仕事から救う策や、寺院の財産に課税することや、租税を主張する議論や、民兵を作る策や、結婚持参金の価格を一定にすることなどが書かれている。（その）序文で彼（チェッキー）はこのように記している。

「私は突然に、このような本を書こうと思いついた。私にはこのような物しかできなかった。夜も昼も私は不思議なほど苦心して執筆した。しかし出来たものを見ると、自分でも呆然と驚く他はない」

ロンブローゾが、どういう意図で前記のチェッキーの一文を引用したのか、他に何も書かれていないので、本当のところはわからない。サヴォナローラに関しては、この引用で突然に終わるのである。しかし、このチェッキーが後世の人でなく、サヴォナローラと共に宗教裁判にかけられ、同じ日に絞死刑の後で火刑にされた二人の高弟、シルヴェストロとドメニコの後者であるならば、次のような意味であろう。ドメニコはサヴォナローラの熱狂に駆られて、宗教的情熱が伝播し、師の著作に及ぶものではない「このような物しかできなかった」が、自分なりに辛苦して書いただけあって、自分の実力では書けないような「呆然」と驚くようなものだった――という意味だと解される。ここには無学なドメニコ・チェッキーのような庶民でも、師

の感化を受けて急に教養が身につき、ロンブローゾの評価では「もっともらしい提案」を書けるような付け焼刃な教養だが、見た目には突然に天才になったかのように見えたということである。重要なのは、本人のチェッキー自身が自覚として、その才能の開花に驚いて「呆然」としている点で、とうてい宗教的ペテン師の詐術ではないということである。なぜなら、チェッキーが確信犯のペテン師であるなら、自分の才能の開花を訝しく感じ「呆然」としたような懐疑心を文章に残さず、確信を持って書いたかのように偽装できたからに他ならない。サヴォナローラが著作の中で確信犯の宗教的ペテン師ならばしないような自問自答や、その他の猥雑な告白もあるようだが、チェッキーの場合も含め、こうしたリスクを帯びた記述は、仮に神経症の症状であっても、証言として信用することが出来るというロンブローゾの評価だと思われる。そして、このことは、チェッキーのような無学なものが急に博識で雄弁になる場合の、全部ではないが一つの理由として、熱狂的な狂信による短時間の学習と模倣が、ロンブローゾに想定されるだけでなく、その異常な効果の信用できる実例の証拠であると彼が考えていたのだと思われる。

　このサヴォナローラの狂気と、どう繋がるのか判らないが、この項目には、あと数行の続きがある。

　ロンブローゾは続けて言う。

　ジョヴァンニというフロレンスの裁縫師は熱狂の力を借りてtetzine（不詳）を書いた。その中で彼は栄光に満ちあふれた未来のフロレンス市を詠いあげている。その中にはラザレッティが書いた歌詞に匹敵する程のものもあった。そして（そこでは）次のような（意味不明の）預言もしている。「ピサは従来から、すべての罪悪の原因だったから、足枷をつないで裁縫師にまで堕落する必要がある」——もし仮に私（ロンブローゾ）がこれに類似の「狂人」に会ったことがあるかと（他人に）質問されたなら、たいがいのイタリアの精神病院で、こうした患者を収容していない病院は、一つとして無いと、私は答えるであろう。

　ロンブローゾの記述は、きわめて我儘で強引な文脈のため、この数行がサヴォナローラの熱狂を補足するためのものなのか、むしろサヴォナローラの熱狂を特権化せず、一般的狂気に平均化するためなのかが、本当のところは判らない。普通の文脈として読めば、サヴォナローラの熱狂もフィレンツェのジョヴァンニの熱狂も、単なる、ありがちの狂気の症状にすぎないことになるが、ロンブローゾのサヴォナローラに対する拘りから考えて、熱狂的狂気の特権化は有り得ても、一般化は有り得ないだろう。だとするならば、この数行の引例は、サヴォナローラに自己同化して熱狂的になりがちのロンブローゾの論調を、少し冷静にするための、意識的操作なのかもしれない。

サヴォナローラの神権政治

　ルター以前の宗教改革の先駆者であるサヴォナローラについては、簡単な紹介が必要であろう。

　ジローラモ・サヴォナローラ（一四五二〜一四九八）はフィレンツェとベネチアの中間あたりにあるフェラーラという街に生まれた。家は中産階級の平民だが、庶民のほとんどが財産を持たない下層の人々の中では、比較的に裕福だった。祖父が著名で博学な内科医のほか、叔父は有名な占星術師（当時の占星術師は、同時に天文学者である）だった。母方の血縁には貴族がいるような家系だった。彼は父の意向で、祖父の後継ぎとして医学校への進学を期待されていたが、ファエンツア（イタリア中東部の小都市）で聴いた説教に感化され、二二歳の時に家出をしてボローニアでドミニコ会に入信し修道士になる。そして一四八四年にフィレンツェのサン・マルコ修道院に転任し、各地を回った後再び戻って、一四九〇年にサン・マルコ修道院の院長になる。

　彼をフィレンツェに招いたのはメディッチ家の当主ロレンツォ・イル・マニフィコ（ロレンツォ・デ・メディッチのこと。一四四九〜一四九二）で、ロレンツォ自身が芸術や哲学に造詣の深い人物のため、哲学者で人文学者のピコ・デラ・ミランドラ（一四六三〜一四九四）の勧めでかれを招聘したのだった。ピコはメディッチ家のプラトン・アカデミーの中心人物で、その主著『人間の尊厳について』によれば、人間は、それ自身が小宇宙であり、その中には元素から動植物、理性、神の似姿に至るまで多様なものが含まれると考え、人間が他の動物と異なるのは、自由意思によって神のようにも獣のようにもなることが出来る点だとして「人間の尊厳」を主張した。こうした考えは法王庁より異端の疑いを受け、ピコは逮捕されるが、ロレンツォの助力でフィレンツェに帰された。

　ロレンツォは、国王でもないのに豪華王とも呼ばれたメディッチ家最盛期の当主だが、サヴォナローラが修道院の院長になった頃には、持病の痛風が悪化して昔ほどの政治力が発揮できず、権勢が衰えていた。サヴォナローラはロレンツォからの干渉が弱くなったことを幸いに、フィレンツェ全体に蔓延《はびこ》る贅沢や退廃的で堕落した風紀を厳しく批判していく。こうしたなかで一四九二年四月五日、フィレンツェの教会堂《ドゥオーモ》の丸屋根《クーポラ》の頂上にある金色の球に雷が落ち、不吉なことが起こると市民が怯えるなか、ロレンツォが三日後に亡くなる。

いっぽうサヴォナローラは贅沢な生活を批判し、質素な生活をしなければ近いうちにフィレンツェは敵国の手に落ちるだろうと説教台から叫び続ける。ロレンツォの後継ぎは長男のピエロだったが、この長男は「愚かなピエロ」と呼ばれるような出来の悪い君主だった。こうした時に、血統からナポリ王国の王位継承を主張したフランス王シャルル八世がイタリアに進軍してきて、イタリア戦争が始まる。

弱腰外交のピエロは次々と町の支配権を奪って進軍するフランス軍に恐れをなし、戦わずして敵に三つの要塞に加え都市ピサとリボルノの支配権、それにフィレンツェを自由に通行する権利を与えてしまう。こうした弱腰のピエロに反発した市民によって、メディッチ家の一族はフィレンツェの町から追放される。いっぽう預言を的中させたサヴォナローラの人気はますます高くなっていく。

メディッチ家を追放したフィレンツェは共和制になり、その政治の中心人物となったサヴォナローラは大評議会を組織し、じょじょに上流階級の贅沢や民衆の風紀の乱れをますます非難するようになっていき、神の名のもとに本来あるべき「禁欲的なカトリック」を第一とする神権政治を推し進めていく。

とりわけサヴォナローラの名前を歴史上有名にしたのが、贅沢品を火刑に処した「虚栄の焼却」で、数々の虚栄に満ちた肖像画のような美術品はもとより、仮装舞踏会などのための鬘《かつら》や付け髭、変装用の衣装、手鏡や香水、あらゆる異国風の様式の衣装と装身具、ギャンブルのためのトランプや骰子《さいころ》などなど、世俗的で人心を惑わし、虚栄心をくすぐる品々のことごとくが燃やされた。

サヴォナローラの影響力は絶大で、画家のボッティチェリなどは深く傾倒しただけでなく過去を反省し、メディッチ家に加護されていた時代には華麗な色彩に満ちた作風だったものが、モノクロに近い色使いの厳粛で悲哀に満ちた作品を描くようになる。こうした作風は好まれず、ボッティチェリは失意の晩年を過ごすことになる。こうしたサヴォナローラの影響は、ボッティチェリに限らずミケランジェロにも、それに感化されたフラ・バルトロメオ（一四七二～一五一七）にも表れているという。

こうしてフィレンツェの神権政治が強くなるに従い、強力なプロパーだったサヴォナローラの矛先がバチカンの法皇、アレクサンドル六世に向かう。この法皇は贅沢大好きの大食漢で、放蕩家なだけでなく、非常に貪欲で背徳的な人物である。生涯独身の聖職者のはずが、裏ではチェーザレ・ボルジアとルクレツィア・ボルジアの実父だった。つまり姦通していたのである。法王は、最初はサヴォナローラを黙殺していたが、その批判の矛先が法王庁に向けられたことに激怒し、サヴォナローラを「異端」として破門する。そして厳しい神権政治に疲れた民衆の反発が深まる中、フィレンツェ市民が修道院に押し寄せ、サヴォナローラを捕えて宗教裁判にかけ、最後は絞首刑の後の火刑になっている。遺灰はアルノ川に散骨された。

ロンブローゾがサヴォナローラの行った「虚栄の焼却」を知らなかったとは思えない。これによって豪華なだけの嗜好的美術だけに限らず、後世からすれば貴重な美術作品が失われたことは確かである。ロンブローゾの記述は、こうした部分に目をつぶり、禁欲的なカトリックを目指したサヴォナローラの一面だけを評価した紹介に見えなくもない。またロンブローゾは、この著作でわかるとおりに美術的な造詣は計り知れないものがあり、ボッティチェリ本人の意向による焼却を含めて、多くのボッティチェリの前期作品が焼失したことを知っていたはずである。そして、それを非常に残念に感じたであろうことも確かである。ここにはロンブローゾの矛盾する二つ、ないしは三つ以上の複雑な性格が表れている。ロンブローゾはサヴォナローラの禁欲的で質素な生活を、アッシジのフランシスコの禁欲的な生活のように讃美しながら、その後の独裁政治の強引さには目をつぶり、記述を避けている。一方で、このロンブローゾの著作を読んでわかるように、彼がヴェルレーヌやボードレールなどロマン主義者の芸術的退廃に対して、かなり好意的であった。また、ある意味での独裁者であり、領土内の税金のほとんどを自分の中世幻想の完成のために蕩尽したルドヴィッヒ二世に対しても、ある種の讃美と共感を持っていた。加えて庶民的立場で、独裁者を非難する一方で、庶民の飽きっぽさや愚鈍さ、付和雷同の反動性等々の「衆愚」についても辛辣だった。こうしたロンブローゾの、ときに自己矛盾に苦しんだと伝えられる複雑な性格が、ここにも表れている。映画評論家の淀川長治がルキノ・ヴィスコンティーの複雑な性格を「貴族が大好きで大嫌い」と評したように、ロンブローゾもまた同様の性格を持ち、体制批判の社会主義的視点による庶民的立場をとりながらも、贅沢で豪奢な美術には魅了され、民衆の愚鈍さには、思わず強硬な「独裁」を支持するようなところがあった。またロシアを含めたヨーロッパ全土で差別され、特にカトリックの総本山であるイタリアでは差別が特に厳しかったであろうが、そうした国に住むユダヤ人でありながら、イタリアが大好きの愛国者であった。こうした矛盾が同居した複雑な性格だったのである。

山野浩一とその時代(13)
原案・原作・脚本をつとめた『戦え! オスパー』

岡和田晃

『サイボーグ009』との差別化

手塚治虫作品のアニメ化の脚本を担いながらも、要らぬ労苦を強いられていたはずの山野浩一だったが、有形無形の重圧も、当人としてはどこ吹く風との思いもあったようだ。山野に翻訳の薫陶を受けた大和田始も、「山野さんはこの手の原作は、要素を組み合わせればよくて簡単だ、といったような発言をしていました」と証言している(二〇二〇年の取材に基づく)。この自信はどこから来たのだろうか。山野にとってもっとも大きな仕事は、『ビッグX』に続く大きなTVアニメ『戦え! オスパー』のメインとなる原案・原作・脚本を担当したことだろう。当時としては成功し、山野自身の大きな実績となったのは間違いない。けれども、不幸なことに、この作品は現在に至るまでソフト化されておらず、二〇一九年にTokyo Cine Centerで「毒蛾の大群」が見つかったのが知られているくらいで、オープニングを除いて大半のフィルムの所在も不明である。

山野浩一が最後にTVアニメ版『ビッグX』の脚本を担当したのは五四話の「ハンスの復讐」(一九六五年八月二三日)だった。勢いはそのままに、一〇月の『X電車でいこう』単行本の刊行をはさみつつ、『戦え! オスパー』は一九六五年一二月一四日から放送が始まり、一九六七年一〇月三一日まで二年間続いた。全五二話で(五三話説もあり)、最初の一年は新作の放送、次の一年はその再放送だった。

次週よりの放送を予告する「読売新聞」一九六五年一二月七日の記事では、日本テレビ初のアニメだと断ったうえで、「SFもの、ロボットもの」と差別化をはかりたいのは山々だが「SFの人気は、やはり無視するわけにはいかず、アニメーションの特色を活かすにもSFものが有利」と企画の裏話が綴られている。そこに、生身の人間の少年を主人公に据えながらも超能力を与えることで、「SFものに忍者ものの要素を加味」し、つまり「SF忍者」ものとして企画を通したのだと、当該記事では報じられている。あたかも山野浩一がSF界に後発組として参入した自身の経験を通じ、企画のねじ込み方を伝授したかのようである。

主人公オスパーはムー大陸の生き残りで、使える超能力は、念力・透視力・超記憶力・テレパシー・テレポーテーションの五つ。ちょうど、前年の一九六四年に原作漫画の連載が始まっていた石ノ森章太郎の漫画『サイボーグ009』と、うまく差別化を目指していたのが窺える。というのも、『サイボーグ009』は、アニメに先立って始まった漫画版の『戦え! オスパー』が連載されていた「少年キング」(少年画報社)誌上で、先に連載されていた作品だったからである。『サイボーグ009』では、特殊能力は各キャラクターが分有する形で持っており、チームでの行動が基本になるし、より厳密な意味でのテレパシーなどの超能力は、赤ん坊の001(イワン・ウイスキー)が持つものとなっている。先述した「ハンスの復讐」では、主人公・朝雲昭に対する積年の恨みを晴らすべく、ライバル・キャラクターのハンス・エンゲルが、自らをサイボーグ化して襲いかかってくるのだが、これを『サイボーグ009』に対する山野浩一のスタンスの寓喩であるとの深読みも不可能ではない。

ただ、『サイボーグ009』が、一九六三年に福島正実訳がハヤカワ・SF・シリーズで刊行されたばかりのシオドア・スタージョン『人間以上』(1953)の影響を受けているように、山野もまた、スタージョンをはじめとした「ミュータント・テーマ」、「超能力テーマ」のSFを意識していた、と見るのが正解だろう。それがあったからこそ、大和田証言にある「要素を組み合わせれば」という台詞が出てくるわけだ。

伊奈たかしによる漫画版『戦え！ オスパー』

『戦え！ オスパー』の漫画版は、「少年キング」の一九六四年八月一五日号（三四号）より連載が開始されており、作画は伊奈たかし。伊奈の本名は福元一義で、一九七〇年から虫プロ入りして手塚治虫の元チーフアシスタントをつとめた人物である。福元の回想録『手塚先生、締め切り過ぎてます！』（集英社新書、二〇〇九）によれば、福元は日本大学芸術学部を中退して少年画報社に入社、「少年キング」の編集者となり、手塚治虫『サボテン君』（一九五一～五四連載）、福井英一『どんどこドン助』（一九五二）、高野よしてる『赤ん坊帝国』（一九五二～五三連載）を担当したという。福井英一が一九五四年に過労で夭逝し、高野が一九七〇年にカメラ屋へ転職して筆を折ったのとは逆に、福元は漫画家になるため一九五四年に少年画報社を退社した。福元の没後は、『赤胴鈴之助』（一九五四～一九六〇連載）を武内つなよしに引き継がせ、人気作品へと昇華させるために尽力をした。

★「週刊少年キング」1965年8月22日号（35号）より

このように、福元は編集者と漫画家のちょうど合間のような立ち位置にあった。「早く原稿をもらう」ために、手塚のアシスタント業務を行ってすらいたという。しかし、漫画家として独立後には、依頼を引き受けすぎてその大半を落とす等という事件を起こしてしまう。そんな福元一義の窮状を救ったのが、ほかならぬ手塚治虫だった。手塚は一九六五年五月号より、少年画報社の「少年画報」へ新作漫画の『マグマ大使』の連載を開始したが、その時の条件が、「福元一義をアシスタントとすること」だったのだ。そのことが、伊奈たかし名義による『戦え！ オスパー』の連載開始と、深くリンクしているのは想像に難くない

『戦え！ オスパー』は、手塚風のキャラクター造形を基体としながらも、よりスタイリッシュで青年漫画的な画風であった。福元は『ウルトラセブン』の漫画化も手掛けたが（一九六七～六八連載）、ちょうど同じ頃に『ウルトラセブン』の漫画化をしていた桑田二郎の作風をも彷彿させる。『戦え！ オスパー』が連載されていた一九六五年には、桑田二郎は平井和正原作の『エリート』を同じ「少年キング」に連載していた。あるいは、望月三起也の最初のヒット作と言われる『秘密探偵ＪＡ』（一九六五～六七連載）の方に、「福元＝伊奈」の画風はより近いかもしれない。

ただ、『秘密探偵ＪＡ』は単行本化されたが、『戦え！ オスパー』は単行本化されていない。

★「漫画市」28号（2019年）

近年では、アップルＢＯＸクリエートが出している「漫画市」二八号（二〇一九）に、初出時の扉絵がまとめて収録され、エピソードも二話ほど採録されているくらいだろう。当時は、漫画雑誌に連載された作品はそのまま読み捨てられることが主で、単行本にまとめて読み直されるというサイクルが確立される直前の時期だったのだ。もう数年、『戦え！ オスパー』の連載が延びていたら、単行本化してさらなる人気を集めたかもしれない。

『戦え！ オスパー』の製作スタッフ

ＴＶアニメ版『戦え！ オスパー』は主題歌の作詞が寺山修司、作曲が冨田勲と豪華で、今でも歌い継がれる名曲に仕上がっている。演出には『鉄腕アトム』の「メトロ・モンスターの巻」に引

き続き、富野喜幸（由悠季）が名を連ねていた。漫画版『戦え！ オスパー』の扉には、初回から「日本テレビで十月から全国放映決定！」とのコピーが勢いよく踊っている。けれども、先述したとおり、実際の放映開始は一二月にまでずれ込んでしまった。

「アニメージュ」一九七九年四月号で、『戦え！ オスパー』が紹介されたとき、山野浩一は「そうですね、脚本を書いたぼくよりも、製作者側が苦労したんじゃないですか。あれをつくったのは、新しいプロダクションでして、虫プロや東京ムービーから集まった人ばかりでしたから」とのコメントを寄せている。

山野にとって、そこは出逢いの場でもあった。「そのなかにいまをときめく『太陽にほえろ』のプロデューサーである清水欣也さんがいました」と、コメントを結んでいるからだ。後に、山野は自身が創刊した「NW-SF」にて、清水欣也に小説を書かせる。「午后の碑文」（「NW-SF」2号、一九七〇）、「天使街」（「NW-SF」三〜六号、一九七一〜七二）、「あそことここと」（「NW-SF」8号、一九七三）である。とりわけ「天使街」を山野は高く評価していたようで、二〇〇五年二月一八日の「山野浩一WORKS」では、次のような回想が書かれていた。

（引用者注：『戦え！ オスパー』の）その後もずっと親友として付き合ってきた。彼に小説を書かせて「NW-SF」に連載した。かなり前衛的な小説だったので読む人はわずかだっただろうが、彼の仕事には役立っていたようにも思う。清水はその後、（……）「傷だらけの天使」「拝啓おふくろ様」など、いまや伝説となっている数々のドラマを送り出して、日本テレビのドラマ黄金時代を築き上げた。ショーケン、松田優作、桃井かおり、尾形拳など、多くの俳優を育てたのも彼で、芸能界では最も恐れられていたプロデューサーの一人だった。

「ちょっと行き詰ったら山野さんのところへ行くんだ」と彼はいっていたが、確かにふらっと私のところへきて話し込んだり、本をあさったりしていた。ビートルズを彼が最初に聞いたのも私の家で、とても感動した様子だった。ずっと、今度こそ一緒に仕事をしたいといっていて、「X電車で行こう」を芸術祭参加ドラマとして企画し、かなり頑張ったそうだが最終段階でだめになったといっていた。甲斐バンドのメンバーが私のファンだからといって紹介してくれた。（「清水欣也さん」※一部表記を修正した）

その後も、折に触れて、山野浩一は清水欣也の小説、とりわけ「天使街」の再評価を望んでいたようで、私自身、「speculativejapan」へ二〇〇八年九月五日に掲載された大久保そりや論「共産主義的SF論」あるいはドゥルーズになれなかった男」についてのコメントで、ほかならぬ山野自身から、清水欣也「天使街」も論じられることを望んでいるという旨のコメントをもらったことがある。また、日本テレビ時代の清水の部下に、後に『夏のロケット』（一九九八）、『エピデミック』（二〇〇七）等で作家として活躍する川端裕人がいた。

ただ、『戦え！ オスパー』については、清水欣也よりも、むしろ製作の矢元照雄や、演出／ディレクターの新倉雅美（渡辺清）についての調査の方が進んでいる。矢元は、「ピンク映画」の老舗プロダクションとして知られる国映の創設者で、「女ターザン」映画の『情欲の谷間』（一九六二）、『情欲の洞窟』（一九六三）をヒットさせ、その収益を使ってアニメ製作にも乗り出した。日本テレビ芸能局制作部と、国映が自社出資して設立した関連会社・日本放送映画が共同製作したのが『戦え！ オスパー』だったのである。

そんな矢元について調べていたのが柳下毅一郎で、二〇〇七年五月三一日の「映画評論家緊張日記」には、「現在調査中の『オスパー』問題でついに山野浩一氏に取材！ …いつかは会いに行くことになると思っていた山野浩一だけど、まさかこんなネタで会うことになろうとは。／取材はまあ一歩前進しつつ一歩後退という感じだけれど、当時のSF界とアニメ界の雰囲気がなんとなく感じられたのが収穫かな」と記されている。

その前日の二〇〇七年五月三〇日の「山野浩一WORKS」には、柳下毅一郎の取材を受けた旨が書かれている。「結局私の活躍時には会わずに終わっている。その後にはシンポジウムなどでパネラーとして同席したことがあったけれど、それ以外で会うのは初めてだった。主たる目的は「映画秘宝」誌の取材で、私が原作と大半の脚本を書いた『戦え！ オスパー』に関するものだったが、彼もニューウエーヴの巨匠がテレビアニメの脚本など書いていたとは思わなかったという。実は私もさほどよく覚えてなく、あまり取材には役立たなかったようにも思う。ただ、『戦え！ オスパー』はオンエア当時かなり人気が高く、実際にかなりの期間の製作が続けられた作品だった。取材しても実際に見ていた人は面白かったというが、再放送もされずほとんど忘れられていたのだという」（※明確な誤記は修正した）というのが山野の抱いた感想だった。

　取材から間もなく、「映画秘宝」の二〇〇七年七月号では田野辺尚人による「国映の教育映画、初期テレビ時代の貢献」と題したコラムが載った。そこでは矢元自身へのインタビューを交え、第一弾たる『戦え！ オスパー』の成功を経て、日本テレビは子供向けの帯番組を編成することが可能になった」と、端的な総括がなされている。

　新倉雅美については、安藤健二『封印作品の憂鬱』（洋泉社、二〇〇八）で、実情が詳しく記されている。日本放送映画に参加して、『戦え！ オスパー』に関わった新倉は、その後、東京テレビ動画を立ち上げるものの、日本テレビとの間に金銭的な不祥事を起こし、起死回生をかけたアナーキーなお色気ギャグアニメ『ヤスジのポルノラマ やっちまえ!!』（一九七二）が――映画評論家の佐藤重臣に「ポルノ・ユートピアを蹴っ飛ばすようなパワー」と高く評価されたが――公開一週間で打ち切られるなど、興行的に失敗して解散を余儀なくされる。しかし、新倉はへこたれず、東京テレビ動画の新潟スタジオを前身とする日本テレビ映画を立ち上げる。新潟を拠点とした背景には、どうやら田中角栄の口利きがあったらしい。

　日本テレビ映画は、一九七三年には『ドラえもん』の最初のアニメ化を担当したが、放映終了を待たずに新倉は夜逃げをし、ほどなく日本テレビ映画は解散する。一九七三年版『ドラえもん』は、スラップスティックな独自の味わいがあったものの、原作者の藤子・F・不二雄のイメージとは合わず、また視聴率も奮わなかった。近年は、同作の製作に参加していた真佐美ジュンの証言により、一九七三年版『ドラえもん』の全貌が少しずつ明らかになってきているが、それでも同作は――当時の主題歌を内藤はるみがTV番組の取材に答えて歌っただけで、アニメ・ファンの間でニュースになるくらいには――物珍しいものとなっている。失踪後、新倉はフィリピンにわたって映画会社を立ち上げたものの、こちらもうまく行かず、一九八六年には銃器密輸に手を染めて逮捕されている。

★1965～67年頃のテレビ絵本

　『戦え！ オスパー』は関連グッズも、主題歌ソノシート、ペンケース、イマイのプラモデル、名糖のアイスと、かなりの種類が発売されている。うち、『ぬりえ・おりがみ付テレビ絵本 戦え！ オスパー きょうりゅうのまき』（少年画報社）を入手してみた。出版年の記載はないが、一九六五～六七年頃に刊行されたものと推定される。オスパーの造形は、幼年童話向けにデフォルメされたものとなっている。国際警察の一員である「オスパーくん」とヒロインの「ゆみちゃん」のもとへ、隊員が遠い島から恐竜の卵を持って帰ってくる。その卵を機械で孵化させると恐竜の子どもが生まれるが、時を同じくして、遠い島の恐竜を、オスパーのライバル・ドロメが操って東京で大暴れをさせる。しかし、オスパーが恐竜の子どもを見せると、恐竜は正気に帰る、といった内容で、幼年向けのデフォルメされた内容だ。イラストの福田三郎を除きノンクレジットなので、こうした関連作品に、どれくらい山野浩一が関わっていたのかはわからない。私の手元には、山野の遺品から発見したTVアニメ版『戦え！ オスパー』の脚本「人魚のなみだ」の現物があるので、次回はその具体的な内容を論じていきたい。

いわためぐみ

弦巻稲荷日記

腐女子的ファンたちを狂乱させている中国ドラマ「Guardian鎮魂」

「やおい」という単語、「腐女子」という単語が好む、同性愛の世界、ボーイズラブという言葉で、マイルドなイメージで発信されるようになったのはいつ頃からだったのか。まして、ブロマンスという造語まで生み出されてしまう世の中がくるなんて、１９９０年代に耽美小説に耽溺していることは表には出せない隠れた趣味だった世代としては本当に隔世の感がある。２００４年ごろから「ブロマンス」はジャンルの言葉として使われ始めたらしいが、日本で定着し、普通にドラマの紹介のタイトルにまで出るようになったのは、２０１０年をすぎてから。

世間ではイギリスの「SHERLOCK（シャーロック）」あたりから、もう補足説明なしに、番組の紹介文として使われるようになったように思う。ブロマンスとは、Brother と Romance の造語で、男同士の熱き友情…といえば、マイルドだが、ボーイズラブ小説を原作にしたドラマすらも「ブロマンス」で紹介されている昨今、男性と男性の友情を超えた、信頼関係などを示していた言葉が、かなり拡大解釈されてしまっているようには思える（どこかで誤用され、それが一般化するというのはよくある現象だ）。中国では同性愛描写は禁止されているから「ブロマンス」に昇華してドラマ化するという報道表現をみたが、具体的な性的描写がなくても「それを思わせる」手法の色っぽさというのは、禁じられているからこその、表現の可能性というものに思える。ともあれ、私はブロマンスの言葉が、ＢＬ小説を「包括」しているという感覚で今は考えている。

いまだ異性愛、同性愛という言葉で単純にジャンル分けされているというよりも、現実の世界で同性愛が普通に市民権を得たとは言えない社会において、同性愛者は文字どおりまだ「ファンタジー」的な生き物であるから、アイドルに熱狂するファンたちに受け入れられているのではないかとも思えるのだけれど。これを自然といえるようになるには、このようなコンテンツがどんどん「普通」に紹介されていくことなんじゃないかとも思ってみる。

歴史上の人物が、同性愛者として描かれている表現物にふれるとき、「同性愛が禁忌とされる」のはとうぜん過去同性愛者が存在し、ひと目にも触れていたからであって、なにも昨今生まれた特殊な感情でも特殊な表現でもないのだけれど。表現として、日の当たる場所で、公開され視聴率を誇れるということが、今を生きているありがたさでもある（もちろん、まだまだ、本当の意味で同性愛を、普通の感覚として受け入れられない人たちがこの社会にはたくさんいらっしゃることもそれを否定するものではない）。

「おたく」という言葉もいつのまにか、忌避されなくなり市民権というとおおげさだが、それがやましい隠れた趣味というよりも、普通にマーケットの一分野として、商業的コンテンツで「売れ筋」としてあつかわれるようになって久しい。かつては、男と男の友情をとりあつかうようなたとえば、男子学生寮、戦争映画的なコンテンツなどのストーリーの中のセリフまわしや、ちょっとした仕草の中に、友情ではなく性愛につながるようなものをよこしまな目で見て、関係を邪推しているからこそ「腐っている視線の女子＝腐女子」であったはずだが、小説や映画、ドラマの世界で「公式が打ち込んでくる」という言葉が生まれるぐらい、意図的にそれを演出や設定に感じさせる、あるいは宣伝の中で、それを匂わせるようなコンテンツが腐女子という人種に「わざとらしい」と忌避されるのでなく、むしろあえて「ぶちこまれた設定」を享受して楽しんでいる現象。日本や韓国、中国のアイドルの売り方としては、恋愛熱愛報道などで、ファンの心理を心配していた頃からくらべると、「意図的に」同性アイドルとの友情を強調する報道が、手法としておこなわれていた時期もあったのかもしれない。ジャニーズグループのような男性アイドルグループの中で誰と誰はカップルだと指摘しあうなどの手法だ。

かつて、やおいと言われるオタク同人誌的世界の中で、こっそり「誰と誰は、受けと攻め」的に楽しんでいた四捨五入すると還暦になる私としては、ファンとしては、まさか、こんな風に、それが流通されて、商売になる時代がくるなんて。

つまりは、私同様に、そんなコンテンツを楽しんでいた世代が、すっかりコンテンツ制作の現場の主流となりプロジェクトを指揮する側を通り過ぎたということなのかもしれないとふと、思っても見る。

「陳情令」が公開されて、日本でもやっと中国ドラマのBL原作ものが市民権を得たように思う。中国ドラマのムックの表紙に、後宮ものの女優よりも大きな扱いで「陳情令」の写真が掲載されたときの驚きと言ったらなかった。もちろん武侠ものや、歴史ドラマでも三国志などの英雄もののドラマの写真は男性の俳優のおおきな写真で彩られていたものだが、「陳情令」の肖戦と王一博の時代装束を着た、見目麗しい写真は、キャリアの長い女優たちが荘厳な衣装で女王を演じる姿と一緒に掲載されていると、本当に目を引くのだ。

墨香銅臭のBL小説「魔道祖師」はアニメ化もされていて、こちらも日本での公開がはじまる。武侠もの的歴史ファンタジー（でBL原作）がどのくらい評価されるのか。これからの動向が楽しみだ。

ところで、2019年に発表され、順調に「陳情令」が紹介された結果ではないかと思うのだが、18年制作の話題の中国ドラマ「Guardian鎮魂」も、日本での公開がこの秋から始まった。

すでにその中国での腐女子的ファンたちの狂乱ぶりは、ドラマよりも先に届いていた。主演のふたり朱一龍と白宇は、どちらかと言えばもう若くない。ふたりがいちゃつくPVの中で、「目のシワが…」「ひげが濃い」と、言葉をかけているぐらい。それをネタにもしているぐらいだ。

20代そこそこの「陳情令」主演の人気アイドル二人とくらべて、1990年生まれの白宇、88年生まれの朱一龍は、どちらも中国歴史ものドラマではいい味をだしている脇役で、日本で字幕までついて公開されている出演作となると数が多いとはいいかねる状況ではあった。白宇は、「LOVE020」と「シンデレラはオンライン中」で、曹光（ゲームの中では微光）役として、私は認識してたが、主人公に横恋慕する「イケてない」キャラ作りでなぜ、彼だけが映画版もドラマ版も曹光として登場するのか気になったぐらいで、正直なところさほど、マークしたいと思っている役者ではなかった。しかし、「鎮魂」の主演では、ドハマリしてしまったのだ。鎮魂以降、動画を検索してみるとオフショットの動画でもこれは、なぜいままでマークしていなかったのか？と自分のことを反省するぐらい、私好みの役者ではあった。

もちろん、2018年ネット配信のドラマとして動画再生回数は36億回。Weiboの「2018年度ドラマ大賞」で人気ドラマNo.1に選ばれたほか、ネットドラマの祭典『2018年第3回金骨朶網絡影視盛典』では朱一龍と白宇がそれぞれ「人気俳優1位＆2位」を獲得…というようなことは、日本ではさっぱり報道はされないのだけれど、ドラマのプロモーションとしてテレビやイベント出演で、ドラマの中にもましていちゃいちゃとしている動画が公開され、「朱一龍×白宇 友情向」というタグを検索すると、ファンたちが集めたPVやイベント動画、写真などを見つけることができる。

「Guardian 鎮魂」は、中国ですでに人気あるBL小説を原作としたドラマ。物語は、地球によく似た「海星」に、地上に住む人間とよく似た「海星人」と地下に住む超常能力を持つ「地星人」、人と獣の特徴をもつ「亜獣人」が暮らしていた。数万年の間その関係はけっして対立していたわけではなかったが、あるとき惑星に隕石が落下、くずれた均衡の中で、地星人は生存をかけて地表を侵略しようとした。4つの特殊な力を秘めた神器「輪廻晷(ルンフイクイ)」「山河錐(シャンホーツイ)」「功徳筆(グンドゥービー)」「鎮魂燈(ジェンフンドゥン)」のちからを使って「海星人」は、一旦、「地星人」を地下に封じ込め、違反するものを取り締まるために特別調査処が置かれ、地星人側からも取締に協力する関係が築かれていた。それから1万年後。地星に封じ込められた存在が、神器を狙って、地星人の自由と一万年前の恨みを込めて封印を解こうと怪事件を起こす。

ドラマは、その特別調査処が、チームで怪事件を解決いく日々を軸に、処長であり、鎮魂令の持ち主である「趙雲瀾(白宇)」と、龍城大学の教授で、実は一万年前からの記憶をもち、もともとは鬼族の地星人で斬魂使であり、鎮魂令主を守る役割を担う「沈巍」との物語である。

沈巍は、趙雲瀾のためなら、本当になんでもする。命に変えても、彼を守るという言葉は、比喩ではない(ネタバレ)。

一途で、かわいい(比喩ではない)沈巍が、30代の学者めがねで、想いの相手は、髭ずらの30代なのだから…。本当なら腐女子しか食いつかないドラマではないのか?

そのドラマよりも、ふたりがいちゃつく動画が先に日本で話題になるのは、そのいちゃつく動画が本当にみていて、ほんわかするような、微笑ましさ、愛らしさがあったからかもしれない。

互いが互いを思いやる表情、視線。ああ、好きなんだね。という気持ちが溢れている。が、それが不快に感じられない。本当に不思議な感情だ

ドラマで使用されていないイメージソング「地星撞海星」は主演の2人が作詞ということもあって、その素人くさい歌詞も、ドラマのファンにとってはたまらない。(ドラマをみていないとわけ、わからないかもしれないかもしれないが)本来のドラマのテーマソング「時間旅行」の歌詞もかなりジンとくるものだったが、二人がいちゃいちゃするPVをみながら「地星撞海星」を聞いているだけで、みたばかりのドラマのシーンが頭をぐるぐるとよぎる。

いままでだって、ドラマを通じて恋愛関係になったり、それを似合わせている異性愛の熱愛報道というものはあったと思う。しかしこの二人のドラマの撮影中のオフショット、その後のプロモーションでのやりとりは、「仲の良い友人」ということを超えた微笑ましさと、ひとことで言って「かわいいカップルぶり」は、数十年腐女子をしてきた私でもたまらないものがある。

もちろん、それは、ドラマの設定が、「憶えていて。僕らの交わした約束を――。」がキャッチフレーズになるぐらい。時を超えて、約束を、君を守る。君を愛する。君という存在を全力で愛しているという物語であるからでもある。

そんな設定は、普通に男女間の恋愛を扱ったものでもくりかえし使われてきたものだし、くりかえし私が紹介している「中国ドラマ」でもけっして「めずらしい」ものではない。ドラマの中のカップルを演じた役者の「熱愛報道」は、ドラマのプロモーションとして、イメージ戦略としても使われてきていた。そんなのはめずらしくないけれど、今回の「朱一龍と白宇」カップルはこの二人でなかったら、こんなにこのドラマが話題を得ることはなかったと確信するのだ。これが、これ以上イケメンの、互いが主演ドラマでがっつり売れている役者ではないこと。中堅どころの役者の憂いのひとみと、ナチュラルな演技。いや演技ではない二人を想いやる空気が、このドラマをなりたたせていたと本当に思う。

bilibili のインタビューでも、白宇は、朱一龍がらみでいじられまくっていた。「命がけでつきそいますよ」の一言を笑顔でいう白宇から目が離せない。

鎮魂の日本語字幕付き独占放送は、これから後半戦がやっと公開されるところだ。日本のBL小説に昨今、心惹かれる作品に出会えない私だが、中国作品が、たくさん紹介されることをありがたく思い、日々、原作小説にもアンテナをはりつつ、中国ドラマをおいかけていこうと思う。

アトリエ・マウリ

目羅健嗣 Information

猫絵師。

千葉県勝浦市出身、同県袖ヶ浦市在住。現在までに描いた猫の数2000匹以上。毎年、各地で個展を開催。都内カルチャーセンター他約20箇所で猫の絵を描く教室も開催している。近年は狂言とミュージカルの紙芝居上演も各地で開催している。円谷プロダクションクリエイティブジャム（TCJ）参加作家。

主な著作に、「メラノ・ジャパネスク～MELANO MUSEUM collection」「MELANO MUSEUM～イタリニャ大公国、猫の名画コレクション」（アトリエサード）、「新装版 色えんぴつでうちの猫を描こう」「新装版色えんぴつでうちの犬を描こう」（以上、日貿出版）。2016年4月には、舞台「ロロとレレのほしのはな」に、やぎのおじいさん役で出演。

目羅健嗣HP http://www.a-third.com/melano_museum/

絵画教室

絵画教室情報～猫を描いてみよう!
猫絵師目羅が教える、猫の絵教室です。
参加条件は「猫が好きなこと」それだけです。
今まで絵を描いたことが無くてもOK!
詳しくはHPへ! http://www.a-third.com/melano_museum/

※オンライン教室を始めました! 詳しくは上記HPをご覧ください!

イベント情報

詳しくはTwitter
「目羅健嗣NEWS」@melanomuseum
などでご確認ください!

●10/23（金）～11/23（月・祝）
千の福ねこアート展at目黒雅叙園百段階段（ミュージアムショップ）（東京・目黒）
※開催日についてはリンク先をご確認ください。
https://www.hotelgajoen-tokyo.com/100event/neko2020

●11/6（金）～11/15（日）
にゃんクリエイターズat 立川駅エキュート3階イベントスペース（東京・立川）
https://aa-creators.org/?cat=2

●11/25（水）～12/1（火）
大阪ニャン博2020atあべのハルカス近鉄本店 ウイング館 9階催会場（大阪・天王寺）
https://abenoharukas.d-kintetsu.co.jp/

●12/14（月）～2021/1/16（土）
目羅健嗣 個展
MELANO MUSIUM「Cats in the Cafe」展 atバステトカフェ（東京・調布）
※レストラン貸切営業時は、入場できません。来場の際は、事前にお問い合わせを。
日曜休・12/31～1/6休 ※要注文 https://bastet2003.gorp.jp/

●2021/1/30（土）～2/8（月）（予定）
「ねこ展」at 東武百貨店池袋店8階催事会場（1番地方面）（東京・池袋）
https://twitter.com/ginza_nekoten

●2021/2/3（水）～9（火）
絵画展「猫せとら」at 阪神梅田本店7階美術画廊（大阪・梅田）
https://www.hanshin-dept.jp/dept/e/bizyutsusanpo/

●2021年2/17（水）～23（火）
Cat-artフェスタat 丸善・丸の内（東京・丸の内）
https://www.marunouchi.com/event/detail/15214/

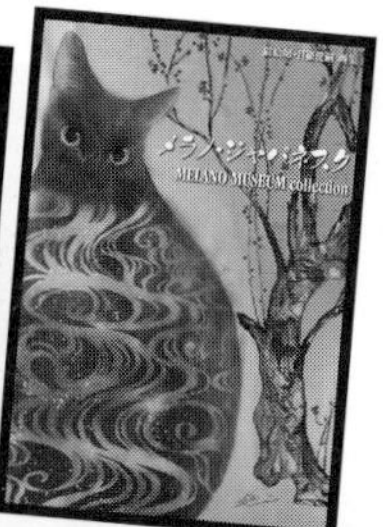

目羅健嗣の本 好評発売中!!

「MELANO MUSEUM
～イタリニャ大公国、猫の名画コレクション」
★古今東西の名画に猫を描き加えた、ユーモアとウィットに富んだ画集!!
（A5判・128頁・カバー装・税別2500円）

「メラノ・ジャパネスク」
★卓越した画力で本物そっくりに描かれた、誰もが知る日本の名画の猫パロディ画集!!
（A4判・48頁・並製・税別1000円）

「メラノ・フェルメーラX/35+」
★フェルメールの他、ルノワールやゴッホなど、皆が知る名画の猫パロディ画集!!
（A4判・48頁・並製・税別1000円）

「ニャンタフェ猫浮世絵《最強猫doll列伝》コレクション」
★浮世絵や錦絵を題材に、昨今のアイドルを猫で表現したユーモアたっぷりの画集!
（A4判・48頁・並製・税別1000円）

「イラストレビュー」◉絵と文＝三五千波
こどものためのバレエ劇場「竜宮 りゅうぐう」
演出・振付・美術・衣装・森山開次
作曲・音楽製作・松本淳一　映像・ムーチョ村松
新国立劇場（7月26日夜観劇　池田&奥村組）
新国立劇場の再始動は新作バレエから
精密なプロジェクションマッピングもあでやかな踊る！　大竜宮城
竜宮のさかなたち
季の庭ではおりおりの祭りが踊られ
子ども向けとはいえ大人数のグランドバレエの風格
7月の新国は「夕鶴」と「竹取物語」が上演中止
昔話フェスタだったのにざんねん
最後の30日・31日公演は劇場スタッフの感染により打ち切り
…苦渋の決断だった
亀チュチュがキュート！
サブタイトルは「亀の姫と季（とき）の庭」
助けた亀がそのまま竜宮のお姫様という設定
浦島太郎は玉手箱を開けていったんは翁になるものの…
太郎は鶴にすがたを変え亀の姫と夫婦明神となりめでたしめでたし
ビントレー製作の「パゴダの王子」に出てくる海の生き物や宮廷の造形を踏襲してる感はあるけど
サントリーホール・サマーフェスティバル
一柳慧がひらく
室内楽　21ー1・「おかわり」（8月22日）
室内楽　21ー2（8月23日）
オーケストラスペース　21ー1（8月26日）
海外作曲家招聘「イザベル・ムンドリー」企画はすべて中止
芥川也寸志サントリー作曲賞は開催
新作初演の山本和智「浮かびの二重螺旋木柱列」
山根明季子「アーケード」がウキウキ！

管弦楽1の残り2曲は
高橋悠治の旧作
90年代の「鳥も使いか」
本條秀慈郎の三弦弾き語り
60年代の確率手法による
「オルフィカ」
管弦楽2は
アマールと
かぶって聴けなかった…
und KLANG ist eine Miniwelt in ORVONTON
室内楽1では
「オルヴォルトン」
バリトン松平敬が
壁際に後退して歌唱
このあと
「おかわり」シュトックハウゼン
として「宇宙の脈動」
ジャーマンテクノの大親分の
ラスボス的な大曲を
特別のスピーカー配置で
二十四密でたっぷり聴かされた…
東京文化会館オペラBOX
メノッティ「アマールと夜の訪問者」（英語上演）
指揮・園田隆一郎　ピアノ・髙橋裕子
演出・岩田達宗　振付・鷲田実土里
東京文化会館小ホール（8月30日）
2月末の二期会「椿姫」以来の
三人アンサンブルとはいえ半年ぶりのオペラ！
アマールはフランス系ドラマチックの
盛田麻央の少年役（レア！）
山下牧子さんの母さん
そしてロッシーニテノール
小堀勇介の老け役！
ソリストは
フェイスシールド
コーラスは口元を隠す
ベールで対策
この夏の9月末までの
客席はほとんど
一席空け配置だった
念願の初鑑賞だったけど、実は関西方面の市民オペラや
学生公演ではよく上演されてるらしい…
鎌谷悠希「少年ノート」で
ボーイソプラノの
難曲オペラとして登場
オープニングトークでは
メノッティ&バーバーの
ミニコンサートも
この二人の演奏機会
増えてくれ～

東京二期会「フィデリオ」
指揮・大植英次　演出・深作健太
東京フィルハーモニー交響楽団
新国立劇場（9月6日観劇・木下&小原組）
最初の舞台は
アウシュヴィッツ
収容所に男装し潜入した
レオノーレは終戦後も
地下牢の夫フロレスタンに
逢うことが出来ぬまま…
ARBEIT MACHT FREI?
ベルリンの壁が
作られても
フロレスタンは
解放されず…
そして
2020年に
現れたのは？
個人的に
マルチェリーナが
ヤッキーノに
戻るシーンが
好きなので
この演出だと
二人が空しい…
シアターコクーン
ライブ配信のための演劇
「プレイタイム」（7月12日～配信）
演出・構成・梅田哲也
あなたはやっぱり
童話をお書きに
なるのね。あたしは
「劇場の再始動」
灯がともり動き出す機構
語られる断片は
岸田國士
「恋愛恐怖病」他
みちのおくの芸術祭　山形ビエンナーレ二〇二〇
「現代山形考～藻が湖伝説」（9月5日～27日）
ゲッコーパレード「ファウスト」配信
（配信拠点・東北芸術工科大学7Fギャラリー）
映像・飯名尚人　コンセプト・石原葉
山形に出向かなければ
鑑賞できないはずの
「地方アートフェス」が
リモートで見られる…
劇場配信と共に
コロナ禍が
もたらした
新しい可能性
といえよう
浅野由理子
薬草木版画
この7月氾濫した最上川は
太古「藻が湖」（もがうみ）
という大きな湖だった…
作品解説だけでなく
多面的考察レクチャーや
対談動画を多数配信
「ファウスト」は
生上演の予定だったが
映像配信に変更
第一幕「夜」
三分割画面
無言で山形の街を
さまよう三人娘
なんだおまえは

公演の副題は「希望よ、来たれ」
合唱団の描く大きな弧が虹のように見える
私が過去2回見たフィデリオはどちらも
飯守泰次郎指揮で2回とも荒れた
（2013年日生劇場・2018年新国立劇場）
演出に対してのブーイングの嵐
なんてその時にしか
聞いたことがない
大植指揮は予想外に良く「天国と地獄」よりこっちがはまっている
第二部「窓」原作ファウストの断片詠唱
役を固定しない三人娘が悪魔に成り博士に成りグレートヒェンに成り
村人に成り弟子に成りオイフォリオンになり
絵馬堂？からの緑したたる山 左右対称の玄関 古典的な構図での歌うような台詞 ブロッケンの霧
他は会期中常時配信だけど第三部「足」は日時指定で配信
蕨の本拠地「旧加藤家住宅」から「藻が湖伝説」展覧会の会場へと三人娘はいつのまにか移動
昨年の初演時キャストでもある魔女っ娘三人でまたワルプルギスの夜がはじまる
演出の黒田氏ツイッターによれば「第三幕は全て即興なので絵の前で彼女達が大騒ぎしているのは完全に成り行き」とのこと
青野文昭「関山トンネル」のための構想図
ストリートシアターフェス
「ストレンジシード静岡 2020 the Park」
静岡会場 駿府城公園エリア&市役所エリア
（9月22日・23日上演）
オンライン会場（9月22日～30日配信）
とびきりハッピーな「Sento」太めパフォーマンス×やぶくみこ×白神ももこ（モモンガ・コンプレックス）
映像作品の形態は茶碗演奏からラジオドラマまで千差万別ショーケース
ライブ配信では台本を読みながら見るコトリ会議「しばふ暴風警報」と不思議少年「富士の夕暮れ」が破壊力と不謹慎さで群を抜いていた
3年前の「ふじのくにせかい演劇祭」で見そこねたストレンジシード
こんな形で観劇できるとは
国立競技場から静岡まで!?
「夜を抜けて」平泳ぎ本店
静岡会場のライブは2日間限定だが製作映像は一週間配信された

TH特選品レビュー

(イ)イガラシ文章
(市)市川純
(岡)岡和田晃
(高)高浩美
(沙)沙月樹京
(関)関根一華
(田)田島淳
(馬)馬場紀衣
(日)日原雄一
(並)並木誠
(放)放克犬
(三)三浦沙良
(M)本橋牛乳
(八)八本正幸
(吉)吉田悠樹彦

ATRANDOM

矢野寛治

団塊ボーイの東京 1967-1971

弦書房、20年5月、1800円

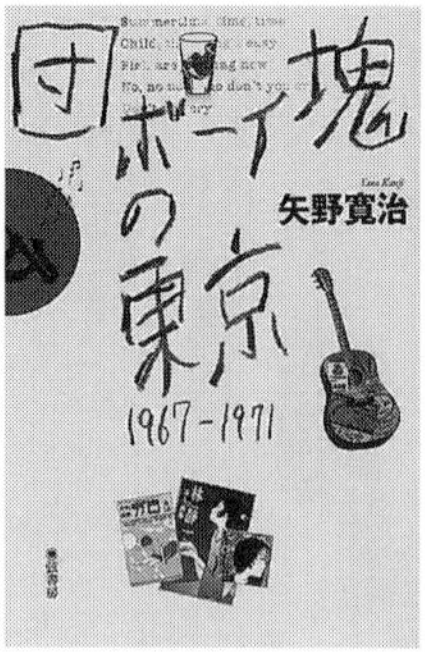

★戦後のベビーブームで生まれた世代。いわゆる「団塊の世代」。それを著者は「断解の世代」であるととく。「団塊とはニヒリストの集団である」、「団塊とは大きな塊ではない、同じではない。それぞれニヒルなポーズをとり、クールを演じたバラバラの実は『断解』で、よく言えばミーイズム、個人主義のはじまりだった」。

　なるほど、とゆとり世代の私はうなずく。断解の世代のひとりが、学生時代をすごした東京の話。司馬遼太郎を読んでいると、「十八歳だろう、そんな面白いのは、もっと歳とってから、ロッキングチェアーで読んでも遅くはない」、「若いうちは難しい本を読まなくてはだめだ」。かれらの本棚には、埴谷雄高、吉本隆明、大西巨人などが並んでいる。すごい、世代、というかんじがする。散歩すれば武者小路実篤とすれちがい、学生野球の監督をする有馬頼義をみる。ピザハウスにはしょっちゅう金子光晴がいる。「俺は世に出たい、出れますか」と易者に問い、「残念ですが、世には出ません」と告げられて、しまいに「晩年はいいかもしれません」と言われるが、「『俺に晩年はない』、そう云い放って背を向けた」。すっごいかっこいい箇所だ。

　そんな矢野氏も、「はやく老人に成りたかった」という。「憧れのジイ様たち」という章では、双葉十三郎、植草甚一、田村隆一といった名前もでる。私もはやくジイさんになりたかった学生だった。自分は十七、八のころ、高橋義孝、江國滋、山本夏彦ばかり読んでいた。いまなら小沢信男、筒井康隆、藤子不二雄Aの老いかたにあこがれる。そう言ってる間に三〇も過ぎた。気づいたら七〇も過ぎていたい。(日)

カツセマサヒコ

明け方の若者たち

幻冬舎、20年6月、1400円

★著者にとっては初となる長編小説。2012年、新卒の内定祝いで参加した「退屈な飲み会」の夜に出会った「彼女」との運命的な恋や、「相棒」と呼ばれる男友達と過ごす「僕」の日々を情感豊かに描いた青春物語だ。筆者が得意とする詩的で繊細な言葉選びがこれでもかと盛り込まれた前半は、受け取りようによっては在り来りな甘い恋愛小説だと思われてしまうかもしれない。しかし、ひとたび主人公とシンクする事が出来れば、その甘さは苦味と中毒性を帯び、後半の無情なほどのリアルに言葉を失う。

　Webライターとして活躍しTwitterで人気を得た筆者。小説の本編中では登場人物の台詞程度にしか現れない言葉だが、様々な媒体で「エモい」という言葉を汎用している印象がある。今や令和ギャルも使う流行り言葉だが、元来はロックの愛好家などが使う一種のスラングだった。「エモい」は、あくまで内省的であり個人的な感覚だ。筆者の眼差しは常に主語をいたずらに大きくせず、読み手それぞれの持つ内省的な「エモい」にただただ寄り添う。だから、たとえ自分とはかけ離れた境遇の〝誰か〟の物語であっても、まるで自分の事が描かれているように思えてくるのだ。長編小説でもその眼差しは健在。僕は「僕」とは違って恋人との運命的な出会いなんて経験した事もないが、「彼女」と出会った明大前の沖縄料理屋の記憶も、「彼女」と「相棒」と3人で朝まで飲み明かした高円寺の飲み屋での夜も、紛れもなく僕のものだった。(イ)

カルメン・マリア・マチャド

彼女の体とその他の断片

小澤英実・小澤身和子・岸本佐知子・松田青子訳、エトセトラブックス、20年3月、2400円

★ストレンジでフェミニンでクイアでユーモラスで残酷な短編集。アンジェラ・カーターやケリー・リンクや小川洋子から影響を受け、カレン・ラッセルに支持される、というのはなんかもう、それだけでいいなあ、と。

ざっくりと言ってしまうと、テーマは身体とジェンダーということでいいのかな。「本物の女には体がある」という短編が、そのことをよく示している。この作品の中では、女性の間である種の病気が拡大している。身体が消えていくという症状だ。ほんとうに消えていく。だんだん透明になってなくなっていく。主人公たちレズビアンのカップルもこのことに直面する。そこには、元々この社会において、女性の体なんて最初からいなかったようにしか扱われない、という感覚があるのだろう。そうした悲しみがある。というか、体は当人の物になっていないというか。

「八口食べる」というのは、そもそもスタイルを維持するためにダイエットする、ということをデフォルメした話だ。自分の体であるにもかかわらず、社会が与える価値観にコントロールされている。

セックスは体と不可分だ。さまざまなセックスと性欲の処理がリスト化された「リスト」には、ただあきれてしまう。でもその多様性もまた、世界の1つの断面である。

「とりわけ凶悪」は、心地よいほどの社会に対する皮肉だ。アメリカのテレビドラマ「性犯罪捜査官」の12シーズン272話のタイトルにあらすじをつけただけの作品なのだが、もちろんそれらしく書いているものの、実際の話とはまるでちがう、らしい。主人公のステイブラーとベンソンという二人の捜査官は、クイアな事件に直面するだけじゃなく、BL的に接してみたり、いつのまにか性別が変わっていたり、マチャドのやりたいほうだいにいじられる。性犯罪そのものも問題なのだけれど、それをとりまく社会そのものが多様な性欲を抱えていて、それはそれでいいんだけど、認めろよな、という、そうした意味での凶悪さを指摘している。

マチャド自身もレズビアンで、妻がいる。社会の女性に対するミソジニーってあるけど、とりわけレズビアンにとっては居心地悪いだろうな、と思う。ということでは、最近読んだ、モニック・ウィティッグの「Across the acheron」も同様で、ここではガイドのマナとウィティッグによる地獄めぐりが描かれていたりする。ウィティッグもレズビアンで、フランスからアメリカに移住したのだけれど、ぼくが読んだ英訳はそのパートナーによるものだ。

気付くと女性の生きにくさが描かれた小説ばかり読んでいたな。偶然ではあるのだけど。(M)

柳家喬太郎

赤いへや

20年5月31日、オンライン配信「文蔵組落語会」

★新宿末広亭五月の余一会は、毎年恒例「文蔵・喬太郎二人会」。今年は新型コロナで寄席の小屋は閉まってたから、ならば配信でやろうとなったという。演目も、あらかじめネタ出しされていたものとおなじ。柳家喬太郎は「赤いへや」、江戸川乱歩原作。橘家文蔵は「左の腕」、原作は松本清張だ。ミステリー特集のこの回に、ゲストは漫才のロケット団。出囃子が「少年探偵団」なんである。

喬太郎師匠はふだんから超ハードスケジュールで心配だったから、このコロナでいい休養ができてたらいいのにと思ってた。けれど、配信でも落語をしてくれる。ありがたいことだ。別の配信落語会では、ひさびさに落語を演れてうれしいと話していた。

自粛期間。家で退屈なひともいたでしょうというのを、枕に入ったのがこの噺。「柳家喬太郎アナザーサイド」というCDで何度も聴いて、寄席の高座でも聴いたが、聴くたびに凄みを感じる。隠居ぐらしでお金もあって、遊びもやりつくして退屈だという旦那衆。そこへ呼ばれていった一人の落語家。

自分もこの世に退屈をしている。退屈まぎれに落語家になった。修業時代は退屈する暇もないが、香盤があがれば暇になってくる。そんなとき、ふとおもいついた。

偶発的な殺人をやる。たとえば、耳が遠いおばあさんが線路を渡っている。列車がもうすぐ来る。そのままだまってい

れば渡り終えられるだろうが、「あぶないよ」と声をかける。おばあさんはそれがために振り返り、列車にひかれる……。

この計略がはずれて、死ななくてもべつにいい。「別に恨みがあるわけじゃない、たまさか死ねばおもしろいから」。

そんな人殺しを九十九人やって、殺人にも「飽きましたな」という表情、声音のものすごさ。そして、原作とはすこしちがうラストのあと、長めに流れた「ぼ・ぼ・ぼくらは少年探偵団」という出囃子もミステリアスで、映画のエンドロールの曲のようにも聴こえた。落語は生で聴くのがいいけれど、喬太郎・文蔵二人会は、毎年大人気でチケットがとれない。今年もむりだろうとおもっていたら、配信というかたちででも観れたのはありがたいことだった。ひとを九十九人殺すほどのたいくつを、私もしてみたいものだ。新型コロナの最中も、ずっとずっと仕事。みなさんもそうでしょう。もう休もうよ。（日）

植芝理一

大蜘蛛ちゃんフラッシュバック

講談社17年〜20年、600〜630円

★『謎の彼女X』のさらに斜め上をいく『大蜘蛛ちゃんフラッシュバック』が完結した。

主人公の鈴木実は高校生、漫画家の母親とのふたり暮らし。父親はすでに亡くなっている。そのときから、父親の見た高校時代の母親の姿がフラッシュバックする。実は両親と同じ高校に通い、マンガを描くわけでもないのに、父親と同じように漫研に引き寄せられる。そこで両親をなぞるように、恋に落ちる、予定。母親の旧姓は大蜘蛛。実のフラッシュバック現れるのは高校生の大蜘蛛ちゃんなのだ。

植芝の斜め上感というのは、38歳の母親をメインヒロインにしたこと。しかも、母親として以上に、かわいい女性として描くということ。植芝自身、38歳の女性は自分にとってはずっと若い女性だという。確かに、深田恭子とほぼ同じ年齢だと思うと、まあ、そうだよな、と思う。そんなことで、植芝はジーンズをはいたお尻やTシャツを着たバストなどを楽しんで描いていて、それはそれでいいな、と思う。

実にとっては、まだ38歳の母親は、まだ若くてかわいくも感じる存在。もっとも、母親を恋人だという実には、読者はなかなか感情移入できなかったんじゃないか。いや、母親ではない38歳ならいいんだけど、という人もいるだろうな。でも、母親だって女性なんだっていう、そういう存在であるということも、そこにはあって、それは大事なメッセージだとも思うぞ。

でも完結してみると、実の成長物語としてまとまっている。フラッシュバックを通じて、父親の見る母親の姿をなぞりながらも、そこから卒業していく。植芝から見れば若い女性でも、実から見ると成熟した面を、精神的にも肉体的にも持つ女性だし、そこからはなれ、未熟な女性を選ぶ。母親ではなく他者を選ぶ。クラシカルなストーリーだともいえる。でもそれは、自分自身のストーリーを選ぶことでもある。何だか構造としては、『新世紀エヴァンゲリオン』みたいだな、とも思うけれど。（M）

KARAS

銀河鉄道の夜

シアターカイ、20年9月19日〜22日

★言葉がダンスを侵食していく。しかし、それにも増して、ダンスの強度が硬質なのだ。宮澤賢治の世界を清澄に、透明な空気感とともにダンスに翻案していく。単なる物語性を物語るだけではなく、詩的に空間を充たしていく。勅使川原三郎のソロ、銀河と天の河を滑空していくような鮮烈さと、繊細さ。佐東利穂子とのデュオは、カンパネルラとジョパンニの友誼の強さを雄弁に物語るだけではなく、透明な悲しみを節々に宿し、哀しくも瑞々しい。美しい舞踊詩としての絵解きといっても差し支えないだろう。青いジョバニの衣装が、モーリス・ベジャール振付の『火の鳥』のパルチザンの青年を思い出させた。宮澤賢治の『銀河鉄道の夜』を清澄に演じたKARASの世界は、ただただ美しい。硝子が水の粒子に変容する美妙さ。

晩夏から、初秋に掛けての季節の変わり目で宇宙《ソラ》に思いを馳せさせた優しい、詩情溢れた舞台であった。（並）

★9月21日は賢治忌—そう宮沢賢治の命日である。勅使川原三郎ダンス公演『銀河鉄道の夜』（シアターカイ）をみた。良く知られている作品をダンス劇へしているのだが、原作をつかまえてくる勅使川原の着眼点、全て手製でつくるという舞台照明と美術が優れた作品を可能にしている。原作通りのストーリー展開なのだが、この作品に基づく映画や演劇作品と異なる要素を立ち上げることに成功

している。宮沢賢治の筆がそれとなく注目しているというくだりを、上手にとらえて勅使川原三郎の舞踊世界に引き込んでいく。勅使川原の舞台で良く登場する敷き詰められたガラスの無機的な美しさが天の川の美しさとなり、それをオリジナルの舞台照明が演出するくだりなどは近年稀な幻想風景だ。物語を語り終え、この物語のもの悲しさを身体表現へと昇華しまとめていきクライマックスへ。7月に上演した「稲垣足穂の破片」は長年取り組んできた愛着がある文学者をテーマにした作品だったが、勅使川原が今年発表した作品の中ではこの2作は群を抜く作品といえる。（吉）

The Other Life vol.11
バタフライはフリー

ウエストエンドスタジオ、20年9月20日～10月4日

★レオナード・ガーシュのブロードウェイ舞台劇『バタフライはフリー』（原題：Butterflies Are free）、１９６９年初演。舞台でのヒットを受けて72年に映画化。脚本のガーシュは映画では「スタア誕生」「絹の靴下」「パリの恋人」などの名作を手がけているヒットメイカーだ。

72年の映画版ではジル役はゴールディ・ホーン、ドン役はエドワード・アルバート。この作品でアルバートはその年のゴールデン・グローブ賞を受賞し、ホーンは同賞主演女優賞（ミュージカル・コメディ部門）にノミネート。ベイカー夫人を演じたアイリーン・ヘッカートはアカデミー最優秀助演女優賞を受賞した。

日本での舞台上演はこれまで、ドン＆ジルは、西岡徳馬＆加賀まりこ、堤真一＆中川安奈、井上芳雄＆高橋由美子といった組み合わせで上演されている。

今回のスタジオライフ／The Other Life の公演では、ドン＆ジルは宮崎卓真＆伊藤清之。舞台はシンプルで、物語は終始、ドンが借りているアパートの部屋で繰り広げられる。ドンはいわゆる視覚障害者、ミュージシャン志望、念願の一人暮らし。隣の部屋がうるさい、そこの住人はジル、年頃で流行のファッションに身を包んだコケテッシュな、いわゆる〝イケてる〟女の子、意気投合するのにさほど時間はかからなかった。

そこへ、来ては困る人が…ドンの母親であるミセス・ベーカー（曽世海司）、息子のドンが心配でやって来たのだった。

1幕はジェットコースターのような速さでテンポよく展開。ドンはジルの言動に最初は面食らうものの、何かが彼の中で変わっていく。そしてジルもまた、今までに会ったことのないタイプの彼の純粋な心の虜になっていく。そして2幕では不意にやってきたミセス・ベーカーが、ジル、そして息子のドンと対立する。

★撮影：ATZSHI HIRATZKA

過干渉で溺愛、息子のためにきちんとしたデザインのシャツを買って持ってきた。つまり、息子の身なりまで管理したい、母の愛と言ってしまえばそれまでだが、子離れできない、いや、したくない気持ちが透けて見える。彼女のような母親は珍しくない。

しかも息子は目が不自由、いや、もしもドンが健常者だったとしてもきっと同じような態度をとるに相違ないだろう。そして自由闊達なジルとは『水と油』のごとくだ。ドンは元々、自立したくて一人暮らしを始めた。年相応な行動であり、それだけ大人になっている証拠であるが、母はそれを認めたくない。また、ジルはある男を連れてくる。名はラルフ（大村浩司）。突然、ラルフと一緒に住むからアパートを出るというジル、当然ドンは心乱れる…。

ジルとドンを演じる伊藤清之と宮崎卓真がフレッシュな魅力を放ち、かつバランスも良い。また、曽世海司演じるミセス・ベーカー、さすがの演技、堅物で子離れできない母親らしく、あちこちに目配りしたりする様を好演。ラルフ演じる大村浩司、いかにもな風貌が板についていてインパクトも十分。

また、電話、ファッションなども時代を感じさせて雰囲気を盛り上げる。ジルは当時流行っていた短いスカートにヘアピースをつけてちょっと髪を遊ばせ、流行りものが好きな女の子風、そしてヒッピーの思想に感化されているふしもある。ドンは60年代のポール・サイモン的なアーティストに憧れを抱いてるような雰囲気。そして母親のミセス・ベーカーのやや時代遅れ的な、しかしフェミニンで品の良い服装は彼女のアイデンティを

イメージさせる。また、ジルがドンに首飾りを渡すが、これが60年代のヒッピーを連想させる。二人がタバコをくゆらすところもそんな時代を醸し出す。また、時折流れる音楽やドンがギターを弾きながら歌う曲もあの60年代の空気感。

　最後は落ち着くところに落ち着くのだが、オチよりも、そこに至るまでの過程に魅せられる。3人ともどこかにいそうな人たちだが、彼らは変わっていく、言い方を変えれば気付きを得る。そして観客も、しかり。セットの扉に蝶のステンドグラス、時々、そこに照明があたる。何かの呪縛から解き放たれた瞬間、人は〝飛ぶ〟、そして自由を知る。（高）

ケイト・アトキンソン
ライフ・アフター・ライフ

青木純子訳、早川書房、20年5月、3600円

★本作の舞台は20世紀前半の英国とドイツ。冒頭、ある女性が1930年のドイツのカフェで男性を狙撃しようとする章がすぐに終了すると、次の章の舞台は1910年代の英国。赤ん坊が出産時に命を落としたり、同じ日に無事生まれたりといった場面が特に説明なく続くため、読者は戸惑うかもしれない。しかし

読み進むと、どうやらこの亡くなったり生き残ったりする赤ん坊アーシュラが主役であることがわかる。彼女は、何度も人生をやり直せるのだ。時間がループするというSFアイディアが採用されているが、類似作品の多くが単一のイベントや一定の期間に焦点がしぼられているのに比べ、いくつもターニングポイントがあるのが本作の特徴である。
　そして事故、病、暴力、そして戦争と苦難と死に何度も彼女を襲う。比較的裕福な大家族の元に生まれた彼女だが、自身あまり器用なタイプではない。また本作では、やり直しといっても、前回の出来事ははっきりと記憶されず、おぼろげな予感として現れる程度。そのため、自らもまたダメ男と結婚したり、アルコールに溺れたりと失敗ばかり。そんな様子は、過酷なシチュエーションが繰り返されるコントのようですらある。
　それでも思いやりがあり実直な彼女は少しずつ進歩を重ね、周囲の人々を救い、運命を変えていく。厳しい時代、とても英雄とはいえない主人公が、幾多の苦難にも負けず成長する。その歩みには、実際の1910年の女性の姿が反映されている。やがて彼女は、終盤で第二次世界大戦の歴史をも変えるアクションを起こすことで、作者の周到なたくらみが明らかになる。緻密な構成に、ビターなユーモアが彩を添える。英国生まれのベテラン作家らしい傑作である。（放）

アリ・スミス
秋

木原善彦訳、新潮社、20年3月、2000円

★アリ・スミスは最近のお気に入り。『両方になる』がとても良かったので、新刊も読む。ブレグジット小説、という触れ込みだけれども、そんなに単純ではないな。
　現在101歳のダニエルは、眠ったままの老人。寝たきりではなく、眠ったきり。

そのそばで本を読みきかせるエリサベス（エリザベスではなく）は32歳の非常勤講師。

　エリサベスの少女時代と現在が重なりあいながらストーリーが進む。

　エリサベスの少女時代の隣人がダニエルだった。ある日、学校の宿題でエリサベスは隣人へインタビューし、それを作文として書くことになる。母親は「おかまのお爺さん」と話すことを快く思わず、想像で書きなさいというが、エリサベスはそれを拒否し、インタビューする。それがダニエルとの出会い。エリサベスは毎日ダニエルと散歩し、さまざまな話を聞き、学んでいく。母親はずっとそのことが気に入らなかったが。

　そして現在、エリサベスのまわりはろくでもないことばかり。パスポートの取得のために役所に行っても、不親切な対応をされまくるし、何よりEU離脱に関する国民投票ときたら、移民排斥のために、離脱を多くの人が選ぶ。ブレグジットそのものよりも、クソみたいな理由でそれを選んでしまうことの方がよほど問題。

　後半、「おかまの爺さん」を嫌っていた母親に、同性の恋人ができるあたり、大きな変化だ。その母親が、ラスト付近で難民収容所の予算削減に怒り、行動するシーンは印象的だ。

中村文則の『R帝国』とか読んでいると、それはやはり書かれるべき小説ではあるけれども、現実をそのまま書いているような気がして、現実が想像を超えた日本にいるのかな、と思わないでもなかった。けれども、『秋』では、クソみたいな現実だし、人々もどうかと思うのだけれども、そうした中でも愛すべき人々が生きていることの手触りがあり、それが小説としての豊かさをもたらしている。ブレグジットのどうしようもなさだけれども、それでも季節はすぎていく。(M)

Plastic Tree
Peep Plastic Partition #2 真っ赤な糸
20年8月17日

★今年で結成から27年を迎える4人組ヴィジュアル系バンドであり、日本を代表するシューゲイザーバンドでもあるPlastic Treeの二度目のネット配信ライブ。今年3月には現段階での集大成とも言えるフルアルバム『十色定理』をリリースし、この名盤を引っ提げてのライブが楽しみだぞ、というタイミングでのコロナ禍。なによりライブという〝場〟でオーディエンスと一緒に楽曲を育てていくことを第一義として活動し続けてきたプラとしては、無念のなかでやっと見つけた風穴のような機会だったろうと思う。

本公演、出色だったのは映像演出だ。ここ数年のプラのライブではボーカルの有村竜太朗が蝙蝠傘や紙束など小道具を用い、ひとり芝居でも演じるかのような演劇的なパフォーマンスを披露することがままあったが、今回の公演ではモニタ越しになることを踏まえてか、ファンタジー映画のような表現へとブラッシュアップされていた。バンドセットの背景に張られたスクリーンを泳ぐ真っ赤な海月が布を飛び出して縦横無尽に泳ぎ出すと、ちいさなモニタはロックバンドを閉じ込めた美しい水槽に変化する。

とはいえアルバム楽曲は殆ど披露されなかったし、モニタを1枚隔ててしまっては、あのシャワーのような轟音を全身で浴びられずちょっと物足りないのが素直な気持ちだ。その体感がかえって、「絶対にあの〝場〟に戻る」というプラの強い決意を思わせるようで、とても頼もしかった。(イ)

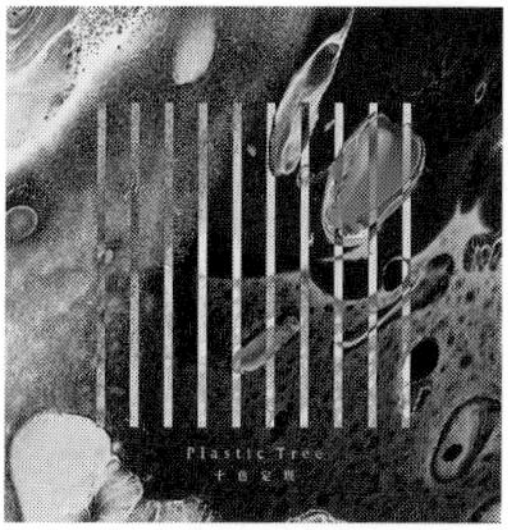

ビレッジマンズストア
8/27 生配信ライブ!! 夏祭り編
20年8月27日

★名古屋発、真っ赤なスーツがトレードマークの5人組バンド・ビレッジマンズストア。コアなロック好きの間では百戦錬磨のライブバンドとして知られている彼らは、ライブの自粛を迫られるこの状況下でもいち早く行動し、既に6回もネットでの配信ライブを行っている。今回の公演は7回目。現在様々なミュージシャンが手を変え品を変え配信ライブの方法を模索しているわけだが、彼らのライブは決して、奇を衒った演出なんかを行っているわけではない。ライブハウスのステージには簡素なバンドセット、赤いスーツに白い羽根のショールを纏ったボーカル水野ギイが颯爽と現れ、獣の雄叫びのように啖呵を切る。「お前の望む現実を持って来たぞ日本!!!」

荒々しいカメラワークとモニタから飛び出さんばかりの生気も鬼気も迸りまくるパフォーマンス。そのシンプルさはどうやらライブバンドとしての彼らの矜持のように思えた。それが最も自分達の魅力を引き出す最適解であると、彼らは誰よりも知っているのだ。水野が切った啖呵は、僕達有象無象からしてみたら非現実・非日常極まりない舞台の上で起こっている出来事も、彼らにとっては紛れもない現実であり日常だったのだという事実を、思い切り鳩尾に叩き込んできた。我々は往々にして音楽や舞台芸術を現実逃避の道具とするが、それを提供する側である彼らもまた、この現実の中で必死に足掻く生身の人間なのだと再認識させられる時間だった。(イ)

シオドラ・ゴス
メアリ・ジキルとマッド・サイエンティストの娘たち
鈴木潤・原島文世・大谷真弓・市田泉訳、早川書房、20年7月、2300円

★ヴィクトリア朝時代のイギリス、ジキル博士の娘を中心に、マッド・サイエンティストの娘たちが活躍する。まあ、SFといえばSFだし、スチームパンクといえばそうなんだろう。ホームズも登場するのでミステリーでもある。

でも、そういうことはさておいて、古典作品の娘たちが活躍するだけでもとて

も楽しいし、にぎやか。そして全体を貫くのは、彼女たちのシスターフッド。あえてフェミニズムSFなんて考える必要はない。ヴィクトリア朝の女性にとって窮屈な時代を、現代の作家が描けば、そうなるにきまっている。そして、そのことが明確に示されるのが、書かれているスタイル。小説は、彼女たちのひとり、モロー博士の娘が執筆しているという設定だけれど、文章の途中にしばしば、彼女たちのコメントが挿入されていて、これがまたおかしい。というか、娘たちそれぞれのキャラクターがうまく生かされている。キャラクターが多様ということは、そのまま女性の多様さにつながっている。活動的ではないスカートじゃ冒険はできない。まあ、マッド・サイエンティストの娘たちは、みんなモンスターなんだけど。

　ストーリーはといえば、ジキル夫人の葬儀からはじまる。娘のメアリ・ジキルは遺産の処分もできず、生活に困るような状態だが、そこで母親がハイド氏に送金していたことを知る。ハイド氏には懸賞金がかけられているので、彼を探しに行く。そこから、マッド・サイエンティストの協会の存在を知り、関係するかもしれない連続殺人事件とつながっていく。その過程で、ハイド氏の娘やモロー博士の娘などと出会い、仲間になっていく。

　殺人事件の捜査をしていたホームズとワトスンとも出会うけれど、この二人がいい味を出している。なにげにメアリ・ジキルが気になるホームズのツンデレな感じとかね。

　事件は完全に解決したわけではなく、次が気になるところです。追加メンバーもいそうだし、って何か戦隊物みたいですね。(M)

野田彩子

ダブル1・2巻

小学館、19年6月〜、各650円

★優れたコンポーザーとその人物が作ったものを的確に表現するプレイヤー、という構図は、主にポピュラー音楽の世界でよく見られる。僕の世代で言うとポルノグラフィティの新藤晴一と岡野昭仁、最近だとKing Gnuのコンポーザー常田大希とボーカリスト井口理なども挙げられるだろうか。その構図を、演劇の世界に落とし込むとどうなるのか。

　今年3月に文化庁メディア芸術祭マンガ部門優秀賞も受賞した本作の主人公は、天才的な才能を持ちながらも生活全般に関わる能力が絶望的に欠落している無名の役者・宝田多家良と、その才能を見出し彼を支えるべく日常生活全般の世話から劇団での代役まで務める役者仲間・鴨島友仁のふたり。友仁は多家良の表現スタイルを知り尽くし、彼の魅力が最大限に活かされる演技プランを頭脳となって考える。それは友人の豊かな才能への惜しみない喝采でありながら、自分自身も才能を持っているにも関わらず“彼を越えられない”嫉妬心の表れでもある。

　先に挙げたミュージシャン達は互いの才能を尊重し合い、凸と凹がガチッと嵌るようにして真価を発揮するが、それはそれぞれが表現者として、自身の足で立っているからこその結果だ。一方、多家良と友仁の関係は、そんな彼らと比べると自他の境界線が脆く、あまりにも危うい。ふたりがそれぞれの足で板の上に立った時、今までのように仲睦まじく対等な関係でいられるのか。考える程に恐ろしく、恐ろしいのに、ふたりの物語から目が離せない。(イ)

陳彦

西京バックステージ 仕込み人

菱沼彬晃訳、晩成書房、19年11月、上下各3635円

★中国の、どちらかといえば大衆小説というテイスト。莫言や残雪のようなマジックリアリズムではなく。読んでいると、60年代の日本の喜劇映画のようなどたばたとした感触。もっとも、そのわりにはけっこう長い上下二巻なのだけれども。

　陳彦は中国の劇作家で小説家。演劇にかかわってきたからこそ、それを支える裏方の人たちをモデルに、この作品を書いたということになる。

　主人公の順は、舞台設営の親方。社会的には苦力に近いけれども、演劇に携わっているというプライドくらいはある。もうすぐ50歳。3人目の妻、美しい素芬と結婚したばかり。家には最初の妻と

サイトで内容のサンプルを
ご覧いただけます。
www.a-third.com

THART Series
好評発売中!!

発行＝アトリエサード 発売＝書苑新社

《暗黒メルヘン絵本シリーズ》第2弾は
少女主義的水彩画家・たまが登場!
「残酷で愛らしい、手加減なしの
毒入り絵本です」――林美登利

たま(絵) 最合のぼる(文・写真・構成)
「夜間夢飛行～暗黒メルヘン絵本シリーズ2」
B5判・カヴァー装・64頁・定価2255円(税別)

妖しい世界へいざなう、絵と写真による
ヴィジュアル物語! アンデルセンなど
おなじみの童話を元に生み出された
《暗黒メルヘン絵本シリーズ》第1弾!

黒木こずゑ(絵) 最合のぼる(文・写真・構成)
「一本足の道化師～暗黒メルヘン絵本シリーズ1」
B5判・カヴァー装・64頁・定価2255円(税別)

私にとってセルフポートレートは
〝可愛さと強さの脅迫〟だ。私たちには
無数の未来があって、女の子は
強くなれる。珠かな子、待望の写真集!

珠かな子 写真集
「いまは、まだ見えない彗星」
B5判・ハードカヴァー・64頁・定価2700円(税別)

ファッション大好き、読書も好きで……
ほんとにネコって、不思議議!
そんなネコのくらしをのぞいてみた、
かわいくてちょっぴり奇妙な画集!

森環 画集
「ネコの日常・非日常」
四六判・ハードカヴァー・64頁・定価2200円(税別)

羽生善治さん&理恵さん推薦!
ビスクなどで作られた愛おしい人形達が
さまざまなシチュエーションの中で遊ぶ
かわいくも、ときにシュールでミラクルな世界!

神宮字光 人形作品集
「Cocon」
A5判・ハードカヴァー・64頁・定価2700円(税別)

田中流が写す魅惑の球体関節人形!
若手からベテランまで、多彩なタイプの
人形を撮影し、その魅力とともに、現代の
創作人形の潮流をも写した写真集!

田中流 球体関節人形写真集
「Dolls～瞳の奥の静かな微笑み」
A5判・カヴァー装・96頁・定価2300円(税別)

好評発売中!! 書店店頭で見つからない場合は、書店にご注文下さい(通信販売やインターネット書店もご利用下さい)。

の間にできた娘、あまり美しくない菊花がいる。彼女は素芬に嫉妬し、家で乱暴の限りをつくしている。2番目の妻の連れ子で頭のいい韓梅は大学生で離れて暮らしているが、帰郷するとやはり菊花に虐げられる。

順の仕事はいつもつなわたり。無理難題の中をどうにか設営する。けれども、報酬はなかなか理由をつけて支払われない。親方としてみんなにお金を支払わなきゃいけないのに。少ない収入に対し、菊花は父親を虐げるように無駄遣いする。順の兄は働いたことはなく、麻雀でお金を稼ぎ、あるいは莫大な借金をする。そんなものの面倒まで見なきゃいけない順は、それでも実直に生きていこうとする。

とまあ、そんな設定で、次々と主人公が悪い運命に巻き込まれては、どうにか生き延びていくというストーリーだ。順はいつになったら救われるのだろうと思いながら読み進めていくが、どんどん悪くなるばかり。とはいえ、悲劇は喜劇的に描かれている、というのが、喜劇映画的なところ。主人公にとっては不幸でしかないのだけれども。それにしても、順の痔はどんどん悪化していって、自分のお尻まで痛くなる。という意味では、美しい女性と結婚できたことは、順にとって不幸中の幸いかもしれない。

日本と中国では演劇が置かれた状況でずいぶんちがうな、とは思う。役者はけっこう身分が保証されているほうで、そのかわり、小劇場がたくさんある日本とは違うんだろうな、とか、そんなところも感じるところではある。

多分にデフォルメされているのだろうけれども、貧しい社会にあってのバイタリティは強く感じるし、それでお腹いっぱいになったりもする。そんなことも含めて、愛すべき中国のベストセラーなのである。（M）

持続可能な魂の利用

松田青子

中央公論新社、20年5月、1500円

★松田青子の初の長編である。あいかわらず、ストレンジな話である。

『スタッキング可能』以降、男性社会との感覚のずれという形で、そのストレンジさを描いてきたといえる。そして、この作品では、おじさんと若い女性という対比で、そのことが示される。なんといっても、エピグラフからして、「少女革命ウテナ」である。

続いて、最初のシーンは、おじさんから少女たちが見えなくなるという現象が起きる。少女にとって有害でしかないおじさんから見えなくなるというのは、なかなか理想的なことなのだろう。

ところが、話はそう単純ではない。主人公の敬子が日本に戻ってきてはまるのは、欅坂46なのだから（いちおう作品の中では、固有名詞は示されていないけれど）。欅坂46は、秋元康がつくった女性アイドルグループの1つ。AKB48に代表されるこれらのグループは、まさにおじさんによってつくられた商品であり、実際のところ、持続可能どころか魂は消費されている、とでも言っておけばいいのだろうか。そうであるにもかかわらず、笑わないアイドル、とりわけセンターの平手友梨奈（という固有名詞ではなく、××となっているけれど）にひかれていき、コンサートにまで足を運んでしまう。そこには、おじさんによってつくられたものであるにもかかわらず、おじさんを裏切るような存在になっていく痛快さがあるのだろう。

ちょっと話はずれるように思われるかもしれないけれど、女性の生きにくさの事例の1つは満員電車での痴漢による被害だ。実害だけではなく、男性社会の痴漢被害に対する思いやりのなさというのも問題だ。という話は、ツイッターにはいっぱいアップされているのに、痴漢の被害にあいやすいような制服を強制しているということに対しては、あまり批判されていないような気がする。というか、あまりにもあたりまえ化しているものは批判されないのだろうか。学校は痴漢の共犯者なんじゃないか、と思うのだけれども。という点では、松田はこの作品の中で制服についてもしっかり批判している。欅坂46もまた、制服をしっかり着ているのに。AKB48と同じようでいて、しっかり逆転させている存在になっているということか。

結論はというと、おじさんは絶滅していく。まあ、どんなふうに絶滅するの

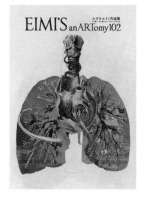

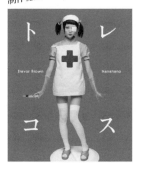

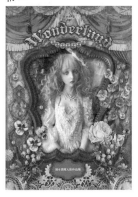

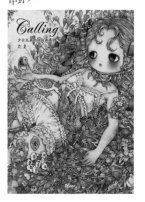

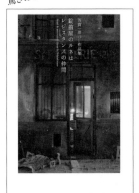

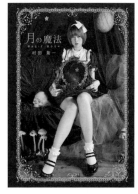

か、女性の持続可能な魂の利用はどうなるのか、というのはまあふせておくけど。（M）

イエス玉川
青龍刀権次
木馬亭、20年6月3日

★大戦中もあいていた寄席が、今回の新型コロナ禍では閉まった。浅草の浪曲定席・木馬亭も、四月は三日で中止になり、五月はまるまる休席だった。木馬亭五十周年の、記念興業も予定されていたのに。

そして、緊急事態宣言も明け。寄席も六月からは、また開き出した。木馬亭も、ひとが隣り合わないよう座席を管理されたなかで、六月一日から開いた。初日の主任は日本浪曲協会会長・東家三楽。

木馬亭の番組は日替わりで、かねてから待ち望んでいるイエス玉川師匠の高座は、六月は唯一、三日の一時過ぎのみ。コロナやらドナドナやらで、日原さんもだいぶツカレチャッタヨ状態だったから。三日の水曜日は昼休みに抜け出して、イエス師匠だけ聴いてきた。

写真撮りたいぐらいですね。みなさん揃って、しっかりマスクしてくださってる。と、感に堪えたようにおっしゃるイエスさま。ニュースみてると、安倍総理のマスクだけ小さい。あれは、昭恵夫人の生理用ナプキンを再利用してるからじゃないか……。「イエスさんさいきん下ネタが多いんじゃないかって、お客さまからも言われました。でも、私がやるんだから『カミネタ』です」。と笑わせて、入ったのは「青龍刀権次」。

ゆすり、偽札つかい、吉原遊び。にくめない小悪党の物語を唸るイエス玉川の声には、凄みと色気がある。イエス師匠の「青龍刀権次」は、ラジオの録音で何十ぺんも聴きかえしたが、やっぱり生で聴くといい。三十分たっぷり聴いて、満足してまた病院にもどった。（日）

鵜飼哲
テロルはどこから到来したか
—その政治的主体と思想
インパクト出版会、20年2月、2500円

鵜飼哲
まつろわぬ者たちの祭り
—日本型祝賀資本主義批判
インパクト出版会、20年4月、2500円

★新型コロナウイルスの感染拡大、というよりもそのことによって社会が抱えていた基礎疾患が明らかになった現在、この2冊の本を読むというのは、それなりに思うところがある。もちろん、刊行時期を考えれば、この2冊が新型コロナウイルスのことについて言及することはないのだけれども。けれども、このほぼ10年間の国内外の政治的状況に対する批評というのは、結果的につながっているものだ。

1冊目の『テロルはどこから到来したか』は、鵜飼が米国に入国できないことになっていることからはじまる。どうも「テロリズム」に関する発言をあちこちでしていることが原因らしい。とはいえ、フランス文学・思想を専攻する鵜飼は、フランスに住んだ経験もある。そこから、フランスとアラブ世界のきれいごとではない状況が語られる。言ってしまえば、フランスの人々はアラブ世界に自分たちの都合を押し付け、そのことがテロにつながっていくということだ。それは国内でのイスラム女性に対するスカーフの禁止ということから、パレスチナ問題までつながっている。こうしたことが、最悪のケースとなってしまったのが、風刺漫画を出版していた会社が襲撃された、シャルリ・エブド事件だ。

中東の複雑な問題について、フランスにも責任はあるし、そうであるにもかかわらず、フランスの社会はそれほどイスラムに寛容ではない。

鵜飼はたまたまフランスに軸足があるからこうなるが、もちろん米国も英国も同じ枠組みに入るだろう。西洋の政治思想がテロリズムを生み出した、と。

『まつろわぬ者たちの祭り』は、同じ問題意識を、ぐっと身近なものに引き寄せる。ここで大きく語られるのは、天皇制とオリンピック、そして福島第一原発事故だ。

鵜飼は、オリンピックがそもそも政治的なものだと指摘する。1936年のベルリンオリンピックが、当時のドイツという国におけるナショナリズム高揚のために利用されたが、その点では、震災からの復興という40年の中止された東京オリンピック、戦後復興の64年の東京オリンピック、そして震災と原発事故からの復興という2020年開催予定だった東京オリンピックは、すべて同じ文脈で、同様にナショナリズム高揚のために準備され、実際には負のレガシーしか残りそうもないものになっている。震災からの復興は終わっていなかったし、戦後も終わっていない。福島の「アンダーコントロール」が嘘で、現在もなお避難者がいる。しかし、そもそも近代オリンピックが、国威発揚のものだった。そしてそのために、例えば弱者が排除される。

鵜飼によると、国民の統合の象徴であ

る天皇もまた、そうした装置となっている。平成天皇の退位のタイミングは、まさに次の天皇が即位し、オリンピックでデビューするタイミングだったという。平成天皇が象徴という役目を果たそうとしたと述べたことが、ナショナリズムを支える装置としての役目を述べていることであり、そのことそのものが、政治に関与しているということだ。

　ナショナリズムが優先され、人々が捨てられていく社会というのは、昔から何も変わっていないのかもしれない。そうした中、ただ、オリンピックや天皇の即位といった祭りによって、不都合な現実を忘れさせようとしているのが、日本の現在なのだろう。

　とはいえ、現実は鵜飼の想像をはるかに超える展開をしてしまった。新型コロナウイルスの感染拡大によって、世界経済が止まってしまう事態となった。オリンピックはとりあえず1年延期された。それはとても象徴的なことだけれども、むしろ、このパンデミックが、いかに先進国が病んでいたかということをあらわにしてしまったことの方が大きな意味がある。先進国がどこも、ヘルスケアにおいても貧困においても大きな問題を抱えており、それによって感染がさらに拡大するか、失業者が増大するか、いずれにせよ弱い立場の人たちが追い込まれていく。とりわけ、米国と日本は、指導者が裸の王様となっている。

　祭りが強制的に終了させられた日本において、冷静に鵜飼の批評を読むことは、とても意味があることなのだろう、とは思う。でも、現状、あまり明るい気持ちになれない。（M）

早瀬耕

彼女の知らない空

小学館、20年3月、680円

★『未必のマクベス』でブレイクした作家の4冊目。あまりSFっぽくない短編集。読みやすく巧みなストーリーで、細部にもこだわっていて、という意味では、これまでの3冊同様に、よくできた本だなって思う。

　でも、それだけじゃなく、この本の最初の2編は、日本国憲法が改正された世界を扱っている。「思い過ごしの空」では、化粧品会社に勤務する夫婦がそれぞれ、機密情報として、開発した化粧品向けの素材が兵器に使われることを知る、という話。「思い過ごしの空」は一転して、航空自衛隊員が実際の戦闘に関わらざるを得なくなる。

　改正された憲法を引き受けざるを得ないという残酷さは、けれども早瀬の小説そのものがリアリティをどこかで欠如させている。それは、何かゲームの中の女性のようなリアリティのなさが、そうさせているのかもしれないけれども。でも実際に、現実に暮らす人々にとって、そもそも憲法改正はリアリティがあることではなく、それゆえに改正されかねないくらいの危機的なものはリアルとしてあるのだから、この作品におけるリアリティのない描き方そのものがリアルだなあ、と思ってしまう。

　さらにその先に描かれるブラック企業もまた、軍隊の比喩で語られる。『グリフォンズガーデン』と『未必のマクベス』の間、早瀬はブラック企業にでも勤務していたのではないかと想像してしまう。今さら、企業戦士などという言葉は誰も使わないにせよ、その活動は戦争の代替のように人を麻痺させている。

　それからもう1つ。いくつかの短編では、主人公の年齢が52歳に設定されている。早瀬と同年代だ。50代でもおじさんっぽくない、というあたりは、ぼくも実感としてわかるけれども、それはそれとして、そうしたリアルさが、早瀬が現実の世界に感じていることにつながっている、そうしたリアルさを抱えている、とも思うのである。（M）

牧阿佐美バレヱ団

眠れる森の美女

文京シビックホール、20年10月3日・4日

★今年は春以後、録音源による作品上演が続いていた。牧阿佐美バレヱ団「眠れる森の美女」（全幕）で久々にオーケストラによる全幕バレエ上演を楽しむことができた。

　演奏は東京オーケストラMIRAI、指揮は新進の冨田実里だ。冨田はバレエ指揮というジャンルに挑む期待の新星である。冨田はデビューした公演から接しているが、模索を重ねながら次第に自分の解釈と音を打ち出してきている。大御所・福田一雄先生と比べると細やか。やや力が入り気味の初日だったとはいえ好感はもてる。日本のバレエ指揮に一頁を切り出してほしい。

　主役の青山季可・清瀧千晴は初日を

しっかりとした演技で盛り上げた。清瀧は優れた才能でありもっと世間一般に知られて欲しい。リラの精の茂田絵美子も北海道が送り出した重要なバレリーナだ。伊福部昭のパートナー勇崎愛子に学んだことがある、現代舞踊からみても大切な存在である。（吉）

アーシュラ・K・ル＝グイン

現想と幻実

大久保ゆう・小磯洋光・中村仁美訳、青土社、20年9月、2600円

★ル＝グインの自選短編集から未訳の作品を選んだもので、生前最後に発表された「水甕」まで収録されている。ＳＦばかりではない。地上のどこかでの話（現想）と他の宇宙・内なる世界（幻実）の２つのパートに分かれていて、ハイニッシュユニバースの短編も含め、ル＝グインの多様な作品が読める。

ル＝グインの書いていることって、「みんなはこんなふうに思っているのかもしれないけれども、実際のところ、こんなことなんじゃないのかな」ということなんじゃないかな、と思う。というのがよくわかるのは、本作品中でもっともよみやすい「狼藉者」。「いばら姫」を題材にしたこの作品、別の視点からの語り直しではあるのだけれども、まあ誰もが王女にキスしたいわけじゃないよね、と。あるいは最初の作品「ホースキャンプ」は、「馬ですけど何か？」という感じ。

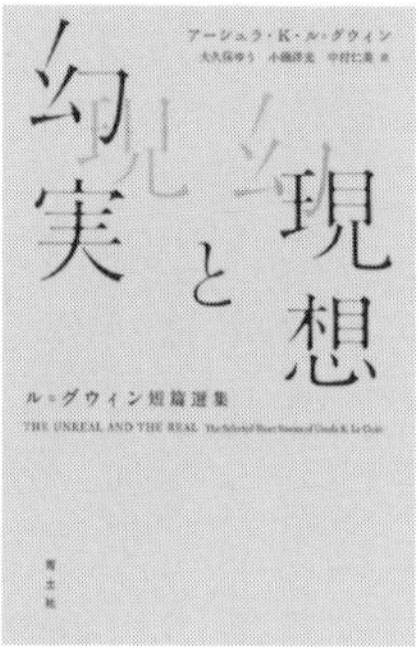

そう思うと、ル＝グインにとってのフェミニズムも、「ジェンダーとかセックスとかみんなこんなふうに思っているのかもしれないけれど、本質的にはこうなんじゃないかな」ということなんじゃないか。でも、「こうなんじゃないかな？」と言われて困る人は、「竜が怖い」人でもあるんだろうな。

ル＝グインは長編の方がはるかに読みやすいと思う。まあ、そうじゃないのもあるけど。でも、改めて短編を読むと、ル＝グインがどれほど技巧的な作家なのか、ということがよくわかる。その技巧が、最初に言ったことをシンプルに伝えてくれる。「水甕」に示されているのは、ル＝グイン自身が自分の小説を「ある所から別の場所に行く、場合によっては元の場所に戻る話」だとしていたし、構造はとてもシンプルなものが、最後まで続いていること。というか、作家としても元の場所に戻っているのかもしれない。（M）

三浦一壮×木村由×丸田美紀×香村かをり

なってるハウス、20年7月17日

★三浦一壮と木村由によるパフォーマンスが行われた。白い衣裳で白いヴェールで顔を被った二人がゆっくり動く。丸田美紀（箏）と香村かをり（韓国伝統楽器奏者）の演奏が盛り上げていく。

後半になると二人は顔をあらわに力強く動く。木村はエイコ＆コマに学びパフォーマンス重ねてきた。三浦は呼吸法を経たメソッドから気の流れを感じさせるムーヴメントをみせる。二人に音楽が絡みノイズが生成される。踊り手たち相互の位相と力学から東アジアの時空へと切り込んでいくようなパフォーマンスだ。

ポーランド、フランス、南米へ舞踏をもたらした三浦と、エイコ＆コマの下で活動したことがある木村による国際色豊かなデュエットである。三浦は及川廣信の日本マイム研究所で大野慶人と一期生だったが、いち早く独立し独自の身体表現を探求してきた。木村も大野スタイルの舞踏は得意である。両者に共通することはマイムの香りがうっすらとみえるということなのだが、及川にも大野にも囚われすぎ陥ることなく、新しい表現を模索している。

舞踏（60年代）やコンテンポラリーダンス（90年代）と一線を画する２０２０年代の新時代の台頭がはじまろうとしている。60年代、90年代と日本が右肩上がりだった時代と現代が違うのは格差社会で環境問題が深刻ということである。三浦はポーランド、南米と20世紀の中で最も過酷な社会に舞踏を伝えてきた才能だが、愛と慈しみともいうべき姿勢がその踊りにある。新しい時代のダンスの萌芽・礎として活動を重ねている。（吉）

写真・マキエマキ／文・ミントクラウン

くらべるエロ

玄光社、20年7月、2200円

★マキエマキといえば最近「人妻熟女自撮り写真家」として知られるようになってきた。一般的には、キワモノ的に思われているんだろうとは思う。でも写真家としてのキャリアもあるし、語るべき作品だよな、と思う。単純な熟女ポルノ写真というわけじゃない。

なんでマキエマキが気になるかというと、彼女の「私のエロは私が決める」ということにある。

ジュディス・バトラーのキャサリン・マッキノン批判には同意してしまうのだけれど。それでもマッキノンが言うように、ポルノグラフィーのかなりの部分は、男性の消費のために独占されてきたとは思う。ただ、それを反ポルノに収れんさせてしまうと、女性自身にとってのエロというのも一緒に追いやられてしまう。エロいことは悪いことではないし、むしろそれはぼくたちにとっても、生きる上で重要なピースであるとも思う。

だとしたら、エロを自分の手元に取り戻してもいいのではないか。自分にとってのエロいこととは何なのか。ある意味、人妻熟女は、男性にとって消費の対象としての価値は下がっているのではないか。だからこそ、自分を取り戻すことができたんじゃないか。そんなことも含めて、マキエマキは自撮りをしていく。エロいツールとして、セーラー服やホタテビキニをまとい、エロい場所としてラブホテルや古い家屋、場末のバーの通りに向かう。ぼくも世代が近いので、彼女の言う昭和の風景には、いろいろ感じてしまう。

では、そもそもエロいのはどういうものなのか。『くらべるエロ』では、自撮りを離れ、若いモデルを通じて、エロい要素を分解・単離し、提示してくれる。あらためて、示されると、エロいことについて、何に感じていたのか、なんかおもしろい。胸の谷間と太ももの隙間のどっちがエロいか、とか、下乳と横乳とか。マキエのツボを押さえた撮影が、そのことを明確にしてくれる。その意味では、「おまえのエロは、おまえが決めろ」と言われているような気もする。でも、そんな問われ方って、あまりされていない。という意味で、けっこう貴重な本かもしれない。

自撮り写真については、第二写真集の『似非』も出たばかり。写真もさることながら、昭和のエロ本のようなコピーもいい雰囲気だし、何より自分の作品への想いについて、いろいろ語っている。エロい自分というのを取り戻す挑戦というようなところもある。

とまあ、そういうマキエマキなのだが、セーラー服の写真だけは、「娘の高校卒業記念にお母さんが着ちゃいました」感が強くて。個展に行ったときに、シールをもらったんだけど、実はちょっと困りました。

（M）

小野美由紀
ピュア

早川書房、20年4月、1700円

★表題作は「SFマガジン」に掲載されてちょっと話題になった作品。ぼくも銭湯小説『メゾン刻の湯』の作者ということで、掲載時に読んだ。女性が男性を食べないと妊娠しないという世界の話である。

ジェイムズ・ティプトリーJrの「愛はさだめ、さだめは死」という短編と比較する人は多いと思う。でも、「ピュア」は、生物学がテーマのSFではない。むしろ、他の作品も含めて、女性の生きにくさをSF的な設定を利用して描いているのではないか。女性が男性を食べるというのは、生物学的な要請ではなく、極端なジェンダーとしての結果となっている。また、「ピュア」に描かれた女性同士の絆は、現実のホモソーシャルな男性社会の裏返しではないかと思う。だから、そうした現実認識の一方で、ストーリーそのものはわりとシンプルなラブストーリーとなっている。そこが、弱みでもあり共感を得やすいしくみでもあるんだろうな。

なお、ぼくの中ではそもそも「愛はさだめ、さだめは死」への評価は低い。生物学がテーマのSFとしては、アイデアのみで掘り下げが足りないんじゃないかと。「汝が半数染色体の心」から「一瞬のいのちの味わい」にいたる、生命の持つ本質的な残酷さと心理の深さに比べると、どうしても劣るんじゃないか、と。

「バースデー」は主人公の親友がいきなり性転換して恋人になろうとする話。FTMの話のようであるけれども、それはセクシュアリティというだけではなく、やはり女性としての生きにくさが反映されているのではないだろうか。そうでなければ、性転換する必要などなかったはずだ。

「To The Moon」における、女性だけの世界へのあこがれもそう。あるいは「幻胎」では、一方的に妊娠・出産から逃れられない女性。

女性の生きにくさをあらためて説明することもないのかもしれないけれども。でも「ピュア」を例とすれば、学校においては名簿にも示されているように、女性は男性の後という位置に置かれ、スカートの制服を強制させられている、といった刷り込みがある。その裏返しとしての世界だ。

正直に言えば、このテーマでもっと奥深く入り込んでいけると思うのだけれども、表面的な気がしないでもない。同時に、現在なお、表面的な部分で共感が得らえてしまうような、社会そのものの進歩のなさも感じてしまうのである。（M）

海猫沢めろん

パパいや、めろん

講談社、20年6月、1200円

★自分は子供が好きなのだと、ほしいのだとずっとおもっていた。私の子供には、あのマンガを読ませよう、このアニメを観せよう。そんなふうに夢想することもあった。

妹に子供が生まれて、すこし考えがかわった。自分の顔を見れば泣く。ずっと泣く。延々と泣く。こういう存在がいると、生活の上でたいへんだろうなあとおもった。かんがえてみれば、私は、ペットの世話もまともにできたためしがない。金魚の面倒もまともに見れないのに、ひとの子の面倒が見れるものか。

そんなふうにかんがえていたところに、この本を読んだ。海猫沢めろんの本なら、なんでもハズレはない。わらいながら読むうち、ますますその思いを強くした。「子供を育ててわかったのは、東京で育児をすることの異常なほどの困難さだ。はっきり言って、罰ゲームを超えたデスゲームのレベルである」。

子供をひとりで面倒見ると、「子供の機嫌によってはおんぎゃあが止まらないこともあるし、ついでにゲロが止まらないときもある。おまけにこっちのスケジュールなどおかまいなしにすべてをぶち壊してくれるうえに、会話も通じない」。こういう存在を育てるのは、なみたいていの所業でない。私は妹と、あんまり仲はよくないけれど、妹が赤ん坊を立派に育てているのを見て、つくづく感心しているところだ。（日）

佐藤零郎 監督

長居青春酔夢歌

★ホームレスたちも出演する演劇を通じて、釜ヶ崎をはじめ大阪で暮らすホームレスたちの生存と闘いを描いた力作だ。公園の住処を撤去されてしまう事とそれに対する抵抗を描きながら、当事者や支援者たちが最終的に演劇・パフォーマンスを通じて解決案をまとめようとする姿を記録している。監督は当事者たちと共に生活しながら撮影したこともあったというが、公園からの退去を余儀なくされているホームレスの姿を近い距離から撮影した。

書籍「俳優の解剖学―演劇人類学辞典」（中嶋夏・鈴木美穂訳、1995）が翻訳紹介されている演劇のユージェニオ・バルバが、釜ヶ崎で舞踏の三浦一壮らとパフォーマンスを行ったのは70年代後半で、これは世界を旅するプロフェッショナルな劇団の路上演劇だった。それから30年ほど経たこの街の姿を克明に記録している。10人にも満たないホームレスたちの半生を演劇・パフォーマンスに昇華し、作品を上演するプロセスが描かれており、作品そのもののドキュメントではない。だが方法論として示唆を観客に与えてくれる内容だ。

この作品は監督が許可を出した時しか上映されない。しかし新進の若手監督によるクリエーションは広く演劇・パフォーマンス・舞踏で知られて良い。東京ドキュメンタリー映画祭 in Osaka の一環として大阪・十三の歓楽街の中にある大阪シアターセブンで観ることができた。この映画が収録された現地も近く、客席は関心を持った観客たちで埋まった。（吉）

劇団新人会

弱法師 三島由紀夫作
動員挿話 岸田國士作

上野ストアハウス、20年9月9日～13日

★「弱法師」は三島の『近代能楽集』の一編。能の「弱法師」をもとに創られたものだが、舞台は1960年。終戦時に5歳だった俊徳は両親と生き別れ、盲目となったのち、子どもを欲しいと望んでい

た夫婦に引き取られる。20歳になった俊徳を産みの親夫妻が知り、育ての親との間で親権の調停を行う、という話だ。そこでは戦争の不条理が押し付けられた子どもの成長した姿がある。それは絶望に近い。盲目の俊徳に唯一見えるのは戦火で人々が焼ける光景だけ。そして、そうではないと言い続ける調停員の美しい中年女性にだけ、俊徳は心を許す。

「動員挿話」は1904年（明治37年）夏頃が舞台。将校の出征が決まり、馬丁を戦地に連れていこうとするが、馬丁の妻が強く反対し、懇願する。馬丁の妻にとって、馬丁は3人目の夫であり、ようやく安心して共に暮らせる相手でもある。それを取り上げられたくないという。そうであれば、将校の家を出ていくことになる。

現在において、この2本の短い芝居を演じることに、どのような意味、どのような解釈を行えばいいのか、考えてみた。もちろん、それは多様な解釈があっていいものだ。それに、現在の日本には戦争を思わせる居心地の悪さがあるということも、いえるだろう。そうした中での、この2本の選択ということは考えられる。

それはわかるのだけれども、「弱法師」の芝居は、何かうまく、1960年というものを感じにくかったと思う。その演劇の存在によって、戦後15年目というものがあったことがわかるし、それは意味あるものだけれども、そのあとの60年という時間の流れは、役者の身体に入っていないのではないか、そんなことも感じてしまった。特に調停員の役者が、美しい中年女性というものをうまく演じきれなかったのではないか。母親と恋人を兼ねる存在になりきれていなかったのではないか、そんな気がする。

「動員挿話」の場合、そもそも書かれた時点で過去を題材にしているし、それゆえ、国というものが戦争を理由に国民の生活を簡単に壊す、という今日でも起きていること、伝わる価値観というものが表現しやすかったと思う。馬丁の妻が舞台をよく引っ張っていたとは思う。それでも、彼女が教育を受けた女性であること、3人目の夫は無学ではあったとしても、ようやく自分が一緒にいたい身体の持ち主であるということ、そういったことの切実さが、どこまで示されていたのだろうか、とも思う。

古典といっていい芝居を、どのように解釈し、現代の中に位置づけた上でどのように演出し、あるいは演じていくのか、簡単なことではないな、とも思う。それでも、戯曲そのものの力と、役者の力で、楽しむことはできたのだけれども。（M）

芳賀一洋 作品集「錠前屋のルネはレジスタンスの仲間」
978-4-88375-331-4／A5判・224頁・並製・税別2222円
●パリの街並みや日本の昭和的風景などを精巧なミニチュアで再現した驚異の作品群。その40作以上を郷愁あふれる写真に収めた作品集。

北見隆 作品集「本の国のアリス～存在しない書物を求めて」
978-4-88375-223-5／A5判・64頁・ハードカバー・税別2750円
●本そのものが、「アリス」の物語の、愉快な舞台《ワンダーランド》に！ 本の形をした"ブックアート"を中心に、不思議な物語に満ちた作品集!!

菊地拓史 オブジェ集「airDrip」
978-4-88375-229-4／A5判・64頁・ハードカバー・税別2750円
●「夢と現の境を揺蕩う、幻視の錬金術師」―手塚眞。菊地拓史が贈るオブジェと言葉のブリコラージュ。その世界を本で表現した一冊。

◎杉本一文の本

「杉本一文『装』画集～横溝正史ほか、装画作品のすべて」
978-4-88375-287-4／A4判・128頁・カバー装・税別3200円
●横溝正史といえば、杉本一文。数多く手がけてきた装画作品の中から、横溝作品を中心に約160点を精選して収録した待望の画集!!

「杉本一文銅版画集」
978-4-88375-286-7／A5判・128頁・カバー装・税別2500円
●幻想とエロスの桃源郷――杉本一文のもうひとつの顔、銅版画の代表作を装画作品から蔵書票まで約200点収録！

◎幻想系・少女系

スズキエイミ 作品集「Eimi's anARTomy 102」
978-4-88375-358-1／B5判・64頁・ハードカバー・税別2750円
●"美の本質は肉体、肉体の本質は死"。名画などを巧みに組み合わせて作り上げられた、解剖学的でシニカルな美の世界！

たま 画集「Calling～少女主義的水彩画集VI」
978-4-88375-357-4／B5判・52頁・ハードカバー・税別2750円
●ダーク＆キュートなたまの少女画集第6弾！ 切り取って楽しめる「折り込み塗り絵」や中野クニヒコによる立体作品も収録！

たま 画集「Fallen Princess～少女主義的水彩画集V」
978-4-88375-221-8／B5判・48頁・ハードカバー・税別2750円
●お姫様系、エロちっく系、食べ物系など、たまならではのダーク＆キュートな秘密の乙女の楽園がたっぷり！ 待望の画集第5弾！

森環 画集「愛よりも奇妙～ Stranger than love」
978-4-88375-264-5／B5判・64頁・ハードカバー・税別2750円
●なんて奇妙な、ワンダーランド！「ボローニャ国際絵本原画展」入選など、不思議な世界観で人気の画家の幻想的な鉛筆画集！

椎木かなえ 画集「同じ夢～ Same Dream ～」
978-4-88375-252-2／A5判・64頁・ハードカバー・税別2750円
●闇に住まう人の、いびつな愛と、不穏な夢。奇妙で秘儀的な心象風景が、観る者を夢幻の世界へ導く、椎木かなえの初画集!!

安蘭 画集「BAROQUE PEARL～バロック・パール」
978-4-88375-213-3／A5判・72頁・ハードカバー・税別2750円
●哀しみや痛みなどを包み込み、いびつだからこそ心を灯す、安蘭の"美"。耽美画家・安蘭の約10年の軌跡を集約した待望の画集！

こやまけんいち「少女たちの憂鬱」
978-4-88375-096-2／A5判・64頁・ハードカバー・税別2800円
●痛みと遊ぶ少女たちを繊細に描く。女の子たちは完全すぎて、傷つけないではいられない。鋏で、サクリと。―西岡智（西岡兄妹）

◎小説・コミック・評論・エッセイ

◎ナイトランド・クォータリー（ホラー＆ダーク・ファンタジー）

ナイトランド・クォータリー vol.22 銀幕の怪異、闇夜の歌聲
978-4-88375-418-2／A5判・176頁・並製・税別1700円

ナイトランド・クォータリー vol.21 空の幻想、蒼の都
978-4-88375-407-6／A5判・176頁・並製・税別1700円

妖（あやかし）ファンタスティカ2 ～書下し伝奇ルネサンス・アンソロジー
978-4-88375-380-2／A5判・160頁・並製・税別1364円

◎ナイトランド叢書（TH Literature Series）いずれも四六判

クラーク・アシュトン・スミス「魔術師の帝国《3 アヴェロワーニュ篇》」
安田均他訳／978-4-88375-409-0／320頁・税別2400円

クラーク・アシュトン・スミス「魔術師の帝国《2 ハイパーボリア篇》」
安田均他訳／978-4-88375-256-0／272頁・税別2300円

クラーク・アシュトン・スミス「魔術師の帝国《1 ゾシーク篇》」
安田均他訳／978-4-88375-250-8／256頁・税別2200円

E&H・ヘロン「フラックスマン・ロウの心霊探究」
三浦玲子訳／978-4-88375-361-1／272頁・税別2300円

E・H・ヴィシャック「メドゥーサ」
安原和見訳／978-4-88375-339-0／272頁・税別2300円

M・P・シール「紫の雲」
南條竹則訳／978-4-88375-336-9／320頁・税別2400円

キム・ニューマン「《ドラキュラ紀元一九一八》鮮血の撃墜王」
鍛治靖子訳／978-4-88375-327-7／672頁・税別3700円

キム・ニューマン「ドラキュラ紀元一八八八」
鍛治靖子訳／978-4-88375-311-6／576頁・税別3600円

エドワード・ルーカス・ホワイト「ルクンドオ」
遠藤裕子訳／978-4-88375-324-6／336頁・税別2500円

アルジャーノン・ブラックウッド「いにしえの魔術」
夏来健次訳／978-4-88375-318-5／320頁・税別2400円

E・F・ベンスン「見えるもの見えざるもの」
山田蘭訳／978-4-88375-300-0／304頁・税別2400円

サックス・ローマー「魔女王の血脈」
田村美佐子訳／978-4-88375-281-2／304頁・税別2400円

A・メリット「魔女を焼き殺せ！」
森沢くみ子訳／978-4-88375-274-4／272頁・税別2300円

◎TH Literature Series

石神茉莉「蒼い琥珀と無限の迷宮」
978-4-88375-365-9／四六判・320頁・カバー装・税別2400円

図子慧「愛は、こぼれるqの音色」
978-4-88375-345-1／四六判・256頁・カバー装・税別2200円

朝松健「邪神帝国・完全版」
978-4-88375-379-6／四六判・384頁・カバー装・税別2500円

朝松健「朽木の花～新編・東山殿御庭」
978-4-88375-333-8／四六判・320頁・カバー装・税別2400円

朝松健「アシッド・ヴォイド Acid Void in New Fungi City」
978-4-88375-270-6／四六判・256頁・カバー装・税別2200円

朝松健「Faceless City」
978-4-88375-247-8／四六判・352頁・カバー装・税別2500円

友成純一「蔵の中の鬼女」
978-4-88375-278-2／四六判・304頁・カバー装・税別2400円

橋本純「百鬼夢幻～河鍋暁斎 妖怪日誌」
978-4-88375-205-8／四六判・256頁・カバー装・税別2000円

ケイト・ウィルヘルム「翼のジェニー～ウィルヘルム初期傑作選」
安田均他訳／978-4-88375-241-6／256頁・税別2400円

◎TH Art series

◎新刊（2020.8以降の新刊は、p.177参照）

北見隆 装幀画集「書物の幻影」
978-4-88375-398-7／B5判・96頁・ハードカバー・税別3200円
●赤川次郎、恩田陸、中島らも、津原泰水…あのワクワクは、この絵とともにあった！ 40年の装幀画業から、約400点を収録した決定版画集！

高田美苗 作品集「箱庭のアリス」
978-4-88375-393-2／B5判・64頁・ハードカバー・税別2700円
●混合技法によるタブローから銅版画まで、少女をモチーフとした夢幻世界を描き続ける高田美苗の軌跡を集約した、待望の作品集！

たま（絵） 最合のぼる（文・写真・構成）「夜間夢飛行～暗黒メルヘン絵本シリーズ2」
978-4-88375-392-5／B5判・64頁・カバー装・税別2255円
●《暗黒メルヘン絵本シリーズ》第2弾は少女主義的水彩画家・たまが登場！「残酷で愛らしい、手加減なしの毒入り絵本です」―林美登利

黒木こずゑ（絵） 最合のぼる（文・写真・構成）「一本足の道化師～暗黒メルヘン絵本シリーズ1」
978-4-88375-370-3／B5判・64頁・カバー装・税別2255円
●妖しい世界へいざなう、絵と写真によるヴィジュアル物語！ アンデルセンなどの童話を元に生まれた《暗黒メルヘン絵本シリーズ》第1弾！

森環 画集「ネコの日常・非日常」
978-4-88375-388-8／四六判・64頁・ハードカバー・税別2200円
●ファッション大好き、読書も好きで…ほんとにネコって、不思議！ そんなネコのくらしをのぞいてみた、かわいくてちょっぴり奇妙な画集！

◎写真集

美島菊名 写真作品集「HOPE」
978-4-88375-308-6／B5判・64頁・ハードカバー・税別2750円
●少女よ あなたは 世界を変える――少女の無垢と欲望を、インパクトあるヴィジュアルで表現してきた美島菊名、初の写真作品集！

珠かな子 写真集「いまは、まだ見えない彗星」
978-4-88375-371-0／B5判・64頁・ハードカバー・税別2700円
●私にとってセルフポートレートは、〝可愛さと強さの脅迫〟だ。女の子は強くなれる、そう願っている――珠かな子、待望の写真集！

村田兼一 写真集「月の魔法」
978-4-88375-354-3／B5判・96頁・ハードカバー・税別3200円
●禁忌を解く魔法――月乃ルナをモデルに生み出された、マジカルで濃密なエロスに満ちたおとぎの世界。

村田兼一 写真集「天使集」
978-4-88375-328-4／B5判・96頁・ハードカバー・税別3200円
●天使というタナトスの闇に浮かぶ、エロスの残像。天使や人鳥を受難の女性を見守る死の影として配置した村田ならではの禁断の世界。

村田兼一 写真集「少女観音」
978-4-88375-259-1／B5判・96頁・ハードカバー・税別3200円
●幼少の頃から仏像に魅了されていた村田が長年温めていたテーマが、ついに写真集に！ モデルの慈愛のオーラが魅惑的な一冊！

村田兼一 写真集「パンドラの鍵」
978-4-88375-166-2／B5判・48頁・ハードカバー・税別2800円
●禁忌のエロスを探求し続ける写真家・村田兼一が特殊モデル七菜乃の無垢な心と身体を秘密の鍵で解放する―撮り下ろし写真集！

谷敦志 写真集「D. P Collage Series」
978-4-88375-283-6／A4判・64頁・ハードカバー・税別3800円
●妖しく溶け合う、肉体とオブジェ。異型の写真家・谷敦志が、女体のコラージュによって生み出した極北の美の世界。A4サイズの豪華版！

谷敦志 写真集「Flowers and Nudes」
978-4-88375-284-3／A4判・64頁・ハードカバー・税別3800円
●透き通るような静けさをまとう、ヌードと花。進化し続ける孤高のアーティストの「今」が詰まった、最新写真集！ A4サイズの豪華版！

谷敦志 写真集「アンビバレンス」
978-4-88375-148-8／A5判・64頁・ハードカバー・税別2800円
●ダークでカオティック、フェティッシュでアヴァンギャルド、そして最高にスタイリッシュ！ 異型の写真家の処女写真集！！

堀江ケニー 写真集「恍惚の果てへ」
978-4-88375-139-6／A5判変型・96頁・カバー装・税別2200円
●澄んだ空気感の中で恍惚の果てへ導かれる―湖や廃墟で撮った、堀江ケニーならではの幻影的作品を集めた待望の写真集！

◎人形・オブジェ作品集

神宮字光 人形作品集「Cocon」
978-4-88375-378-9／A5判・64頁・ハードカバー・税別2700円
●ビスクなどで作られた愛おしい人形達がさまざまなシチュエーションの中で遊ぶ、かわいくも、ときにシュールでミラクルな世界！

田中流 写真集「 Dolls ～瞳の奥の静かな微笑み」
978-4-88375-373-4／A5判・96頁・カバー装・税別2300円
●数多くの人形に接してきた写真家・田中流が、28人の人形作家の作品を撮影し、現代の創作人形の潮流をも浮き彫りにした写真集！

清水真理 人形作品集「Wonderland」
978-4-88375-364-2／B5判・64頁・ハードカバー・税別2750円
●肉体と霊魂、光と闇、聖と俗…それらの狭間で息づく、人形たちのワンダーランド。多彩な活躍を続ける清水の近年の作品の魅力を凝縮！

ホシノリコ 作品集「蒼燈のばら」
978-4-88375-326-0／B5判・64頁・ハードカバー・税別2750円
●艶かしく息づく球体関節人形、幻想的な物語奏でるオブジェ。ホシノの10年の歩みをまとめた待望の作品集！ 写真＝吉田良、田中流

森馨 人形作品集「Ghost marriage～冥婚～」
978-4-88375-236-2／B5判・64頁・ハードカバー・税別2750円
●妖しい美しさと、哀しいエロスを湛えた、森馨の球体関節人形。その蠱惑的な肢体を写真家・吉成行夫が撮影した、闇の色香ただよう写真集！

森馨 人形作品集「眠れぬ森の処女(おとめ)たち」
978-4-88375-108-2／A5判・64頁・ハードカバー・税別2800円
●聖なる狂気、深淵なる孤独、硝子の瞳が孕むエロス。独特のエロスに満ちた、秘密の玉手箱のような球体関節人形写真集！

清水真理 人形作品集「Wachtraum（ヴァハトラウム）～白昼夢」
978-4-88375-217-1／A5判・64頁・ハードカバー・税別2750円
●映画「アリス・イン・ドリームランド」に提供した人形（田中流撮り下ろし）や、吉成行夫撮影の吸血鬼シリーズなど満載の人形作品集。

林美登利 人形作品集「Night Comers ～夜の子供たち」
978-4-88375-288-1／A5判・96頁・ハードカバー・税別2750円
●異形の子供たちは、夜をさまよう――「Dream Child」に続く、人形・林美登利、写真・田中流、小説・石神茉莉のコラボ、第2弾！

与偶 人形作品集「フルケロイド FULLKELOID DOLLS」
978-4-88375-265-2／A5判・68頁・ハードカバー・税別2750円
●園子温推薦！ 多くの人の心に突き刺さっている、凄みのある作品たち。20年の作家生活をここに総括。横4倍になる綴じ込み2枚付！

木村龍 作品集「光速ノスタルジア」
978-4-88375-245-4／B5判・96頁・ハードカバー・税別3500円
●ボックスアートから彫像的作品、球体関節人形、絵画などまで、妖美で奇矯、かつ純真な世界を濃密に凝縮した、待望の初作品集！！

No.76 天使／堕天使～閉塞したこの世界の救済者
A5判・224頁・並装・1389円(税別)・ISBN978-4-88375-330-7
●天使や堕天使から発した想像力。村田兼一、ホシノリコ、『ベルリン・天使の詩』、ボカノウスキー『天使』がいたころ、天使と日本人、イスラムの堕天使たち、「天使の玉ちゃん」と〈失われた子供時代〉、『デビルマン』飛鳥了、熊楠の天使／天子と男色ほか。ジャ・ジャンクー論（藤井省三）、アジアフォーカス2018レポなども。

No.75 秘めごとから覗く世界
A5判・256頁・並装・1389円(税別)・ISBN978-4-88375-316-1
●秘めごとが生む物語。ステュ・ミード、中井結、宮本香那、『檸檬』『四畳半襖の裏張り』などに見る秘めごとの諸相、文学における「告白」、J・T・リロイの事情、自販機本の原稿書きが「映画芸術」の編集長に教えられたこと ほか。小特集としてマッケローニと映画「スティルライフオブメモリーズ」、追悼・ケイト・ウィルヘルム。

No.74 罪深きイノセンス
A5判・224頁・並装・1389円(税別)・ISBN978-4-88375-309-3
●無垢への信奉とそれが持つ残酷さ。美島菊名、村田兼一、蟲川ギニョール、Hajime Kinoko、ドストエフスキーと無垢なるもの、わたなべまさこ『聖ロザリンド』と萩尾望都『トーマの心臓』、『悪童日記』と『フランケンシュタイン』、『小さな悪の華』と『乙女の祈り』、少女ポリアンナ、村上華岳、うろんな少年たち ほか。

No.73 変身夢譚～異分子になることの願望と恐怖
A5判・224頁・並装・1389円(税別)・ISBN978-4-88375-299-7
●miyako（異色肌ギャル）インタビュー、トレヴァー・ブラウン×七菜乃"トレコス"、別人化マニュアル、変身譚としてのギリシア神話、バルテュスと鏡～少女の変身を映すもの、変装から変身へ～怪盗から見る映画史、女性への抑圧が生み出す〝変身〟～『キャット・ピープル』とその系譜、佐々木喜善の「蛇の嫁子」ほか。

No.72 グロテスク～奇怪なる、愛しきもの
A5判・224頁・並装・1389円(税別)・ISBN978-4-88375-289-8
●林美登利～異形の子供に惜しみのなく注がれる愛情、立島夕子～瀬戸際から発せられた生命の賛歌、たま～可愛らしい少女の中に秘められた不気味な何かを暴く、黒沢美香～既成の価値観に収まらない名前のない景色の豊満さ、畔亭数久とその時代、謎のバンド ザ・レジデンツ ほか。

No.71 私の、内なる戦い～“生きにくさ”からの表現
A5判・224頁・並装・1389円(税別)・ISBN978-4-88375-273-7
●生きにくさから生まれてきた表現―。渡辺篤（現代美術家）～ひきこもり体験からアートへ／若林美保（ストリッパー）インタビュー／与偶（人形作家）～人形によって人に何かを与え、それが自身の〝生〟も支えている／石塚桜子（画家）～一筆一筆に感じられる、祈りのような叫び ほか。

No.70 母性と、その魔性～呪縛が生み出す物語
A5判・224頁・並装・1389円(税別)・ISBN978-4-88375-260-7
●母性による呪縛がなにをもたらし、どんな物語を生んだのか―。「母がしんどい」などで共感を呼ぶマンガ家・田房永子や、ラブドールを妊娠させた作品が話題になった菅実花のインタビューのほか、「三島由紀夫の同性愛と母性の不在」など、神話や文学等多様な見地から俯瞰します。

No.69 死想の系譜～いま想う、死と我々の未来
A5判・240頁・並装・1389円(税別)・ISBN978-4-88375-251-5
●死を想うことで育まれる想像力。釣崎清隆×笹山直規によるメキシコ死体合宿レポ、LOVSTARのエッセイ漫画「死体愛好家」、「死の舞踏絵画からブリューゲル、ボス、そしてヴァニタス」、「ショーペンハウアーの『自殺について』」、「ボルタンスキー巡礼」、「SFにみる近未来の死生観」ほか。

No.68 聖なる幻想のエロス
A5判・208頁・並装・1389円(税別)・ISBN978-4-88375-244-7
●エロスとは、幻想だ。木村龍、村田兼一、甲秀樹、七菜乃、林良文などの作品を幻想のエロスの見地から解題・紹介したほか、「戦争とエロティシズム」、カナザワ映画祭「昼下がりの前衛的エロ映画特集」ルポ、「イケメンゴリラから日活ロマンポルノまで」など、さまざまなエロスを逍遥。

No.67 異・耽美～トラウマティック・ヴィジョンズ
A5判・240頁・並装・1389円(税別)・ISBN978-4-88375-234-8
●トラウマを植え付けるほどの強度を持つ「異・耽美」＝「異端・美」を特集。対談・沙村広明×森馨、インタビュー［林良文、劇団態変・金満里、舞踏家ケンマイ］、図版構成［森馨、衣、真条彩華、安蘭、夢島スイ、七菜乃×GENk他］、写真物語・一鬼のこ、『禁色』とその周辺ほか。

No.66 サーカスと見世物のファンタジア
A5判・208頁・並装・1389円(税別)・ISBN978-4-88375-230-0
●サーカス・見世物には光と影がつきまとう。われわれを惹きつける、夢と禁忌の国。「映画 少女椿」、道化的知性は復権するか、現代道化考、らくだ・ランカイ屋・オリンピック、見世物としての公開処刑、舞踏と見世物考、フランスのサーカス、奇異なるものへの憧憬ほか。

No.65 食と酒のパラダイス！
A5判・224頁・並装・1389円(税別)・ISBN978-4-88375-222-5
●食と酒で愉しむアート＆フィクション！ 現代海外アーティストによる食をモチーフにした一風変わった作品を数多くピックアップ。また、フィクションに登場する奇妙な食や酒の光景を解題＆紹介。料理研究家・上田淳子インタビューもあり。他に国際人形展「Fusion Doll」レポ等も。

No.64 ヒトガタ／オブジェの修辞学
A5判・224頁・並装・1389円(税別)・ISBN978-4-88375-216-4
●ヒトガタとオブジェのはざまについて考える。対談・三浦悦子×吉田良、映画「さようなら」～石黒浩教授インタビュー、綾乃テン、上原浩子、清水真理、菊地拓史×森馨、伽井丹彌、七菜乃、敗者の人形史、生人形の系譜、ゴーレム伝説、人造美女、レム＆クエイ兄弟版「マスク」比較ほか。

No.63 少年美のメランコリア
A5判・224頁・並装・1389円(税別)・ISBN978-4-88375-208-9
●短い期間の輝きでしかない少年の美には、メランコリア＝憂鬱がつきまとう。図版＆紹介［七戸優・甲秀樹・neychi・カネオヤサチコ・神宮字光・清水真理］、「ベニスに死す」、タルコフスキーの少年、グレーデン男爵とタオルミナ、阿修羅像と『少年愛の美学』、維新派「透視図」ほか。

No.62 大正耽美～激動の時代に花開いたもの
A5判・240頁・並装・1389円(税別)・ISBN978-4-88375-201-0
●好景気に米騒動、関東大震災…激動の大正時代を、耽美を切り口に俯瞰する。図版構成［橘小夢、高畠華宵］、異国への憧憬/谷川渥、大正の幻想映画、大正オカルトレジスタンス、鈴木清順・大正浪漫三部作とパンタライの時代、大正年表など。

No.61 レトロ未来派～21世紀の歯車世代
A5判・232頁・並装・1389円(税別)・ISBN978-4-88375-193-8
●スチームパンクと、アナクロな未来を幻視する。小説・映画等の厳選40作品紹介「エッジの利いたスチームパンク・ガイド」、二階健ディレクション「STEAM BLOOD」展、造形作家・赤松和光、歯車・オートマタ・西部劇映画、日本のアニメにおけるスチームパンク表現の特質など満載。

No.60 制服イズム～禁断の美学
A5判・240頁・並装・1389円(税別)・ISBN978-4-88375-181-5
●「座談会・学校制服のリアルとその魅力」森伸之×西田藍×りかこ×武井裕之、小林美佐子～制服は社会に着せられた役割、村田タマ～少女に還るためにセーラー服を着る、すちうる～小学生にも化けるセルフポートレイト、現代の制服ヒーロー・ヒロインたちなど満載。ヨコトリレポも。

No.59 ストレンジ・ペット～奇妙なおともだち
A5判・224頁・並装・1389円(税別)・ISBN978-4-88375-178-5
●虫などとの共生を描く西塚em、新田美佳や架空の動物を木彫で作る石塚隆則、奇妙な生き物「ぬらりんぼ」のHiro Ring、イヂチアキコ、蟬丸などからSMの女王様まで、さまざまな「ペット」的存在を愛でてみよう。やなぎみわ×唐ゼミ☆合同公演なども。

■トーキングヘッズ叢書（TH Seires）・ExtrART（エクストラート）既刊書

◎ExtrART（エクストラート）〜異端派ヴィジュアルアート誌

file.26◎FEATURE：リアルを紡ぎ出す
A4判・112頁・並装・1200円（税別）・ISBN978-4-88375-417-5
●戸泉恵徳、建石修志、山中綾子、田川弘、中島綾美、吉田有花×宮崎まゆ子×きゃらあい、蝿田式、四学科松太、萌木ひろみ×生熊奈央、寺澤智恵子ほか

file.25◎FEATURE：ヒトガタは語る
A4判・112頁・並装・1200円（税別）・ISBN978-4-88375-408-3
●三浦悦子、Mekkedori、ヒロタサトミ、垂狐、田野敦司、日隈愛香、横倉裕司、羅入、成田朱希、サワダモコ、山本有彩、塙興子、遊（アトリエ夢遊病）ほか

file.24◎FEATURE：幽玄を垣間見る
A4判・112頁・並装・1200円（税別）・ISBN978-4-88375-395-6
●上田風子、高田美苗、濱口真央、奥田鉄、土田圭介、南花奈、白野有、武田海、村山大明、日影眩、神宮字光、黒木こずゑ×最合のぼる

file.23◎FEATURE：秘めた、この思い
A4判・112頁・並装・1200円（税別）・ISBN978-4-88375-385-7
●池田ひかる、新宅和音、谷原菜摘子、野原tamago、井桁裕子、朱華、日野まき、菊地拓史・森馨、田中流、渡邊光也、千葉和成、TOKYO 2021 美術展 ほか

file.22◎FEATURE：隠されていた"美"
A4判・112頁・並装・1200円（税別）・ISBN978-4-88375-372-7
●蛭田美保子、スズキエイミ、椎木かなえ、たま、Kamerian.、ディナ・ブロツキー、井上洋介、生熊奈央、衣（はとり）、垂狐、ベルリン・悪魔の山 ほか

file.21◎FEATURE：うつろう、イメージ
A4判・112頁・並装・1200円（税別）・ISBN978-4-88375-360-4
●菅澤薫、大河原愛、有坂ゆかり、大塚咲×七菜乃、夜乃雛月、ニコライ・バタコフ、亜由美、櫻井紅子、吉田有花×ある紗、大島哲以 ほか

file.20◎FEATURE：夢幻の国を逍遥する
A4判・112頁・並装・1200円（税別）・ISBN978-4-88375-346-8
●佐久間友香、木村了子、中村キク、永井健一、長谷川友美、P.ファーガソン、池島康輔、須川まきこ、立島夕子、こやまけんいち、松下まり子 ほか

file.19◎FEATURE：その存在の、ミステリアス
A4判・112頁・並装・1200円（税別）・ISBN978-4-88375-338-3
●藤井健仁、棚田康司、モリケンイチ、後藤温子、中井結、トロイ・ブルックス、ホシノリコ、新竹季次、中川ユウヰチ、宮本香那、江村玲 ほか

file.18◎FEATURE：イノセンスが見る夢
A4判・112頁・並装・1200円（税別）・ISBN978-4-88375-323-9
●美島菊名、Risa Mehmet、泥方陽菜、雨宮沙月、月夜乃散歩、ローズ・フレイマス-フレイザー、松永賢、勝野眞言、高松ヨク ほか

file.17◎FEATURE：説話的世界へようこそ
A4判・112頁・並装・1200円（税別）・ISBN978-4-88375-315-4
●夢島スイ、フォレスト・ロジャース、深瀬優子、ある紗、渡辺つぶら、ごとうゆりか、佐藤久雄、大江慶之、安蘭、ドイツのグラフィティ ほか

◎トーキングヘッズ叢書（TH Seires）

No.83 音楽、なんてストレンジな！〜音楽を通して垣間見る文化の前衛、または裏側
A5判・224頁・並装・1389円（税別）・ISBN978-4-88375-412-0
●音楽は文化の結節点だ。パンクや電子音楽、ノイズなどから、クラシックまで、音楽をめぐる、少々ストレンジなイマジネーション！恍惚のアヴァンギャルド音楽偏愛史、パンクとポストパンクの思想的地下水脈、イスラムにおける音楽、近代日本の音楽の闇、ワーグナーの共苦と革命、バッハのもとに本当にニシンは降ったのか他

No.82 もの病みのヴィジョン
A5判・224頁・並装・1389円（税別）・ISBN978-4-88375-402-1
●「病み」＝「闇」のヴィジョン。人形作家・与偶トークイベントレポ、梅毒をめぐる幾つかの逸話と謎、舞踏病と死の舞踏、「吸血鬼ノスフェラトゥ」とペストのパンデミック、草間彌生の小説『すみれ強迫』、美人薄命の文化史、病と日本人、舞踊家・土方巽の〈病み〉、澁澤龍彥と病、病弱な少年、「ジョーカー」、「ベニスに死す」ほか

No.81 野生のミラクル
A5判・208頁・並装・1389円（税別）・ISBN978-4-88375-389-5
●野生からわれわれは何を学び、何を表現の糧にしてきたか。ケロッピー前田インタビュー〜野生を取り戻してテクノロジーを乗りこなせ、管理された野生、粘菌、牧神、人豚、八化けタヌキ、シュルレアリスムのアフリカ、スクリーンの変身人間、キム・ギヨンが描く〝オス〟と〝メス〟、異類婚姻譚、動物フォークロア、映画『ZOO』ほか

No.80 ウォーク・オン・ザ・ダークサイド〜闇を想い、闇を進め
A5判・224頁・並装・1389円（税別）・ISBN978-4-88375-376-5
●新たな想像力は闇から生まれる。［図版構成］濱口真央、C7、新宅和音、紺野真弓、宮本香那、萌木ひろみ、谷原菜摘子。タスマニアの美術館MONA、書肆ゲンシシャの驚異のコレクション、日本の闇を感じさせるゲゲゲスポット紀行、闇の文学史〜連鎖する自死、萩尾望都が描き始めた「楽園の裏側」、カタコンブという世界の裏ほか。

No.79 人形たちの哀歌
A5判・240頁・並装・1389円（税別）・ISBN978-4-88375-363-5
●［図版構成］田中流写真作品（人形＝日隈愛香・SAKURA・ホシノリコ・舘野桂子）・清水真理・野原tamago・神宮字光、現代の〝生き人形〟〜中嶋清八・井桁裕子・衣・森馨・佐藤久雄、菅実花とリボーンドール、ロボット・アンドロイド演劇の一〇年、映画『オテサーネク』と『マジック』ほか。追悼・遠藤ミチロウなども。

No.78 ディレッタントの平成史〜令和を生きる前に振り返りたい私の「平成」
A5判・256頁・並装・1389円（税別）・ISBN978-4-88375-350-5
●私たちが感じ取ってきた「平成」を振り返る。TH的・平成年表、極私的平成の三十年間（友成純一）、平成ゾンビ考〜「終わりなき日常」から「サバイバル」へ、舞踏の平成、アニメ『どろろ』に見る内実の変容、死体ビデオと90年代悪趣味ブーム、SNSという「ネオ世間」の出現、IT盛衰、「今日の反核反戦展」、酒見賢一論ほか。

No.77 夢魔〜闇の世界からの呼び声
A5判・224頁・並装・1389円（税別）・ISBN978-4-88375-340-6
●不穏さに満ちた夢の世界へようこそ。mizunOE、飴屋晶貴、亜由美、林良文、タイナカジュンペイ、「メアリーの総て」と『フランケンシュタイン』の悪夢、《夢》は現実を超えるか〜古代記紀神話から『君の名は。』まで、ラース・フォン・トリアー「ヨーロッパ」、『エルム街の悪夢』、『鏡の国の孫悟空』、『ルクンドオ』ほか。

トーキングヘッズ叢書（TH series） No.84

悪の方程式〜善を疑え!!

編　者　アトリエサード
編集長　鈴木孝（沙月樹 京）
編　集　岩田恵／望月学英・徳岡正肇
協　力　岡和田晃

発行日　2020 年 11 月 6 日

発行人　鈴木孝
発　行　有限会社アトリエサード
東京都豊島区南大塚 1-33-1 〒 170-0005
TEL.03-6304-1638 FAX.03-3946-3778
http://www.a-third.com/
th@a-third.com
振替口座／ 00160-8-728019
発　売　株式会社書苑新社
印　刷　株式会社平河工業社
定　価　本体 1389 円＋税
ISBN978-4-88375-421-2 C0370 ¥1389E

出版物一覧

http://www.a-third.com/

ご意見・ご感想をお寄せ下さい。
Web で受け付けています。
新刊案内などのメール配信申込も
Web で受付中!!

●Facebook　http://www.facebook.com/ateliertthird
●編集長 twitter　https://twitter.com/st_th

アトリエサード HP

AMAZON（書苑新社発売の本）

A F T E R W O R D

■高校の頃、自分は悪いことはしたことがないと仏のような笑顔で言う教師がいて、こいつが一番信用ならないと思ってたのは遠い昔。その頃はちょっとしたルール破りな奴が英雄視されてた気がするんだけど、まぁそれもどうかと思うが、いまは有名人とかは特に、少し悪さをすると叩かれる。それが悪いかどうかはだれが決めたのって話で、まずその根本を考えるべきだと思うのだが、でも私はこうしたことをひっそり傍観している奴なので、本当に悪いのは私みたいな奴かも? 次はExtrARTが12月下旬、THが来年1月末です!（S）
★弦巻稲荷日記一擬態美術協会が、擬態を名乗らなくなって久しいが、この編集期間中に恒例の個展があった。微妙すぎてわかりづらいこだわりがそこには展開されていた。さて数年ぶりに楽天TVに舞い戻った。華流の独占配信のせいだ。これ以上お気に入りの独占配信は勘弁。以下次号（め）

■展覧会・個展や上映・上演等の情報は、編集部あてにお送りください（なるべく発売の1カ月半前までに。本誌は1・4・7・10の各月末発売です）。
■絵画等の持ち込みは、郵送（コピーをお送りください）またはメール（HPがある場合）で受け付けています。興味を持たせて頂いた方は、特集や個展など、合うタイミングでご紹介させて頂きます。
■巻末の「TH特選品レビュー」では、ここ数ヶ月の文学・アート・映画・舞台等のレビューを募集中。1本400字以内で、数本お送り下さい。採用の方には掲載誌を進呈します（原稿料はありません）。THの色にあったものかどうかも採否の基準になります。投稿はメール（th@a-third.com）でOK。
■詳しくはホームページもご覧ください。
※応募の際には、本名・筆名・住所・TEL・E-mail・年齢・職業・趣味の傾向等簡単な自己紹介・本書のご感想を必ずお書き添え下さい。
※恐れ入りますが、原則的に採用の方にのみご連絡を差し上げています。ご了承ください。